主　編◎錢超塵

副主編◎王育林　劉陽

蕭延平校刻蘭陵堂本《太素》（上）

《黃帝内經》版本通鑒

第二輯

北京科学技术出版社

圖書在版編目（CIP）數據

蕭延平校刻蘭陵堂本《太素》：全二册 / 錢超塵主編. —北京：北京科學技術出版社，2022.1
（《黄帝内經》版本通鑒；第二輯）
ISBN 978－7－5714－1828－1

Ⅰ.①蕭… Ⅱ.①錢… Ⅲ.①《黄帝内經太素》
Ⅳ.①R221.3

中國版本圖書館CIP數據核字（2021）第194665號

策劃編輯：侍　偉　吴　丹
責任編輯：吴　丹
責任校對：賈　榮
責任印製：李　茗
出 版 人：曾慶宇
出版發行：北京科學技術出版社
社　　址：北京西直門南大街16號
郵政編碼：100035
電話傳真：0086-10-66135495（總編室）　0086-10-66113227（發行部）
網　　址：www.bkydw.cn
印　　刷：北京七彩京通數碼快印有限公司
開　　本：787 mm × 1092 mm　1/16
字　　數：835千字
印　　張：69.75
版　　次：2022年1月第1版
印　　次：2022年1月第1次印刷
ISBN 978－7－5714－1828－1

定　　價：**1390.00元（全二册）**

《〈黄帝内經〉版本通鑒·第二輯》編纂委員會

主　編　錢超塵
副主編　王育林　劉　陽

前言

中醫學是超越時代、跨越國度、具有永恒魅力的中華民族文化瑰寶，是富有當代價值、維護人體健康的生命科學，它將伴隨中華民族而永生。中醫學核心經典《黄帝内經》（包括《素問》和《靈樞》），奠定了中醫理論基礎，指導作用歷久彌新，是臨床家登堂入室的津梁，是理論家取之不盡的寶藏，是研究中國傳統文化必讀之書。

讀書貴得善本。章太炎先生鍼對中醫讀書不注重善本的問題，指出『近世治經籍者，皆以得真本爲亟，獨醫家爲藝事，學者往往不尋古始』，認爲這是不好的讀書習慣。他又説：『信乎，稽古之士，宜得善本而讀之也！』閱讀《黄帝内經》，必須對它的成書源流、歷史沿革、當代版本存佚狀况有明確的認識，纔能選擇佳善版本，獲取真知。

《黄帝内經》某些篇段成於战國時期，至西漢整理成文，《漢書·藝文志》載有『《黄帝内經》十八卷』。西晋皇甫謐《鍼灸甲乙經》類編其書，序云：『《黄帝内經》十八卷，今《鍼經》九卷，《素問》九卷，即《内經》也。』這説明《黄帝内經》一直分爲兩種相對獨立的書籍流傳，一種名《素問》，一種名《鍼經》。《鍼經》即《靈樞》的初名，在流傳過程中也稱《九卷》《九靈》《九墟》，東漢末期張仲景、魏太醫令王叔和均引用過《九卷》之名。

《素問》的版本傳承相對明晰。南朝梁全元起作《素問訓解》存亡繼絶，唐初楊上善類編《黃帝内經太素》取之。唐乾元三年（七六〇）朝廷詔令將《素問》作爲中醫考試教材。唐中期王冰以全元起本爲底本作注，收入『七篇大論』，改爲二十四卷八十一篇，爲《素問》的流行奠定了基礎。北宋天聖五年（一〇二七）、景祐二年（一〇三五），以全元起本爲底本的《素問》兩次雕版刊行。北宋嘉祐年間（一〇五六至一〇六三）校正醫書局林億、孫奇等以王冰注本爲底本，增校勘、訓詁、釋音，仍以二十四卷八十一篇刊行。此後《素問》單行本均以北宋嘉祐本爲原本，歷南宋（金）、元、明、清至今，形成多個版本系統。二十四卷本，以金刻本（存十三卷）、元讀書堂本、明顧從德覆宋本、明無名氏覆宋本、明周曰校本、明『醫統』本爲代表；十二卷本，以元古林書堂本、明熊宗立本、明趙府居敬堂本、明吳悌本爲代表；五十卷本，即『道藏』本；此外還有明清注家九卷本、日本刻九卷本等。南宋、北宋及更早之本俱已不存。

《靈樞》在魏晋以後至北宋初期的傳承情況，因史料有缺而相對隱晦。唐初楊上善類編《黃帝内經太素》收入《九卷》。唐中期王冰注《素問》引文，始有『靈樞經』之稱。因存本不全，北宋校正醫書局未校《靈樞》。遲至元祐七年（一〇九二），高麗進獻《黃帝鍼經》，始獲全帙，元祐八年（一〇九三）正月北宋政府頒行之。此後《靈樞》再次沉寂，至南宋紹興乙亥（一一五五），史崧刊出家藏《靈樞》，將原本九卷校正並增修音釋，勒成二十四卷。此本成爲此後所有傳本的祖本，流傳至今已形成多個版本系統。其中二十四卷本，以明無名氏仿宋本、明周曰校本爲代表；十二卷本，以元古林書堂本、明熊宗立本、明趙府居敬堂本、明田經本、明吴悌本、明吴勉學本爲代表；此外還有二十三卷本（即『道藏』本）、明詹林所二卷本、『道藏』收録的《靈樞略》一卷本、日本刻九卷本等。

除《素問》《靈樞》各有單行本之外，《黄帝内經》尚有類編本。西晋皇甫謐《鍼灸甲乙經》，將《素問》《九卷》《明堂孔穴鍼灸治要》三書類編，但編輯時『刪其浮辭，除其重複』，故與《素問》《靈樞》對勘，《鍼灸甲乙經》文句每不全足。唐代楊上善《黄帝内經太素》三十卷，將《九卷》《素問》全文收入，不加刪掇，詳加注釋。《黄帝内經太素》文獻價值巨大，但在南宋之後却沉寂無聞，直到清光緒中葉，學者楊守敬在日本發現仁和寺存有仁和三年（八八七，相當於唐光啓三年）舊鈔卷子本，存二十三卷，遂影寫携歸，一時轟動醫林。嗣後日本國内相繼再發現佚文二卷有奇，至此《黄帝内經太素》現存二十五卷，堪稱《黄帝内經》版本史上的奇迹。

綜觀《黄帝内經》版本歷史，可謂一縷不絶，沉浮聚散；視其存亡現狀，又可謂同源異派，星分飄零。現存《黄帝内經》善本分散保存在國内外諸多藏書機構，此前囿於信息交流、印刷技術，從未有大規模集中最優秀版本出版的先例。當今電子信息技術發展日新月異，互聯網的普及使信息交流具有前所未有的廣泛性、時效性，乘此東風，《黄帝内經》現存的諸多優秀版本得以鳩聚刊印，爲中醫從業者及愛好者和傳統文化學者集中學習、研究提供便利。『《黄帝内經》版本通鑒』叢書，首次對《黄帝内經》精善本進行大規模集中解題、影印，目的是保存經典、傳承文明、繼往開來，爲振興中醫奠基，爲中華文化復興增添一份力量。

繼二〇一九年『《黄帝内經》版本通鑒·第一輯』出版十二種優秀版本之後，『《黄帝内經》版本通鑒·第二輯』再次精選十三種經典版本，包括《素問》六種、《靈樞》六種、《太素》一種，列録如下。

（1）蕭延平校刻蘭陵堂本《太素》。
（2）元讀書堂本《素問》。
（3）明熊宗立本《靈樞》。
（4）朝鮮小字整板本《素問》。
（5）明吴悌本《靈樞》。
（6）楊守敬題記覆宋本《素問》。
（7）朝鮮銅活字（乙亥字）本《靈樞》。
（8）明趙府居敬堂本《靈樞》。
（9）明『醫統』本《素問》。
（10）明『醫統』本《靈樞》。
（11）明詹林所本《素問》。
（12）明詹林所本《靈樞》。
（13）明潘之恒《黄海》本《素問》。

這十三種經典版本的特點如下。

(1)蕭延平校刻蘭陵堂本《太素》，校印俱精，爲《太素》刊本中之精品。

(2)元讀書堂本《素問》，爲今僅存的宋元刊本三種之一，巾箱本，分二十四卷，與顧從德覆宋本一致，但附有《亡篇》，各篇文字内容、音釋拆附情况又與元古林書堂本高度近似。此本校刻精善，爲現存《素問》之佳槧，足以與元古林書堂本、顧從德本並美；若單論文字訛誤之少，猶過二本。

(3)朝鮮小字整板本《素問》，爲現存朝鮮本之較早者，其底本爲元古林書堂本。品相顯拙，但勝在校勘精審，仍具有較高的版本價值。

(4)楊守敬題記覆宋本《素問》、明潘之恒《黄海》本《素問》，均承自宋本，作二十四卷。前者當是以顧從德覆宋本改版(删去刻工)者，後者是以宋本校勘重刻者，品相良佳。

(5)本輯收入明代兩種《素問》《靈樞》合刻本，分别是吴勉學校刻『古今醫統正脉全書』本(簡稱『醫統』本)、閩書林詹林所本(簡稱詹本)，二者各有特色。『醫統』本《素問》以顧從德本爲底本仿刻，《靈樞》以吴悌本爲底本重刻，校刻皆良。詹本《素問》以熊宗立本爲底本，删去宋臣注重刻；《靈樞》亦以熊宗立本爲底本，合併爲兩卷重刻。詹本品相不甚佳，訛舛不少，因刊刻年代尚早，今存完帙，在探索《黄帝内經》版本源流方面，仍具一定價值。

(6)本輯收入的《靈樞》均爲明代版本，屬古林書堂十二卷本系統，各具特色。其中，熊宗立本上承古林書堂本(仿刻，熊宗立句讀)，下爲本輯明代諸本之祖。吴悌本(校審精，品相佳)、趙府居敬堂本(品相佳，後世通行)、詹林所本(合併爲二卷)皆直承熊宗立本；『醫統』本承吴悌本；朝鮮銅活字(乙亥字)本(朝鮮銅活字官刻，校審精，品相佳)承田經本(即山東布政使司本)，田經本承熊宗立本。

『《黃帝內經》版本通鑒』卷帙浩大，爲出版這套叢書，北京科學技術出版社領導及各位編輯同仁以極高的使命感和責任心，付出了極大的心血和努力，克服了諸多困難，終成其功，謹此致以崇高敬意。相信這套叢書必不辜負同仁之望，可在促進中醫藥事業發展、深化祖國傳統文化研究、增强國家文化軟實力等諸多方面做出應有的貢獻。

囿於執筆者眼界、學識，諸篇解題必有疏漏及訛誤之處，請方家、讀者不吝指正。

錢超塵

[説明：爲更準確地體現版本、訓詁學研究的學術內涵，撰寫時保留了部分異體字，所選擇字樣如下：欬(欬嗽)、並(並且)、倂(合倂)、嶽(山嶽)、鍼、於、异。]

目録

《黄帝内經》版本通鑒·第二輯

蕭延平校刻蘭陵堂本《太素》（上）

解題　劉陽

解　題

《黄帝内經太素》（下簡稱《太素》）三十卷，唐初楊上善奉敕類編撰注，成書於唐高宗龍朔二年（六六二）至咸亨元年（六七〇）之間（錢超塵先生考證）。此書與《素問》《靈樞》並列醫林，爲醫家研讀之重典，北宋林億等校正古典醫籍多倚重之。該書被認爲亡佚於宋代靖康之難，幸唐中期東傳日本，被日本醫家傳抄研習，約於十四世紀末，日本亦亡佚不傳。十九世紀二十年代，忽於日本御宫仁和寺發現古代卷子鈔本二十三卷，震動日本朝野。此後又陸續發現約二卷殘文，故今存世約二十五卷。中日兩國學者競相研究考證，迄今幾二百年。二十一世紀初，日本先後兩次確定《太素》仁和寺古鈔本爲『國寶』。

十九世紀末，中國學者楊守敬從日本携歸仁和寺傳鈔本二十三卷，中國篤學之士争相傳抄，進行整理研究。光緒二十三年（一八九七）袁昶刊行通隱堂本，或稱漸西村舍本。稍後，蕭延平以楊守敬携歸本爲底本，參考通隱堂本，對比《素問》《靈樞》《鍼灸甲乙經》諸書，詳加校勘，於一九二四年刊行，通稱此本爲蕭延平本，或蘭陵堂本，頗稱精善。

蕭延平（一八六〇至一九三三），字北承，湖北黄陂人。清末舉人。蕭延平是首位全面校正《太素》的學者，在《太素》版本史及研究史上影響極大。

蕭延平校刻蘭陵堂本《太素》（以下簡稱蕭延平本）的版式：左右雙邊，小黑口，單黑魚尾，魚尾下刻「内經某」（「某」爲卷數），版心下部刻葉碼，下象鼻右側刻「蘭陵堂刊」。正文每半葉十行，行二十字，小字雙行，行三十字。正文存二十三卷，末附「黄帝内經太素遺文並楊氏原注」六葉。

該書編排體例：首蕭耀南「校正黄帝内經太素序」，次周樹模「黄帝内經太素序」，次楊守敬書札，次蕭延平「黄帝内經太素例言」，次「黄帝内經太素目録」，次正文二十三卷及附，最後以周貞亮《校正内經太素楊注後序》爲殿。蕭延平以《素問》《靈樞》《鍼灸甲乙經》諸書校勘文字，仿《素問》新校正例，於每篇篇首標記「自某處至某處見《靈樞》《素問》《甲乙經》卷幾第幾篇」，内文校記以小字置於楊注之後，空一格用「平按」二字注明。又將原鈔俗字一律更爲通行字，對原鈔因不明原因所衍虚字「之」「也」「者」「矣」等予以删除。

蕭延平本卷六之末有「陶子麟仿宋」手記五字，由此知蕭延平本乃請當時著名仿宋刻家陶子麟摹印顧從德本《素問》字體上版，故精美異常，學界風評極高。此後以蕭延平本爲底本影印者頗多，如人民衛生出版社本（一九五五，一九五六），日本盛文堂本（一九七一，附「缺卷覆刻」），臺灣文光本（一九八一）等，蕭延平本流布海内外。蕭延平本對經典之普及、醫學之復振，厥有巨功。不過白璧猶有微瑕，其釋文與校注尚有訛誤，錢超塵先生在其專著《黄帝内經太素研究》（一九九八，第一五七至一七一頁，簡體）及《黄帝内經太素新校正》（二〇〇六，第七九八至八一二頁，繁體）辟之極詳，學者當參之。

蕭延平所做的校勘與考證，對於《黄帝内經》版本學研究意義重大。本叢書第一輯内，錢超塵先生的《〈太素〉仁和寺本解題》已備要論，他在蕭延平成果基礎上撰成的《〈太素〉〈素問〉章句對應譜》《〈太素〉〈九卷〉章句對應譜》，爲學者考鏡源流之利器，亦附於下，以便學林。

附録壹　《太素》《素問》章句對應譜

一　上古天真論　《太素》不全

（一）見《太素》卷二『壽限』自『黄帝問於岐伯曰：人年老而無子者，材力盡耶？將天數然』至『而無子耳』（頁二二三至二二四）。

（二）日本《醫家千字文注》：『《太素經》曰：起居有度。注曰：男女、勞逸、進退、動静，皆依度數。《太素經》曰：以好散其真。注曰：情有所好，必忘善惡。人真善惡之，真善惡莫定，即真知散。』

（三）日本《遐年要鈔·人倫部·上古人第一》引有《上古天真論》中一段文字：『《太素經》云：岐伯曰：上古之人，其知道者，法於陰陽，和於術數。飲食有常節，起居有常度，不妄不作，故能形與神俱，而終其天年，度百歲乃去。今時之人則不然，以酒爲漿，以妄爲常，醉以入房，以欲竭其精，以耗散其真。不知持滿，不時御神，務快其心，逆於生樂，起居無節，故半百而衰也。』

（四）日本『前田育德會尊經閣文庫』藏日本文永元年（一二六四）《黄帝内經太素》一卷，並藏有兩種《太素》散葉，其中一段抄自《上古天真論》：『《太素經》云：上古之人知道攝生有六得，更長生也。法則陰陽一，和於數術二，飲食有節三，起居有度四，不妄五，不作不爲分外之事也六，故能終其天年。今時之人不然，凡有十失，故早衰也：以酒爲漿一，以妄爲常二，醉以入房三，以欲竭其精四，以耗散其真五，不知持滿六，不時御神（御，貴也）七，務快其心八，逆於生樂九，起居無節度十，故半百衰。』

（五）袁昶漸西村舍本卷末《太素遺文》、蕭延平本《太素遺文》。

二　四氣調神大論　《太素》全

見《太素》卷二『順養』（頁四至九）。自『春三月此謂發陳』至篇末與《素問·四氣調神大論》全文相當。

三　生氣通天論　《太素》全

（一）見《太素》卷三『調陰陽』（頁三四至四一）自篇首『黃帝問於岐伯曰：夫自古通天者』至篇末與《素問·生氣通天論》全文相當。王冰從他篇將『陰平陽秘，精神乃治；陰陽離絶，精氣乃絶』十六字移於《素問·生氣通天論》中。

（二）《太素》此篇無『陰平陽秘，精神乃治；陰陽離絶，精氣乃絶』十六字，此十六字見於《太素·陰陽雜説》。

四　金匱真言論　《太素》全

見《太素》卷三『陰陽雜説』(頁四一至四六)自篇首至『非其人勿授，是謂得道』與《素問·金匱真言論》全文相當。

五　陰陽應象大論　《太素》全

(一)見《太素》卷三『陰陽大論』。日本《東洋醫學善本叢書》有全文。蕭延平本缺『傷腫』以上一段文字。

(二)《素問·陰陽應象大論》林億『新校正』云：『詳「帝曰」至「其信然乎」，全元起本及《太素》在「上古聖人之教也」上。』則此段文字乃王冰從《素問·上古天真論》中移於《陰陽應象大論》中也，故《太素·陰陽大論》此段無。

(三)《素問·陰陽應象大論》自『東方生風，風生木，木生酸』至『陽在外，陰之使也』五百八十餘字《太素·陰陽大論》無，日本《弘决外典鈔》引楊上善注及原文四十餘條，其中有些原文乃此五百八十餘字中者，楊上善注對原文之注釋，亦屬於此五百八十餘字中之注解者。如《弘决外典鈔》云：『《太素經》云：木生酸，酸生肝。楊上善云：肝筋骨構成眼瞳子，瞳子以爲目主，故肝主目也。』按，『木生酸，酸生肝』見《素問·陰陽應象大論》中。疑此五百八十餘字，當在《太素》卷四佚文中。

(四)《太素·陰陽大論》『故曰：冬傷於寒，春必病温』至『秋傷於濕，冬生欬嗽』(頁二六至二七)

凡三十四字，又見於《太素》卷三十『四時之變』（頁五六五），當互參。

六　陰陽離合論　《太素》全

見《太素》卷五『陰陽合』『黄帝曰：余聞天爲陽，地爲陰』至末（頁五七至六一）。

七　陰陽別論　《太素》全

《太素》卷三『黄帝問於岐伯曰：人有四經十二順』至『陰陽相過曰彈』（頁四六至四八），又自『陰争於内，陽擾於外』至末（頁五〇至五二），均見於《素問·陰陽別論》。

八　靈蘭秘典論　《太素》佚

（一）日本《弘决外典鈔》：『《太素經》云：心者，君主之官也，神明出焉。』

（二）日本《醫家千字文注》：『《太素經》曰：脾胃者，倉廩之官也，五味出矣。注曰：脾爲藏，胃爲府。府貯五穀，脾藏五味，即爲一官。陰陽共成五味，資彼五藏，以奉生身也。』《醫家千字文注》又云：『《太素經》曰：大腸者，傳道之官也。注曰：大腸受小腸糟粕，胃中若實，傳其糟粕令下，去故納新。』

（三）蕭延平本《太素遺文》：『消者瞿瞿。林億新校正：按，《太素》作「消者濯濯」』（頁六〇八）。

九　六節藏象論　《太素》不全

（一）見《太素》卷十四《人迎脉口診》，自『人迎一盛病在足少陽』至『命曰關格』（頁二六八至二六九），但與《素問・六節藏象論》相應文句多異。

（二）日本《醫家千字文注》：『《太素經》又云：人亦以九九制會。楊上善曰：九謂九宫也。九九者，一宫之中，復有九宫。』

（三）《素問・六節藏象論》：『心者，生之本，神之變也。』林億新校正：『詳「神之變」，全元起本並《太素》作「神之處」。』

十　五藏生成　《太素》不全

（一）仁和寺《太素》影印本自『此五色之死也』六字以上缺，袁昶本、蕭延平本據《素問・五藏生成》補。自『此五色之死也』至『邪氣之所容也，鍼之緣而去也』，見《太素》卷十七《證候之一》（頁三一一至三一三）。按，《素問・五藏生成》『容』作『客』，是。

（二）又見《太素》卷十五『色脉診』自『診病之始，五决爲紀』至篇末『面赤目青者，皆死』（頁二七七至二八〇）。

十一　五藏别論　《太素》全

（一）見《太素》卷六《藏府氣液》自『黄帝問於岐伯曰：余聞方士或以腦髓爲藏』至『故曰食而不滿』（頁八九至九〇）。

（二）見《太素》卷十四《人迎脉口診》自『黄帝曰：氣口何以獨爲五藏主氣』至『治之無功矣』（頁二六六）。

十二　異法方宜論　《太素》全

見《太素》卷十九『知方地』全節（頁三一八至三二一）。

十三　移精變氣論　《太素》全

（一）見《太素》卷十九『知祝由』自『黄帝問於岐伯曰：余聞古之治病者』至『故祝由不能已。黄帝曰：善』（頁三二三至三二四）。

（二）見《太素》卷十五『色脉診』自『黄帝問於岐伯曰：余欲臨病人』至『失神者亡。黄帝曰：善』（頁二七三至二七五）。

十四　湯液醪醴論　《太素》全

（一）見《太素》卷十九『知古今』自『黄帝問於岐伯曰：爲五穀湯液』至『而病之所以不愈也』（頁三一四至三一五）。

（二）見《太素》卷十九『知湯藥』自『黄帝問岐伯曰：法病之始生也』至篇末（頁三三五至三三七）。

十五　玉版論要篇　《太素》全

見《太素》卷十五『色脉診』自『黄帝曰：余聞揆度奇恒，所指不同』至『逆行一過，不復數，診要畢矣』（頁二七五至二七七）。

十六　診要經終論　《太素》佚

見《太素遺文》『間者環已』一條。

十七　脉要精微論　《太素》不全

（一）見仁和寺影印本《太素》卷十六『雜診』自『黄帝問岐伯曰：診法常以平旦』至『陰陽不相應，病名曰關格』及『黄帝問岐伯曰：診得心脉而急』至『病之變化不可勝數』。《太素》卷十六，袁昶本、蕭延平本均缺，仁和寺影印本有全卷。

(二)見《太素》卷十四『四時脉診』自『黄帝問於岐伯曰：脉其四時動奈何』至『此六者持脉之大法也』(頁二五四至二五七)。

(三)見《太素》卷十五『五藏脉診』自『岐伯曰：心脉揣堅而長，當病舌捲不能言』至『腰脊痛而身寒有痹』(頁二九六至三〇〇)。

(四)見《太素》卷二十六『癰疽』自『黄帝問於岐伯曰：有病癰腫』至『此四時之病也，以其勝，治其輸』(頁四八九)。

十八　平人氣象論　《太素》全

(一)見《太素》卷十五『尺寸診』自『黄帝問岐伯曰：平人何如』至篇末(頁二八五至二九三)。

(二)見《太素》卷十五『五藏脉診』自『平心脉來，纍纍如連珠』至『辟辟如彈石，曰腎死』(頁二九三至二九六)。

十九　玉機真藏論　《太素》不全

(一)見《太素》卷十四『四時脉形』自『黄帝問岐伯曰：春脉如弦』至篇末(頁二四四至二四九)。

(二)見《太素》卷十四『真藏脉形』自『大骨枯槁，大肉陷下』至篇末(頁二四九至二五二)。

(三)見《太素》卷十四『四時脉診』自篇首『凡治病，察其形氣色澤』至『而脉不實堅爲難治，名曰逆四時』(頁二五二至二五三)。

(四)見《太素》卷六『藏府氣液』自『問曰:見真藏曰死,何也』至『故曰死。黄帝曰:善』(頁九二)。

(五)見《太素》卷十六仁和寺影印本《虚實脉診》自『黄帝問於岐伯曰:余聞虚實以決死生』至『身得汗後利則實可活,此其候也』。

二十　三部九候論　《太素》不全

(一)仁和寺影印本《太素》卷十四自『之後代』三字以上缺,又佚小標題。『之後代』三字以上之缺文,據《素問·三部九候論》可補爲『黄帝問曰:余聞九鍼於夫子,衆多博大,不可勝數,余願聞要道,以屬子孫,傳』。袁昶本據《素問·三部九候論》補入『黄帝問曰:余聞九鍼於夫子』至『胸中多氣者死』,與仁和寺影印本合。蕭延平本自『帝曰:決死生奈何』至『胸中多氣者死』補入,與仁和寺影印本不合。《太素》仁和寺影印本卷十四缺卷首之卷名、本卷各篇小標題及第一篇首段三十餘字。

(二)見《太素》卷十四第一節自篇首至篇末(小標題佚。頁二三八至二四四)。

二十一　經脉别論　《太素》全

見《太素》仁和寺影印本卷十六『脉論』自『凡人之驚恐志勞動静,皆以爲變』至篇末『二陰槩至,腎沉不浮』爲《素問·經脉别論》之全文。按,『槩』爲『摶』之俗字,諸本多誤作『搏』。楊上善注『二陰槩至』云『少陰之脉聚至』,以『聚』訓『槩』,則『槩』當作『摶』也。

二十二　藏氣法時論　《太素》不全

（一）見《太素》卷二『調食』『肝色青，宜食甘』至『四時五藏病，五味所宜』（頁一七至一八）。

（二）見日本《醫家千字文注》：『《太素經》曰：病在肝者，平旦慧，下晡甚，夜半静。病在心，日中慧，夜半甚，平旦静。病在脾，日昳慧，平旦甚，下晡静。病在肺，下晡慧，夜半静，日中甚。病在腎，夜半慧，日乘四時甚，下晡静。注云：慧，醒了也。平旦肝王，晡時金剋，夜半受生，故爲静。』按，原文係節引。《太素》『平旦甚』，《素問》作『日出甚』。林億在『日出甚』句下云：『按，《甲乙經》「日出」作「平旦」，雖日出與平旦時等，按前文言「木王之時」皆云「平旦」而不云「日出」，蓋日出於冬夏之期有早晚，不若平旦之爲得也。』《太素》亦作『平旦』，是改『平旦』爲『日出』者，王冰所爲也。當依《太素》及新校正作『平旦』。

二十三　宣明五氣　《太素》全

（一）《太素》卷二『調食』蕭延平云：『自五味至末，又見《素問》卷七第二十三「宣明五氣」。』（頁一四）考自『五味所入，酸入肝』至篇末『命曰五裁』（頁二十）見《靈樞·九鍼論》；『宣明五氣篇』此段文字與『九鍼論』相應文字意思相同而文字多異，故知《太素》此段文字非引自《素問·宣明五氣》也。

（二）見《太素》卷二『順養』自『久視傷血』至『久行傷筋』（頁四）。

（三）見《太素》卷六『藏府氣液』自『五藏氣，心主噫』至『脾主肌，腎主骨』（頁八七至八九）。

（四）見《太素》卷二十七『邪傳』自『五邪入：邪入於陽則爲狂』至篇末（頁五一七至五一八）。

（五）見《太素》卷十四『四時脉診』自『春得秋脉』至篇末（頁二五七）。

（六）見《太素》卷十五『五藏脉診』自『肝脉弦，心脉鈎』至『是謂五藏脉』（頁二九三）。

二十四　血氣形志　《太素》不全

（一）自『形樂志苦病生於脉』至『刺少陰出氣惡血』見《太素》卷十九『知形志所宜』（頁三二一至三二三），唯句序稍異。

（二）見《太素》卷十一『氣穴』自『欲知背輸，先度其兩乳間』至『灸刺之度也』（頁一八八）。

二十五　寶命全形論　《太素》全

見《太素》卷十九『知鍼石』自篇首『黄帝問岐伯曰：天覆地載』至『手如握虎，神無營於衆物』（頁三三五至三三五）。

二十六　八正神明論　《太素》全

見《太素》卷二十四『天忌』全篇（頁三九九至四〇一）及卷二十四『本神論』全篇（頁四〇一至四〇四）。

二十七　離合真邪論　《太素》全

見《太素》卷二十四『真邪補寫』全篇（頁四〇四至四〇九）。

二十八　通評虚實論　《太素》全

（一）見仁和寺影印本《太素》卷十六『虚實脉診』自『黄帝問曰：何謂虚實』至篇末『答曰：春秋則生，冬夏則死』。

（二）見卷三十『經絡虚實』全篇（頁五九七）；『身度』全篇（頁五九六）；『順時』全篇（頁五九八）；『刺腹滿數』自『腹暴滿按之不下』至『用員利鍼』（頁六〇一）；『刺霍亂數』全篇（頁六〇一至六〇二）；『刺癇驚數』全篇（頁六〇二）；『刺腋癰數』全篇（頁六〇二至六〇三）；《病解》全篇（頁六〇三）；『久逆生病』全篇（頁六〇四）；『六府生病』全篇（頁六〇四）；『腸胃生病』全篇（頁六〇四）；『經輸所療』全篇（頁六〇五）。

二十九　太陰陽明論　《太素》全

見《太素》卷六『藏府氣液』自『問曰：太陰陽明表裏也』至『傷於濕者，下先受之』（頁九〇至九一）；自『問曰：脾病而四支不用何也』至篇末『故不用焉』（頁九三至九四）。

三十　陽明脉解　《太素》全

見《太素》卷八『陽明脉解』全節(頁一一九至一二〇)。『陽盛則使人不欲食,故妄言』,《素問·陽明脉解》作『陽盛則使人妄言罵詈不避親疏而不欲食,不欲食故妄走也』。

三十一　熱論　《太素》全

(一)見《太素》卷二十五『熱病决』全節(頁四二三至四二七)。

(二)見《太素》卷三十『温暑病』自『凡病傷寒而成温者』至『病者當與汗皆出,勿止』(頁五六四)。

三十二　刺熱論　《太素》全

(一)見《太素》卷二十五《五藏熱病》全節(頁四三六至四四一)。

(二)見卷二十六《寒熱雜説》自『病始手臂者』至『先取項太陽而汗出』(頁四八二)。

三十三　評熱病論　《太素》全

(一)見《太素》卷二十五《熱病説》自篇首至『不出則傷肺,傷肺則死』(頁四二七至四三〇)。

(二)見《太素》卷二十九『風水論』自『黄帝曰:有病腎風者,面胕痝然壅』至『故月事不來。黄帝曰：善哉』（頁五五七至五五九）。

三十四　逆調論　《太素》全

（一）見《太素》卷三十『熱煩』全節（頁五七六）；『身寒』全節（頁五七六）；『肉爍』全節（頁五七七）。

（二）見《太素》卷二十八『痹論』自『問曰：人有身寒，湯火不能熱也』至『人身與志不相有也，曰死』（頁五四一至五四二）。

（三）見卷三十『卧息喘逆』『問曰：人有逆氣不得卧而息無音者』至篇末（頁五七八至五七九）。

三十五　瘧論　《太素》不全

（一）見《太素》卷二十五『瘧解』全節（頁四四五至四四八）。按，經與《素問・瘧論》比勘發現，『瘧論』『風無常府衛氣之所發』上、『岐伯曰』句下有『此邪氣客於頭項』至『與邪氣相合則病作故』凡八十八字，《太素》無。繼考《素問》林億新校正云：『按，全元起本及《甲乙經》《太素》自「此邪氣客於頭項」至下「則病作故」八十八字並無。』此八十八字乃王冰所增。王冰『素問序』云『凡所加字，皆朱書其文』，後世朱墨混淆，不能識别何者爲王冰增入，唯賴與《太素》對勘，兼參《鍼灸甲乙經》而知之。

（二）見《太素》卷二十五『三瘧』全節（頁四四九至四五三）。

三十六　刺瘧　《太素》全

（一）見《太素》卷二十五『十二瘧』全節（頁四五三至四五八）。按，《太素·十二瘧》自『黄帝曰：瘧而不渴』至『爲五十九刺』四十八字，見於《素問·刺瘧》之篇末，乃王冰所移。

（二）見《太素》卷三十『刺瘧節度』全節（頁五九九至六〇〇）。

三十七　氣厥論　《太素》全

見《太素》卷二十六『寒熱相移』自篇首至『傳爲衄衊瞑目，故得之厥氣』（頁四六六至四六九）。按，仁和寺《太素》影印本『衊』作『瞢』。《龍龕手鏡》云：『瞢，莫登反，目不明也。又音夢。』按，當依仁和寺《太素》影印本作『瞢』。《太素》此篇無『黄帝問曰』『岐伯曰』問答語式，《素問·氣厥論》有此等句式，蓋爲王冰所增。王冰『素問序』云：『君臣請問，禮儀乖失者，考校尊卑，增益以光其意。』

三十八　欬論　《太素》全

見《太素》卷二十九『欬論』全節（頁五六〇至五六二）。

三十九　舉痛論　《太素》全

（一）見《太素》卷二十七『邪客』自篇首至篇末『可聞而得也。黄帝曰：善』（頁五〇五至五〇八）。

（二）見《太素》卷二『九氣』全節（頁一二至一四）。

四十　腹中論　《太素》不全

（一）見《太素》卷二十九『脹論』自『黄帝問於岐伯曰：病心腹滿，旦食則不能暮食』至篇末（頁五五六至五五七）。按，楊上善注有『雞醴』的具體做法，王冰注則語焉不詳：『按，古《本草》雞矢並不治鼓脹，惟大利小便，微寒，今方制法當取用處湯漬服之。』又《素問・腹中論》『名爲鼓脹』，林億注云：『按，《太素》「鼓」作「轂」。』仁和寺《太素》影印本作『鼓』。按，當作『鼓』。是林億所據之《太素》傳抄本個别字句與日本傳抄本略有不同。此種現象細讀林億新校正時有所見。《太素》卷二『調食』：『口嗜而欲食之，不可多也，必自裁也，命曰五裁』（頁二十）。《素問・宣明五氣》林億新校正云：『按，《太素・五禁》云：肝病禁辛，心病禁鹹，脾病禁酸，肺病禁苦，腎病禁甘。名此爲五裁。楊上善云：口嗜而欲食之，不可多也，必自裁之，命曰五裁』（見《素問》横排本頁一五二）。按，今本《太素》楊上善注作正文，是中日古代《太素》傳本略有異處。

（二）見《太素》卷三十『血枯』全節（頁五七五）。

（三）見《太素》卷三十『伏粱病』全節（頁五六六至五六七）。按，《素問・腹中論》自『不可動之，動之爲水溺澀之病』句下有『帝曰：夫子數言熱中消中』至『服此藥者，至甲乙日更論』一大段。此段文字《太素》無，在佚篇中；又見於《鍼灸甲乙經》卷十一第六。

（四）見《太素》卷二十六『癰疽』自『黄帝問於岐伯曰：有病癰腫』至『須其氣並而治之，可使全。黄帝曰：善』（頁四八九）。

（五）見仁和寺影印本《太素》卷十六『雜診』『黄帝問曰：何以知懷子之且生也。岐伯曰：身有病而無邪脉也』二十四字。

（六）見《太素》卷三十『熱痛』全節（頁五六八）。

四十一　刺腰痛　《太素》不全

（一）見《太素》卷三十『腰痛』全節（頁五八〇至五八四）。

（二）見《太素》卷十『陰陽維脉』全節（頁一五五）。

四十二　風論　《太素》全

（一）見《太素》卷二十八『諸風數類』全節（頁五一九至五二二）。

（二）見《太素》卷二十八『諸風狀論』全節（頁五二二至五二四）。

四十三　痹論　《太素》全

（一）見《太素》卷二十八『痹論』自篇首至『逢濕則縱。黄帝曰：善』（頁五三六至五三九）。

（二）見《太素》卷三『陰陽雜説』自『凡痹之客五藏者』至『淫氣雍塞，痹聚在脾』（頁四九至五〇）。

四十四　痿論　《太素》全

（一）見《太素》卷二十五『五藏痿』全節（頁四四一至四四五）。此節相當《素問·痿論》全篇。

（二）見《太素》卷十『帶脉』自『陽明者，五藏六府之海也』至篇末（頁一四五至一四六），此爲重見者。

四十五　厥論　《太素》全

（一）見《太素》卷二十六『寒熱厥』全節（頁四五九至四六二）。

（二）見《太素》卷二十六『經脉厥』自篇首至『發喉痹，嗌腫，痓，治主病者』（頁四六二至四六五）。

四十六　病能論　《太素》全

（一）見《太素》卷十四『人迎脉口診』自『黄帝問於岐伯曰：人病胃管癰者』至『故胃管爲癰。黄帝曰：善』（頁二七一）。按，《太素》『逆者人迎甚盛』，仁和寺影印本『逆』上有『氣』字。

（二）見《太素》卷三『臥息喘逆』自『黄帝問於岐伯曰：人有臥而有所不安者何也』至『大則不得偃臥』（頁五七七至五七八）。

（三）見仁和寺影印本《太素》卷十六『雜診』自『黄帝曰：有病厥者』至『故腎爲腰痛。黄帝曰：善』。

（四）見《太素》卷十九『知鍼石』『黄帝問岐伯曰：有病頸癰者』至篇末（頁三三五）。

（五）見《太素》卷三十『陽厥』全節（頁五九三）；《酒風》全節（頁五九五）；『經解』全節（頁五九五至五九六）。

四十七　奇病論　《太素》全

（一）見《太素》卷三十『重身病』全節（頁五六三至五六四）。

（二）見《太素》卷三十『息積病』全節（頁五六六）。

（三）見《太素》卷三十『伏梁病』自篇首『黄帝問曰：人有身體肘』至篇末（頁五六六至五六七）。

（四）見《太素》卷三十『疹筋』全節（頁五七四）；見『頭齒痛』自『黄帝曰：人有病頭痛以數歲不已』至『齒亦當痛』（頁五七〇）；見『脾癉消渴』全節（頁五六八至五六九）；見『膽癉』全節（頁五六九）；見『厥死』全節（頁五九二）；見『癲疾』自『黄帝問岐伯曰：人生而有病癲疾者』至『故令人發爲癲疾』（頁五八八）。

（五）見《太素》卷二十九「風水論」自「黄帝問於岐伯曰：有病龐然如有水氣狀」至篇末（頁五五九）。

四十八　大奇論　《太素》全

（一）見《太素》卷十五「五藏脉診」自「肝滿腎滿肺滿」至篇末（頁三〇六至三一〇）。

（二）見《太素》卷二十六「經脉厥」自「腎肝並沈者爲石水」至篇末（頁四六六）。此爲重見者。

（三）見《太素》卷二十六「寒熱相移」自「三陽急爲瘕」至篇末（頁四六九）。此爲重見者。

四十九　脉解　《太素》全

見《太素》卷八「經脉病解」全節（頁一一三至一一八）。

五十　刺要論　《太素》佚

五十一　刺齊論　《太素》佚

五十二　刺禁論　《太素》不全

見《太素》卷十九「知鍼石」自「黄帝曰：願聞禁數」至「逆之有咎」（頁三三〇至三三一）。按，《太素》『七節之傍，中有志心』之『志』字，《素問・刺禁論》作『小』。按，『志』有『小』義，見王引之《經義述聞》。

五十三　刺志論　《太素》全

見仁和寺影印本《太素》卷十六『虚實脉診』自『黄帝問岐伯曰：願聞虚實之要』至『入虚者左手閉也』。

五十四　鍼解　《太素》全

見《太素》卷十九『知鍼石』自『黄帝曰：願聞九鍼之解』至『四方各作解』（頁三三一至三三四）。此爲《靈樞・鍼解》全文。王冰於『四方各作解』下注云：『此一百二十四字，蠹簡爛文，義理殘缺，莫可尋究，而上古書，故且載之，以佇後之具本也。』林億注云：『詳王氏云一百二十四字，今有一百二十三字，又亡一字』（見《素問》横排本頁二八五）。楊上善注云：『章句難分，但指句而已也。』楊上善、王冰皆以全元起《素問訓解》爲底本，皆云此段文字『章句難分』『義理殘缺』，是《靈樞・鍼解》中此段文字於南朝或更早時期已殘損訛脱，難以究詰矣。

五十五　長刺節論　《太素》全

見《太素》卷二十三『雜刺』自『刺家不診，聽病者言』至篇末（頁三九五至三九八）。按，《素問・長刺節論》『治腐腫者刺腐上』，林億新校正云：『按，全元起本及《甲乙經》「腐」作「癰」。』考《太素》正作「癰」，更證明《太素》中之《素問》同全元起本。改『癰』爲『腐』者，王冰也。

五十六　皮部論　《太素》全

見《太素》卷九『經脉皮部』自『黄帝問岐伯曰：余聞皮有分部』至『不與而生大病』（頁一三八至一四一）。

五十七　經絡論　《太素》全

見《太素》卷九『經絡皮部』自『夫絡脉之見也，其五色各異』至篇末（頁一四二）。按，《太素·經絡皮部》篇包括《素問》的『皮部論』『經絡論』兩篇文章，『皮部論』在前，『經絡論』在後。林億在『經絡論』下注云：『按，全元起本在「皮部論」末，王氏分。』在王冰未分以前，『皮部論』『經絡論』是一篇文章，統名『經絡皮部』，《太素》此篇即全元起本原貌。全元起本已佚，《太素》保存全元起本原貌，尤可貴也。王冰『素問序』所云『節「皮部」「經絡」』，指此。

五十八　氣穴論　《太素》全

見《太素》卷十一『氣穴』全節（頁一八二至一九〇）。中間插入《素問·水熱穴論》及『血氣形志』。

具體言之，自篇首至『大禁二十五，在天府下五寸』（頁一八二至一八四）、自『贊帝問於岐伯曰：餘以知氣穴之處』至篇末，爲『氣穴論』（頁一八九至一九〇）。

五十九　氣府論　《太素》不全

見《太素》卷十一『氣府』全節（頁一九〇至一九六）。按，《素問·氣府論》『十五間各一』句下有『五藏之俞各五，六府之俞各六，委中以下至足小指傍各六俞』二十四字，《太素》無；『氣府論』『下陰別一，目下各一』至『至横骨寸一，腹脉法也』五十一字《太素》無。總計缺七十五字。

六十　骨空論　《太素》不全

（一）見《太素》卷十一『骨空』全節（頁一九七至二〇〇）。

（二）見《太素》卷十『督脉』全節（頁一四三至一四五），《太素》卷十一『骨空』重見。

（三）見《太素》卷二十六『灸寒熱法』全節（頁四九三至四九四）。

六十一　水熱穴論　《太素》全

（一）見《太素》卷十一『氣穴』自『問曰：少陰何以主腎』至『夫寒甚則生熱』（頁一八四至一八七）。

（二）見《太素》卷十一『變輸』自『問曰：春取絡脉』至篇末（頁一七七至一七八）。

(三)見《太素》卷三十『温暑病』自『所謂玄府者汗空』七字(頁五六五)。

六十二　調經論　《太素》全

(一)見《太素》卷二十四『虚實補寫』全節(頁四〇九至四一五)。

(二)見《太素》卷二十四『虚實所生』全節(頁四一五至四二二)。

六十三　繆刺論　《太素》全

(一)見《太素》卷二十三『量繆刺』全節(頁三七二至三八一)。

(二)見《太素》卷十『陰陽喬脉』『邪客於足陽喬,令人目痛,從内眦始』十四字(頁一四八)。

六十四　四時刺逆從論　《太素》不全

見仁和寺影印本《太素》卷十六『雜診』自『厥陰有餘病陰痹』至篇末。

六十五　標本病傳論　《太素》佚

六十六　天元紀大論　《太素》無

六十七　五運行大論　《太素》無

六十八　六微旨大論　《太素》無

六十九　氣交變大論　《太素》無

七十　五常政大論　《太素》無

七十一　六元正紀大論　《太素》無

七十二　刺法論　《太素》佚

七十三　本病論　《太素》佚

七十四　至真要大論　《太素》無

七十五　著至教論　《太素》不全

見仁和寺影印本《太素》卷十六『脉論』自『黄帝坐明堂，召雷公問曰』至『應四時合之五行』。按，『脉論』此段爲『著至教論』全文。王冰於『合之五行』句下增『雷公曰：陽言不別』至『人事不殷』七十五字。林億於『雷公曰』下注云：『按，自此至篇末全元起本別爲一篇，名「方盛衰」也。』

七十六　示從容論　《太素》全

見仁和寺影印本《太素》卷十六『脉論』自『黄帝燕坐，召雷公而問之』至『是以名曰診經，是謂至道』。

七十七　疏五過論　《太素》佚

日本《醫家千字文注》云：『《太素經》曰：黄帝曰：嗚呼遠哉！閔閔乎若視深淵，若迎浮云，視深淵尚可測，迎浮云莫知其際。注曰：術意妙，望之無終始，譬之浮云，莫知其際也。』

七十八　征四失論　《太素》佚

按，日本《醫談鈔》引有《太素》楊上善少量注文，其中一條云：『楊上善云：千里雖遠，馳之甚易；

寸尺雖短，明之甚難。』此注當係注釋『征四失論』『是以世人之語者，馳千里之外，不明尺寸之論，診無人事』者。

七十九　陰陽類論　《太素》全

見仁和寺影印本《太素》卷十六『脉論』自篇首『孟春始至』至『二陰獨至，期在盛水也』。

八十　方盛衰論　《太素》佚

按，《素問·著至教論》『雷公曰』句下林億注云：『按，自此至篇末，全元起本別爲一篇，名「方盛衰」也。』(《素問》人民衛生出版社横排本頁五四九)此段凡七十五字，原在全元起本『方盛衰論』中，王冰將之移於『著至教論』末尾。《太素》已佚『方盛衰論』，但其中七十五字尚存於《素問·著至教論》中。

八十一　解精微論　《太素》全

見《太素》卷二十九『水論』全節(頁五四七至五五〇)。

附録貳　《太素》《靈樞》章句對應譜

一　九鍼十二原　《太素》全

（一）見仁和寺影印本《太素》卷二十一『九鍼要道』全節。

（二）見仁和寺影印本《太素》卷二十一『諸原所生』全節。

（三）見仁和寺影印本《太素》卷二十一『九鍼所象』『九鍼之名，各不同形』至篇末。

二　本輸　《太素》全

見《太素》卷十一『本輸』全節（頁一六五至一七五）。

按，《靈樞》從『九鍼十二原第一』至『終始第九』於題目之下分别注以『法天』『法地』『法人』『法時』『法音』『法律』『法星』『法風』『法野』，《太素》無此諸『法』。馬玄洁謂，諸法『乃後人襲本經七十八篇用鍼之意而分注之。殊不知彼乃論鍼而非論篇目也』。

三　小鍼解　《太素》全

見仁和寺影印本《太素》卷二十一『九鍼要解』全節。

四　邪氣藏府病形　《太素》全

（一）見《太素》卷二十七『邪中』全節（頁五〇八至五一一）。

（二）見《太素》卷十五『色脉尺診』全節（頁二八〇至二八二）。

（三）見《太素》卷十五『五藏脉診』自『黄帝曰：請問脉之緩急小火滑澀之病形何如』至『勿取以鍼，調其甘藥』（頁三〇〇至三〇五）。

（四）見《太素》卷十一『府病合輸』全節（頁一七八至一八二）。

五　根結　《太素》全

（一）見《太素》卷十『經脉根結』全節（頁一六〇至一六四）。

（二）見《太素》卷十四『人迎脉口診』自『一日一夜五十營，以營五藏之精』至『預之短期者，乍數乍疏也』（頁二六五）。

（三）見《太素》卷二十二『刺法』自『黄帝問曰：逆順五體，言人骨節之小大』至篇末（頁三四八至三五〇）。

六　壽夭剛柔　《太素》不全

見《太素》卷二十二『三變刺』全節（頁三五七至三五八）。

七　官鍼　《太素》不全

（一）見《太素》卷二十二『九鍼所主』自『九鍼之要，官鍼最妙』至篇末（頁三五〇至三五一）。

（二）見仁和寺影印本《太素》卷二十二『九刺』全節。

（三）見仁和寺影印本《太素》卷二十二『十二刺』全節。

（四）見仁和寺影印本《太素》卷二十二『三刺』全節。

（五）見仁和寺影印本《太素》卷二十二『五刺』全節。

八　本神　《太素》不全

見《太素》卷六『藏府之一』首篇全節。仁和寺影印本《太素》缺首葉一紙。仁和寺影印本《太素》注云：『首一紙缺。』全標簽題及小標題亦缺。仁和寺影印本《太素》自『在我者氣也』以上缺，蕭延平據『本神』補入（頁七〇至七五）。

九　終始　《太素》不全

（一）見《太素》卷十四《人迎脉口診》自『凡刺之道，畢於終始』至『故陰陽不相移，虛實不相傾，取之其經』（頁二六六至二七一）。

（二）見《太素》卷二十二『三刺』自『凡刺之屬，置刺至轂』至篇末（頁三五二至三五六）。

十、經脉　《太素》不全

（一）見仁和寺影印本《太素》卷八『經脉連環』全節。又見蕭延平本卷八首篇從『雷公問於黄帝曰：禁脉之言』至篇末（頁九五至一一三）。

（二）見《太素》卷九『經絡别異』全節（頁一三一至一三三）。

（三）見《太素》卷九『十五絡脉』全節（頁一三四至一三八）。

十一　經别　《太素》全

（一）見《太素》卷九『經脉正别』全節（頁一二一至一二五）。按，《太素》之『經脉正别』爲《靈樞·經别》之全文。

（二）見《太素》卷十『帶脉』『足少陰之正，至膕中，别走太陽心而合，上至腎，當十四椎，出屬帶脉』（頁一四五）二十六字爲重見者。蕭延平云：『太陽下《靈樞》《甲乙經》均無「心」字。』按，卷九『經脉正别』亦無『心』字。仁和寺影印本作『之』，並於其右側畫一圓圈表示『之』字當删。

十二　經水　《太素》全

見《太素》卷五『十二水』全節（頁六三至六九）。

十三　經筋　《太素》全

見《太素》卷十三『經筋』（頁二一九至二二八）。

十四　骨度　《太素》全

見《太素》卷十三『骨度』全節（頁二二八至二三一）。

十五　五十營　《太素》全

見《太素》卷十二『營五十周』（頁二一一至二一三）。

十六　營氣　《太素》全

見仁和寺影印本《太素》卷十二『營衛氣别』，自『黄帝曰：榮氣之道，内穀爲寶』至『此營氣之行逆順之常也』爲《靈樞・營氣》之全文。又見蕭延平本卷十二『營衛氣』第一節（頁二〇一至二〇二）。

十七　脉度　《太素》全

（一）見《太素》卷十三『脉度』全節（頁二三五至二三七）。

（二）見《太素》卷六『藏府氣液』自篇首『五藏常内閲於上，在七竅』至『關格者，不得盡期而死矣』（頁八六至八七）。

（三）見《太素》卷十『陰陽喬脉』自篇首『黄帝問曰：喬脉安起安止』至『當數者爲經，其不當數者爲絡。黄帝曰：善』（頁一四六至一四八）。

十八　營衛生會　《太素》全

見《太素》卷十二『營衛氣』自『黄帝曰：願聞營衛之所行』至篇末（頁二〇三至二〇五）。

十九　四時氣　《太素》全

見《太素》卷二十三『雜刺』自『黄帝問於岐伯曰：夫四時之氣』至『氣口候陰，人迎候陽』（頁三九〇至三九五）。

二十　五邪　《太素》全

見《太素》卷二十二『五藏刺』全節（頁三五九至三六一）。

二十一　寒熱病　《太素》全

（一）見《太素》卷二十六『寒熱雜説』全節（頁四七五至四八二）。此爲《靈樞・寒熱病》全文。

（二）見《太素》卷十『陰陽喬脉』自『陰喬陽喬』至『陰氣盛則瞑目』（頁一四八）。凡三十字重出。

二十二　癲狂　《太素》全

見《太素》卷三十以下諸節。

『目痛』自『目眦外决於面者』至『下爲内眦』凡二十三字（頁五七二）。

『癲疾』自『癲疾始生先不樂』至篇末（頁五八八至五八九）。

『驚狂』全節（頁五八九至五九一）。

『風逆』全節（頁五九四）。

『厥逆』全節（頁五九一至五九二）。

『少氣』全節（頁五七九）。

二十三　熱病　《太素》不全

（一）見《太素》卷二十五『熱病説』自『偏枯身偏不用而痛』至篇末（頁四三〇至四三五）。

（二）見《太素》卷三十『氣逆滿』自『氣滿胸中息喘』至『氣下乃止』三十一字（頁五八〇）。

（三）見《太素》卷二十六『厥心痛』『心疝暴痛，取足太陰、厥陰，盡刺去其血絡』十六字（頁四七五）。

（四）見《太素》卷三十『喉痹嗌乾』自篇首至『去端如韭葉』（頁五七一）。

（五）見《太素》卷三十『目痛』『目中赤痛，從内眥始，取之陰蹻』十二字（頁五七二）。

（六）見《太素》卷三十『風痓』全節（頁五九四）。

（七）見《太素》卷三十『癃泄』『癃，取之陰蹻及三毛上及血絡出血』十四字（頁五八六）。

（八）見《太素》卷三十『如蠱如姐病』全節（頁五八七）。按，『姐』爲『阻』之俗訛，蕭延平本及人民衛生出版社本《太素》皆誤作『妲』，今據仁和寺影印本《太素》改。

二十四　厥病　《太素》全

（一）見《太素》卷二十六『厥頭痛』自篇首『厥頭痛面若腫起而煩心』至『後取足少陽陽明』（頁四七〇至四七一）。

（二）見《太素》卷二十六『厥心痛』自篇首至『腹憹痛形中上者』（頁四七二至四七四）。

（三）見《太素》卷三十『耳聾』自篇首至『先取手，後取足』（頁五七二至五七三）；『髀疾』全節（頁五八五）；『癃泄』『病泄下血，取曲泉』七字（頁五八六）。

（四）見《太素》卷二十八『痹論』自『風痹淫病不可已者』至『不出三年死』（頁五四二）。

二十五　病本　《太素》佚

二十六　雜病　《太素》全

（一）見《太素》卷二十六「厥頭痛」自「厥夾脊而痛」至篇末（頁四七一至四七二）。

（二）見《太素》卷三十以下諸節：「喉痹嗌乾」自「喉痹不能言」至「口中熱如膠，取足少陰」（頁五七二）；「痿厥」全節（頁五八六）；「刺瘧節度」自「瘧不渴，間日而作」至篇末（頁六〇〇）；「頭齒痛」自「齒痛不惡清飲」至篇末（頁五七〇）；「耳聾」自「聾而不痛，取足少陽」至篇末（頁五七三）；「衄血」全節（頁五七三至五七四）；「喜怒」全節（頁五七四）；「頷痛」全節（頁五七〇）；「項痛」全節（頁五七一）；「刺腹滿數」自「少腹滿大，上走胃至心」至「不已，刺氣街，已刺按之，立已」（頁六〇〇至六〇一）；「氣逆滿」「氣逆上，刺膺中陷者與下胸動脉」十三字（頁五七九）；「瘰嘰」全節（頁五八〇）。

（三）見《太素》卷二十六「厥心痛」自「心痛，引腰脊，欲嘔」至「上下求之，得之立已」（頁四七四至四七五）。

按，卷三十「雜病」篇分爲五十四小段，多以該段之首句或首兩字作爲該段之小標題。將《靈樞·雜病》分爲十餘小節，即分爲十餘種病證進行分析，顯示出楊上善對疾病認識的精密化。

二十七　周痹　《太素》全

見《太素》卷二十八『痹論』自『黄帝問於岐伯曰：周痹之在身也』至『十二經脉陰陽之病也』（頁五三九至五四一）。

二十八　口問　《太素》全

見《太素》卷二十七『十二邪』全節（頁四九九至五〇四）。

二十九　師傳　《太素》不全

見《太素》卷二『順養』自篇首至『故氣將持，乃不致邪僻』（頁一至四）。

三十　决氣　《太素》全

見《太素》卷二『六氣』全節（頁一〇至一一）。

三十一　腸胃　《太素》全

見《太素》卷十三『腸度』自篇首至『其回曲環反三十二曲』（頁二三一至二三三）。

三十二　平人絶穀　《太素》全

見《太素》卷十三『腸度』自『黄帝曰：願聞人之不食，七日而死』至篇末（頁二三三至二三五）。

三十三　海論　《太素》全

見《太素》卷五『四海合』全節（頁六一至六三）。

三十四　五亂　《太素》全

見《太素》卷十二『營衛氣行』自『黄帝曰：經脉十二者，别爲五行』至篇末（頁二〇九至二一一）。

三十五　脹論　《太素》全

見《太素》卷二十九『脹論』自篇首至『如鼓之應桴，惡有不下者乎』（頁五五〇至五五四）。

三十六　五癃津液别　《太素》全

見《太素》卷二十九『津液』全節（頁五四四至五四六）。

三十七　五閱五使　《太素》佚

三十八　逆順肥瘦　《太素》不全

（一）見仁和寺影印本《太素》卷二十二『刺法』及蕭延平本卷二十二『刺法』，自篇首至『血濁氣濇，疾寫之則經可通也』（頁三四三至三四八）。

（二）見《太素》卷十《衝脉》自篇首至『其非夫子，孰能導之』（頁一五一至一五四）。

按，仁和寺影印本《太素·刺法》中的楊上善注有大量缺文，蕭延平本《刺法》中的正文與楊上善注均有缺文。

三十九　血絡論　《太素》全

見《太素》卷二十三『量絡刺』全節（頁三八八至三八九）。

四十　陰陽清濁　《太素》全

見《太素》卷十二『營衛氣行』自『黄帝曰：余聞十二經脉以應十二水』至『清濁相干者，以數調之』（頁二〇八至二〇九）。

四十一　陰陽繫日月　《太素》全

見《太素》卷五『陰陽合』自篇首至『散之可千，推之可萬，此之謂也』（頁五四至五七）。

四十二　病傳　《太素》佚

四十三　淫邪發夢　《太素》佚

四十四　順氣一日分爲四時　《太素》不全

見《太素》卷十一『變輸』自篇首至『是謂五變。黄帝曰：善』（頁一七五至一七七）。此與『靈樞·順氣一日分爲四時』中間一段相當，缺首尾兩段。

四十五　外揣　《太素》全

見《太素》卷十九『知要道』全節（頁三一六至三一八）。

四十六　五變　《太素》佚

四十七　本藏　《太素》全

（一）見《太素》卷六『五藏命分』全節（頁七五至八三）。

（二）見《太素》卷六『藏府應候』全節（頁八三至八五）。

四十八　禁服　《太素》全

見《太素》卷十四『人迎脉口診』自篇首至『脉代以弱，則欲安静，無勞用力也』（頁二五八至二六四）。

四十九　五色　《太素》不全

見卷十四《人迎脉口診》自『雷公曰：病之益甚與其方衰何如』至『脉口盛緊者，傷於食飲』（頁二六四至二六五）。此僅爲《靈樞·五色》中間一段，缺首尾。

五十　論勇　《太素》佚

五十一　背腧　《太素》全

見《太素》卷十一『氣穴』自『黄帝問於岐伯曰：願聞五藏之輸出於背者』至『傅其艾，須其火滅也』

（頁一八七）。按，「傅其艾」之「傅」，《靈樞・背輸》作「傳」，誤。楊上善注云：「傅音符，以手擁傅其艾吹之，使火氣不散也。」當據《太素》正之。

五十二　衛氣　《太素》全

見《太素》卷十「經脉標本」全節（頁一五五至一六〇）。

五十三　論痛　《太素》佚

五十四　天年　《太素》不全

見《太素》卷二「壽限」自「黃帝曰：人之壽夭各不同」至「形骸獨居而終矣」（頁二一一至二一二）。此缺《靈樞・天年》之首尾。

五十五　逆順　《太素》全

見《太素》卷二十三「量順刺」全節（頁三八三至三八四）。

五十六　五味　《太素》全

見《太素》卷二『調食』自篇首至『黄黍、雞肉、桃皆辛』（頁一四至一七）。

五十七　水脹　《太素》全

見《太素》卷二十九『脹論』自『黄帝問於岐伯曰：水與膚脹鼓脹』至『亦刺去其血脉，黄帝曰：善』（頁五五五至五五六）。

五十八　賊風　《太素》全

見《太素》卷二十八『諸風雜論』全節（頁五二四至五二六）。

五十九　衛氣失常　《太素》佚

六十　玉版　《太素》不全

見《太素》卷二十三『疽癰逆順刺』全節（頁三八四至三八七）。此僅爲《靈樞·玉版》之前段，缺後段。

六十一　五禁　《太素》佚

六十二　動輸　《太素》全

見《太素》卷九『脉行同異』自『黄帝曰：經脉十二』至篇末（頁一二八至一三一）。

六十三　五味論　《太素》全

見《太素》卷二『調食』自『黄帝問少俞曰：五味之入於口也』至『故曰甘入走肉矣』（頁一八至二十）。

六十四　陰陽二十五人　《太素》佚

六十五　五音五味　《太素》不全

見《太素》卷十『任脉』全節（頁一四八至一五一）。此缺首段。

六十六　百病始生　《太素》全

見《太素》卷二十七『邪傳』自篇首至『毋逆天時，是謂至治』（頁五一二至五一七）。

六十七　行鍼　《太素》全

見《太素》卷二十三『量氣刺』全節(頁三八二至三八三)。

六十八　上膈　《太素》全

見《太素》卷二十六『蟲癰』全節(頁四九〇至四九一)。

六十九　憂恚無言　《太素》佚

七十　寒熱　《太素》全

見《太素》卷二十六『寒熱瘰癧』全節(頁四九二至四九三)。

七十一　邪客　《太素》不全

(一)見《太素》卷十二『營衛氣行』自篇首至『久者,三飲而已』(頁二〇六至二〇七)。

(二)見仁和寺影印本《太素》卷五第一篇,此篇『天有陰陽,人有夫妻』以上缺,蕭延平本據『邪客』篇補入。又見蕭延平本卷五『人合』首段(頁五三至五四)。

（三）見《太素》卷九『脉行同異』自篇首至『真氣堅固，是謂因天之序』（頁一二五至一二八）。

（四）見仁和寺影印本《太素》卷二十二首篇，首段缺。仁和寺影印本《太素》在此卷第一篇之首有『首十二行缺』五字小注。具體言之，仁和寺影印本《太素》自『黄帝曰：持鍼縱舍奈何』以上缺，現存之文字，亦頗多斷爛及缺文。又見蕭廷平本卷二十二『刺法』自『黄帝曰：持鍼縱舍奈何』至『骨節機關不得屈伸，故病攣』（頁三四四至三四六）。

七十二　通天　《太素》佚

七十三　官能　《太素》全

見《太素》卷十九『知官能』全節（頁三三七至三四二）。

七十四　論疾診尺　《太素》全

（一）見《太素》卷十五『尺診』全節（頁二八三至二八五）。

（二）見《太素》卷十七『證候之一』自『目色赤者病在心』至篇末（頁三一一三）。

（三）見仁和寺影印本《太素》卷十六『雜診』自『診血脉者多赤多熱』至『手足温易已也』。

（四）見《太素》卷十四『人迎脉口診』自『安卧小便黄赤』至篇末（頁二七二）。

（五）見《太素》卷三十『四時之變』全節（頁五六五）。

七十五　刺節真邪　《太素》不全

（一）見《太素》卷二十二『五節刺』全節（頁三六一至三六五）。

（二）見《太素》卷二十二『五邪刺』全節（頁三六五至三七一）。

（三）見仁和寺影印本《太素》卷二十九『三氣』全節。考蕭延平本卷二十九無『三氣』之目，依《靈樞·刺節真邪》補入『黄帝曰：余聞氣者有真氣有正氣』至『堅有所結』一段文字，與仁和寺影印本《太素》合。然仁和寺影印本《太素》自『不能自去』之『不』字下至『薄於脉中』之『薄』字上缺。仁和寺影印本《太素》在『其中人也深不』字下注『十行欠』三字。

七十六　衛氣行　《太素》全

見《太素》卷十二『衛五十周』全節（頁二一三至二一八）。

七十七　九宫八風　《太素》全

見《太素》卷二十八『九宫八風』全節（頁五二六至五三〇）。按，仁和寺影印本《太素》之『九宫八風圖』與《靈樞》元古林書堂本、明熊宗立本、明詹林所本、明趙府居敬堂本及朝鮮活字本均異。

七十八　九鍼論　《太素》不全

（一）見仁和寺影印本《太素》卷二十一『九鍼所象』自篇首至『此九鍼小大長短之法也』。

（二）見《太素》卷十九『知形志所宜』自篇首至『治之以按摩醪藥，是謂五形』（頁三二一至三二二）。

（三）見《太素》卷二『調食』自『五味所入，酸入肝』至篇末（頁二十）。

（四）見《太素》卷六『藏府氣液』自『精氣並於肝則憂』至『脾主肌，腎主骨』（頁八八至八九）。

（五）見《太素》卷二十七『邪傳』自『五發陰病發於骨』至『陰病發於夏』二十七字（頁五一八），與《素問·宣明五氣》重。

（六）見《太素》卷六『藏府氣液』自『心藏神，肺藏魄』至『脾主肌，腎主骨』（頁八九），與《素問·宣明五氣》重。

（七）見《太素》卷十九『知形志所宜』自『形樂志苦，病生於脉』至『刺少陰出氣惡血』（頁三二一至三二二），與《素問·宣明五氣》重。

七十九　歲露　《太素》不全

（一）見《太素》卷二十八『三虛三實』全節（頁五三〇至五三三）。

（二）見《太素》卷二十八『八正風候』全節（頁五三三至五三五）。

八十　大惑論　《太素》全

見《太素》卷二十七『七邪』全節（頁四九五至四九九）。

八十一　癰疽　《太素》全

見《太素》卷二十六『癰疽』自篇首至『其皮上薄以澤，此其候也。黄帝曰：善』（頁四八三至四八九）。

黄帝内經太素

甲子冬

蕭延平題

民國十三年醫浚宇孚
仲秋仿宋嘉祐本刊行

校正黃帝内經太素序

自祖龍燔書三皇古籍悉付一炬伏羲之易因卜筮而幸存黃帝内經以醫藥而獲免故漢志藝文醫經一門首爲箸錄即今所傳之素問靈樞是也素問言理氣靈樞言形質二書本相輔而行實醫學之鼻祖論者每謂中醫專重理氣如寒極化熱熱極化寒之說其義至精故往往治傷寒温熱諸内證多藥至病除其源實出於素問西醫專重形質如聽肺有筒測喉有器驗目有鏡以及解剖鍼刺等術皆精益求精故往往治跌傷瘍癰諸外證輒應手奏效其源似出

於靈樞余嘗閱張氏中西醫學平議據稱羅馬人漢尼巴於成周時得中國黃帝内經歸而醫學大明蓋素問本中國文字靈樞於藏府經脉穴道多附以圖文字必譯而始通圖則一覽了然是西醫原本靈樞尤其明證也靈樞古未有注素問全元起注本久亡近時所傳者惟王冰次註爲最古而紕繆遷移時或不免宋高保衡林億等每引全氏注本及楊注太素詳爲糾正是王注素問已失其真後人根據王注重爲詮釋者其失當更可知矣夫王注素問之失既如此靈樞又復無注其經義之淵深詞旨之古奥即通

儒且多不解况吾國之業醫者又多鄉曲鄙人往往略諳藥性即懸壺爲衣食謀無惑乎以生人之道殺人而中醫日以不振也吾宗北承孝廉曩時監學存古與楊惺吾廣文共事一堂得借鈔其所獲日本唐人卷子本楊上善所注黄帝内經太素手校者十數載辨證凡數萬言去歲由京師遄歸武昌謀付剞劂余詢知其事因爲捐貲付梓仍以校讐之役屬之孝廉此編合素問靈樞爲一書不獨可證王注素問之失即靈樞之嚮來無注通儒多不能解者得楊氏注釋而其義自明他日此書盛行既可使中西醫術合

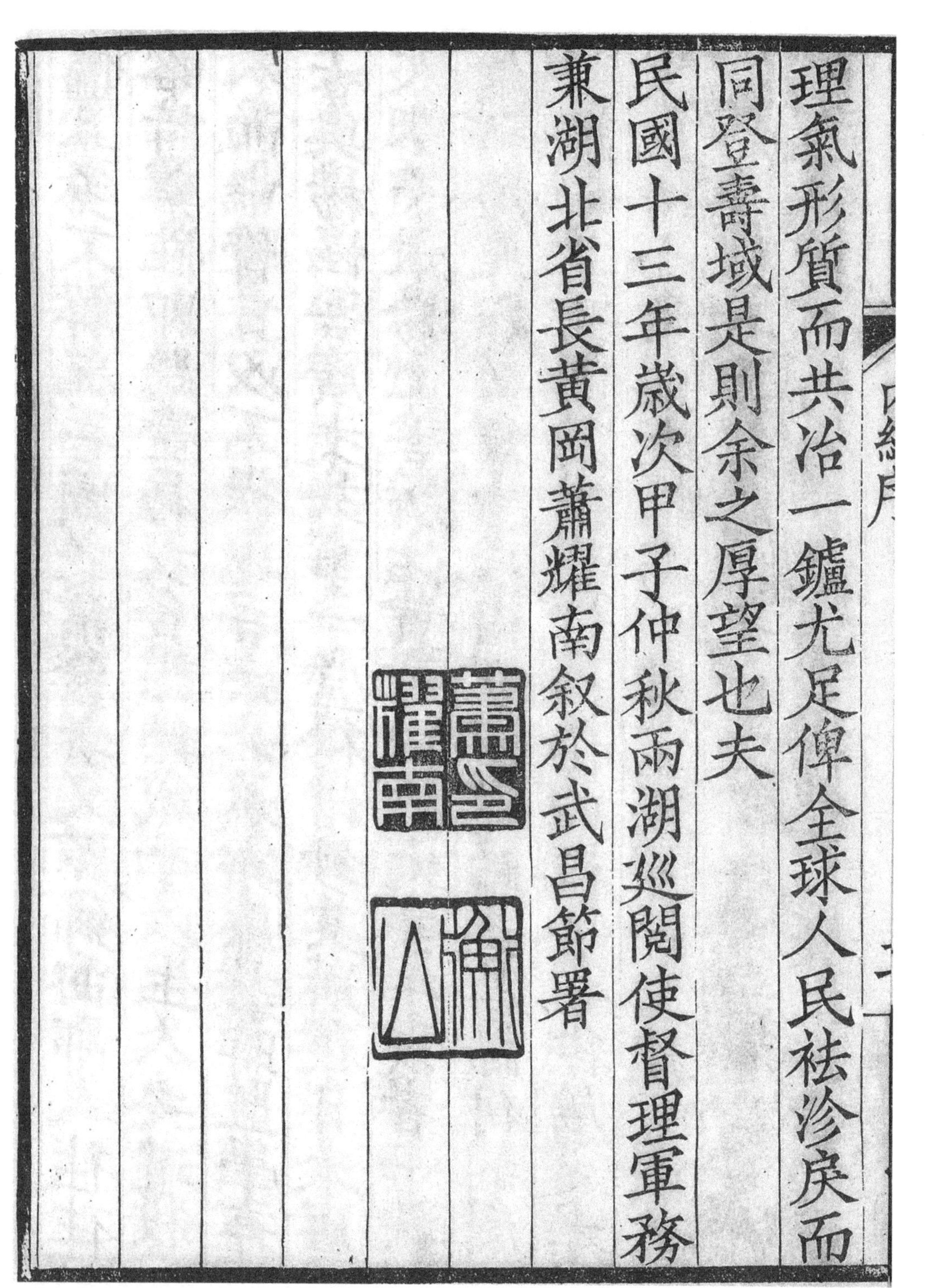

理氣形質而共治一鑪尤足俾全球人民祛沴戾而
同登壽域是則余之厚望也夫
民國十三年歲次甲子仲秋兩湖巡閱使督理軍務
兼湖北省長黃岡蕭耀南叙於武昌節署

校正黃帝內經太素序

黃陂蕭北承孝廉好學深思士也予廁兩湖書院教席時誦其所作心學平議多精詣獨到之言心竊愛重之後招入龍江幕治官文書甚勤中更世變卒卒南行數年後同旅京師不時來相存問輒爲我言靈蘭之秘金匱玉版之畧融徹貫串探本窮微聽之移晷忘倦予 先子故精醫靈素不去手常有明於經論輕藥可已重病之言予因以其耳學者與之參互討論蓋八九如合契焉去年歸武昌今秋校刻隋楊氏內經太素成函來問序余慨然曰今人之震駴新

學者皆坐不明古學之故醫其一端也醫家託始黃帝所傳内經箸錄漢志雖不必即其原書顧所綴緝必歷代相傳遺文其爲聖作賢述無疑經中究極人生性命之原陰陽消息之理至閎眇矣苟非通學穎姿且不易曉其文義字句何况其精微者乎今之爲醫者率鄉曲鄙人學不能成無以自致於仕宦略讀藥性湯頭歌括遂提囊爲餬口計於古醫學概乎或未聞也故常以活人之道殺人中醫遂爲世詬病乃羣焉於西醫驚猶鬼神夫西醫之書於古有精微者以否吾不得知矣第就近所譯全體衛身診病諸説

觀之大氐察形而不知求氣責實而不知課虛其使人驚者特麻醉剖割之術耳而醫道之精者則有進於是嘗讀史記扁鵲傳號中庶子言上古醫有俞跗乃割皮解肌搦髓揲荒湔浣腸胃漱滌五藏古固有是術也而扁鵲所稱陽脈陰脈一皆本之內經不必有非常可怪如浣腸滌藏者爲也卒厲鍼石起號太子之死醫之神舍讀黃帝書何由哉太素書久佚楊惺吾孝廉得自日本歸武昌柯中丞家袁忠節曾傳抄刊行北承復取他本精心鉤釽辨析異同考定僞誤其未寤者間以己意申之殫十數年之力而後成可

謂勤矣此書行既可鍼起俗工俾得進而求古人甚
深之醫學且廣之於各國使海外之人知吾國俗醫
非醫而先聖之書實有其高美不可幾及者會而通
之神而明之豈惟福我中土將殊方異族胥得養生
盡年而無夭札疵癘之患焉然後知有裨於人類者
大而所施博者醫爲甚而發明古書其尤先也北承
儻亦有取於斯言乎歲在甲子秋九月天門周樹模
序

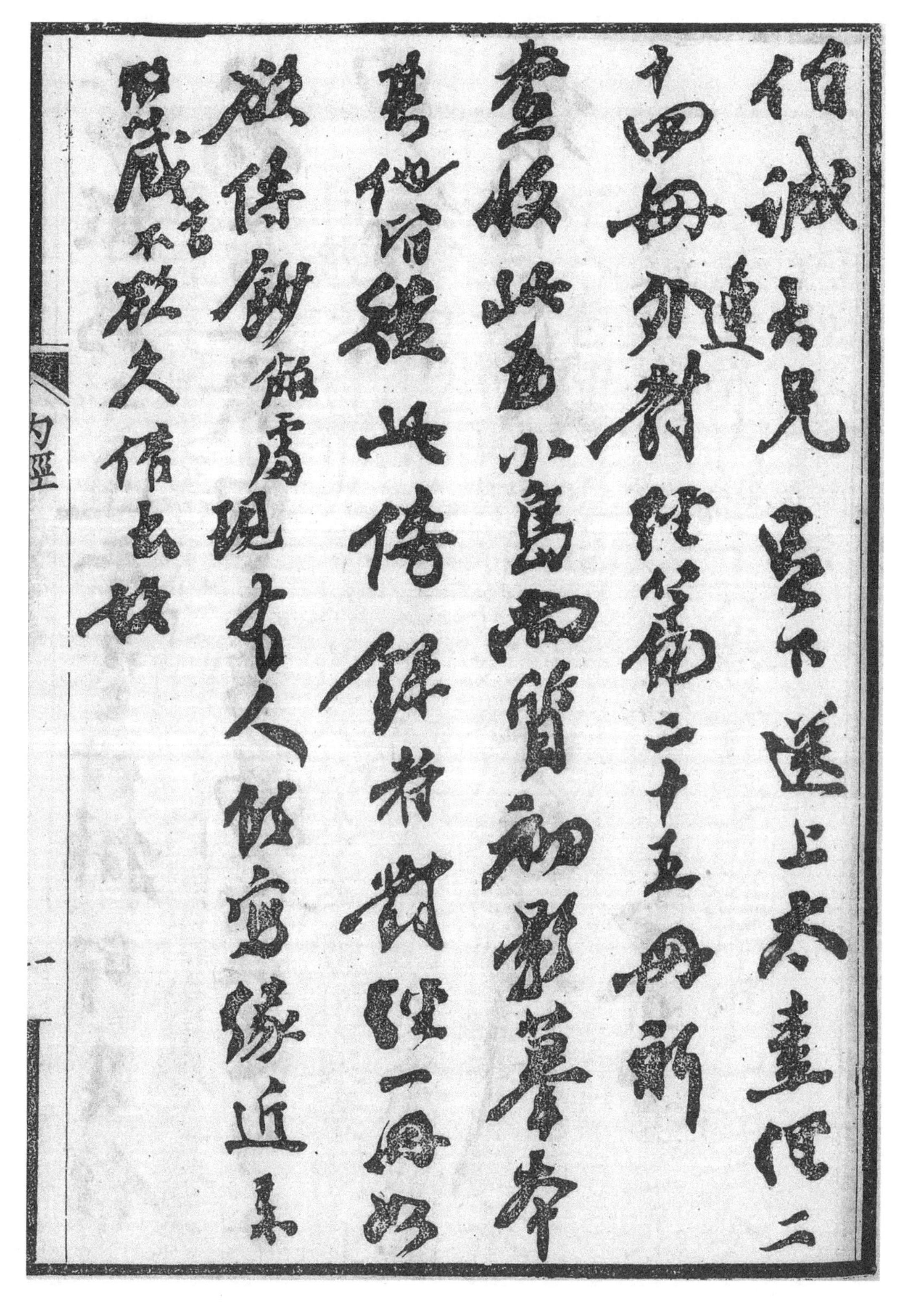

伯誠去見
足下遂上太素經二十四冊外對經篇二十五冊新舊校此為小島尚質初影摹本其他皆經此傳錄對對經一冊以校傳鈔鈔屬現有人任寫緣近來所藏書不能久借也故

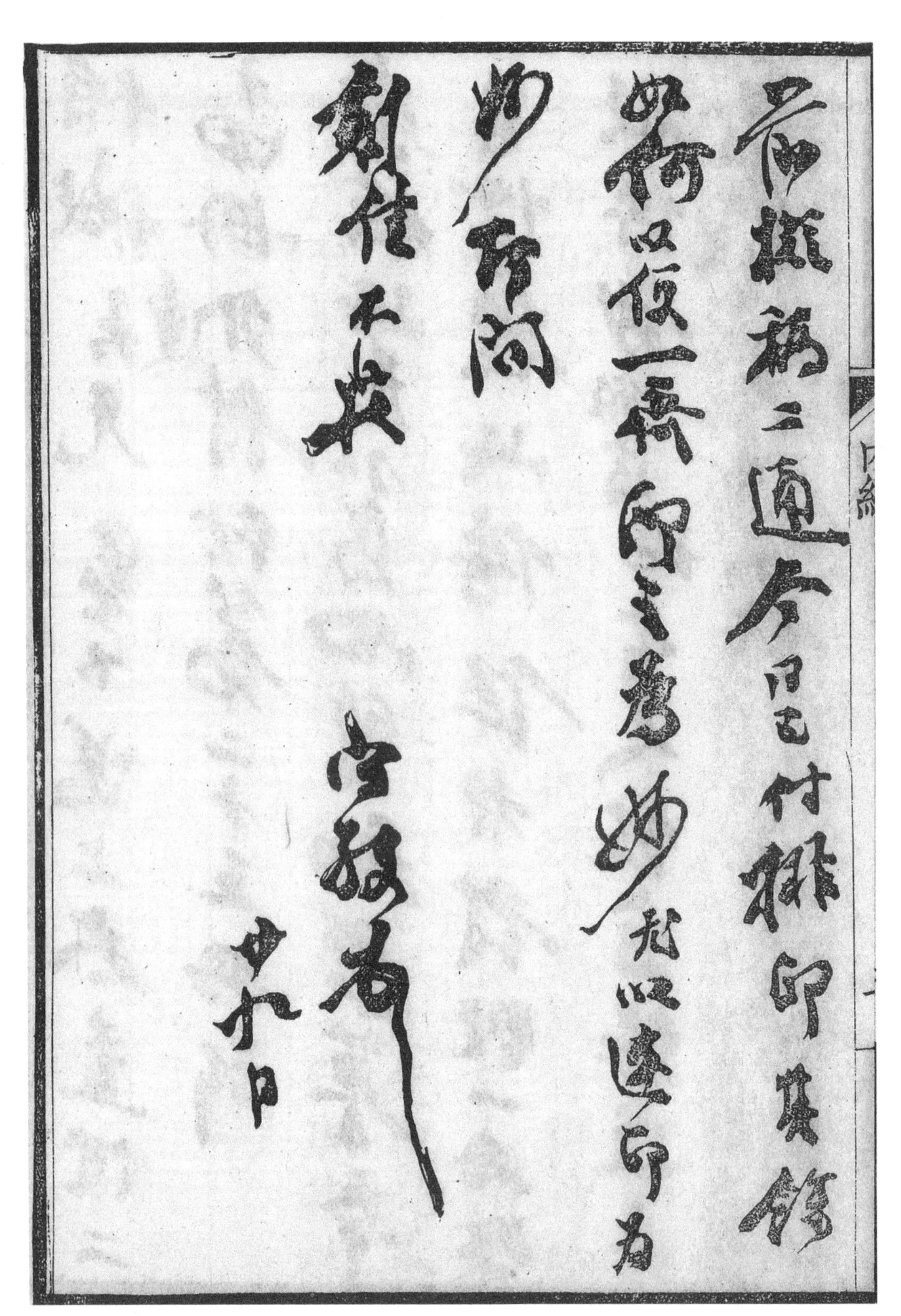

黃帝内經太素例言

漢志黃帝内經十八卷晉皇甫謐序甲乙經云今有鍼經九卷因素問亦九卷無以別此經特取其篇首之名謂鍼經九卷素問九卷二九十八卷即内經也漢張機敘傷寒歷論古醫經於素問外稱曰九卷不標異名存其實也王叔和脈經同復云素問論病精微九卷原本經脈其義深奥故其書内仍稱九卷本書楊注凡援引今本靈樞篇目經文皆稱九卷據此足知今本靈樞與素問即漢志所稱内經十八卷也唐王冰注素問因全元起注本第七卷久亡隋志黃帝内經八卷自謂得舊藏之卷羼入天元紀大論七篇於素問中宋林億等新校正疑為陰陽大論之文復

於全本素問多所遷移（檢素問新校正自知）又因隋志有九靈之名稱九卷爲靈樞（見王冰素問叙注）而全本素問既失其真古九卷之名亦就湮沒本書合九卷（即今靈樞）素問兩部爲一書於王注素問天元紀大論等七篇無一語竄入足存全本素問之真於九卷經文多所詮釋足袪靈樞晚出之惑茲取靈樞（即古九卷）素問甲乙經詳爲對勘倣素問新校正例於每篇篇首標名自某處至某處見靈樞（仍今名以便省覽）素問甲乙經卷幾第幾篇復於書中凡與靈素甲乙字異者仍倣新校正例於注後空一格用平按二字註明某字某書

作某其原鈔經文缺字據靈素甲乙補入者亦於平按下注明某處原缺幾字據某書補入其楊注缺字無可考補者即計字空格以存其真其可據經文補入者仍於原缺處空格將據經文所補之字附註於平按下間或參以臆説僭擬一二者仍於原缺處空格附臆説於平按下以備參稽而昭慎重

新舊唐志楊上善黄帝内經太素三十卷鄭樵通志同宋志僅存三卷宋史修於元其散佚當在南宋金元間故自金元以降惟王履溯洄集一爲徵引餘

不多見今則中國並宋志所載三卷而亦不存此
書乃假楊惺吾氏所獲日本唐人卷子鈔本影寫
卷高七寸五分強弱每行十六七字不等計缺第
一第四第七第十六第十八第二十第二十一凡
七卷又殘卷一册共十三紙尾間有以仁和寺宫
御所藏本影寫字樣考日本森立之經籍訪古志
黄帝内經太素三十卷唐通直郎太子文學楊上
善奉勅撰注所缺凡七卷卷第與楊氏鈔本同下
注傳寫仁和三年舊鈔本按日本仁和三年當中
國唐僖宗光啟三年楊氏鈔本既據仁和寺宫御

所藏本影寫其爲唐人卷子鈔本無疑其殘卷十三紙謹據靈樞素問補入本書卷五卷六卷十卷二十二卷三十陰陽合等篇均詳本書所補諸篇篇目校記

本書既係影寫仁和寺宫御藏本據楊氏日本訪書志日本舊諸侯錦小路復有鈔本余長武昌醫館時柯巽菴中丞曾出太素一部相示乃尋常鈔本字體較小卷第與本書同惟無殘卷書中凡殘缺處無論字數多少只空一格不若本書影寫之能存真相中丞曾語余云是書手校多年後爲袁

忠節取去付梓并以袁刻一部相贈暇時取中丞校本與袁刻對勘凡袁刻改定處與中丞所校多同前言或不誣也後即以袁刻校對本書其袁刻與本書字異者即於平按下註明某字袁刻作某至中丞所校以混入袁刻中不復區別余旅居京師時又於同鄉左笏卿年丈處獲見一部卷第與中丞鈔本同亦無殘卷曾借校數月計與本書不同者十餘字仍於平按下註明别本某字作某存以備考

楊上善爵里時代正史無徵據林億等重廣補校

素問序云隋楊上善纂而爲太素又據李瀕醫史徐春甫醫統幷云楊上善隋大業中爲太醫侍御述内經爲太素顧隋志無其書楊氏日本訪書志據本書殘卷中丙字避唐太祖諱作景以爲唐人復據唐六典謂隋無太子文學之官唐顯慶中始置楊氏奉勅撰注稱太子文學當爲顯慶以後人余則更有一説足證明其爲唐人者檢本書楊注凡引老子之言均稱玄元皇帝考新舊唐書本紀追號老子爲玄元皇帝在高宗乾封元年二月則楊爲唐人更無疑義再查隋大業距唐乾封不過

五十餘載自來醫家多享大年（史稱孫思邈生於後周中間歷隋逮唐至永淳元年始卒壽百餘歲）或上善初仕隋爲太醫侍御後仕唐爲太子文學亦未可知總之太子文學隋既無此官唐封老子爲玄元皇帝又在乾封元年則楊書當成於乾封以後可斷言矣故書中於丙作景淵作泉之類一仍其舊惟於平按下註明某字係避唐諱作某

自來校書苦無善本醫書尤甚蓋中國自科舉制興凡聰明才智之士多趨重詞章聲律之文即閒有卓犖異材又或肆力於經史漢宋諸學於醫學

一門輙鄙爲方技而不屑爲故自林億等校正醫書後從事此道者實不多覯晦盲否塞幾近千年紕繆糾紛問津無路茲所據校勘諸書素問用宋嘉祐本明顧氏影宋嘉祐本趙府居敬堂本吳勉學本靈樞用道藏本趙府居敬堂本吳勉學本甲乙經用正統本（惜不全）吳勉學嘉靖刊本（惜校注多混入經文）醫統正脉本（即吳本）以外如難經用醫統本脉經用楊大令褫初仿刻宋嘉定何氏本醫統本千金方用日本金澤文庫本餘多用通行本惟日本醫心方所引太素楊注頗多此書撰於日本永觀二年當

中國宋雍熙元年楊氏日本訪書志稱其多存古書爲中土醫家所不逮洵非虛語至金元以下醫書間因考訂字義偶一徵引而採用甚少非謂金元以後醫家一無可取因本書金元間已佚無由考證也

全元起所注素問久亡林億等新校正每引以糾正王註素問其所引全本多與太素同足徵太素所編之文爲唐以前舊本可校正今本靈樞素問者不尠茲於本書中凡遇新校正引全糾王之處具錄於平按下以存全本之真而正王氏之誤

古文字多假借此書既係唐人卷子鈔本書中如癃作瘥顖作囟貌作皃鋭作兑之類皆古味盎然茲所校正如遇此等字凡靈素甲乙改用今文者仍於平按下註明某書某字作某至本書一仍舊觀不敢妄爲竄改以存古義

一本書字義有靈素甲乙均同而本書獨異者如開作關篡作篡宦作宫之類不憚多方引證反覆辨明冀衷一是蠡測管窺未審當否通儒碩學幸垂教焉餘或字異而無關宏旨者則多從畧

本書首卷已佚卷首總目亦復不存茲特取各卷

子目編次於前以便稽考

本書原鈔俗字頗多如發作⿱艹放關作開焦作膲之類均一律更正

素問新校正所引太素多至百六十餘條其已具本書者凡百餘條不見本書者五十餘條他如林億等所校甲乙經脈經外臺諸書共引太素三十餘條日本醫心方所引凡二十餘條檢本書復有存有佚茲於其存者凡引用經文楊注與本書字異者於平按下註明其佚者別編佚文附後并逐條註明某條見某書以見零璧斷珪尤堪寶貴也

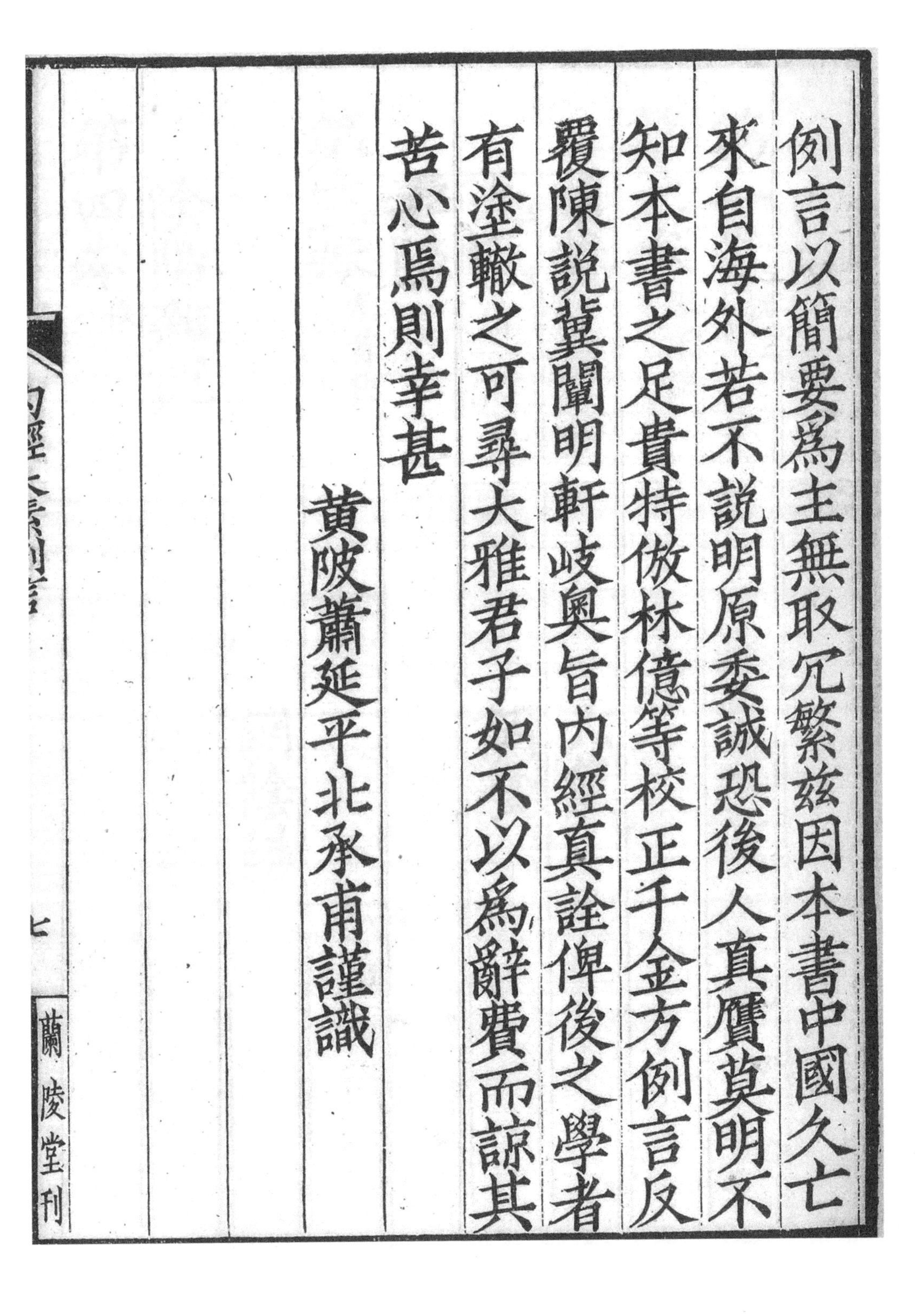

例言以簡要爲主無取冗繁茲因本書中國久亡來自海外若不説明原委誠恐後人真贋莫明不知本書之足貴特倣林億等校正千金方例言反覆陳説冀闡明軒岐奥旨内經真詮俾後之學者有塗轍之可尋大雅君子如不以爲辭費而諒其苦心焉則幸甚

黄陂蕭延平北承甫謹識

蘭陵堂刊

黄帝内經太素目録

內經

第九卷

第十卷

第十一卷

本輸　變輸

府病合輸　氣穴

氣府　骨空

第十二卷 卷首缺

營衛氣行

營五十周　衛五十周

第十三卷

經筋　骨度

腸度　脈度

第十四卷 卷首缺

第十八巻 佚

第十九巻

知古今　　知要道

知方地　　知形志所宜

知祝由　　知鍼石

知湯藥　　知官能

第二十巻 佚

第二十一巻 佚

第二十二巻

刺法　　九鍼所主

脾癉消渴　　膽癉
頭齒痛　　頷痛
項痛　　喉痺嗌乾
目痛　　耳聾
衄血　　喜怒
疹筋　　血枯
熱煩　　身寒
肉爍　　臥息喘逆
少氣　　氣逆滿
瘵噦　　腰痛

髀疾　膝痛
痿厥　癃洩
如蠱如妲病　癲疾
驚狂　厥逆
厥死　陽厥
風逆　風痙
酒風　經解
身度　經絡虚實
禁極虚　順時
刺瘧節度　刺腹滿數

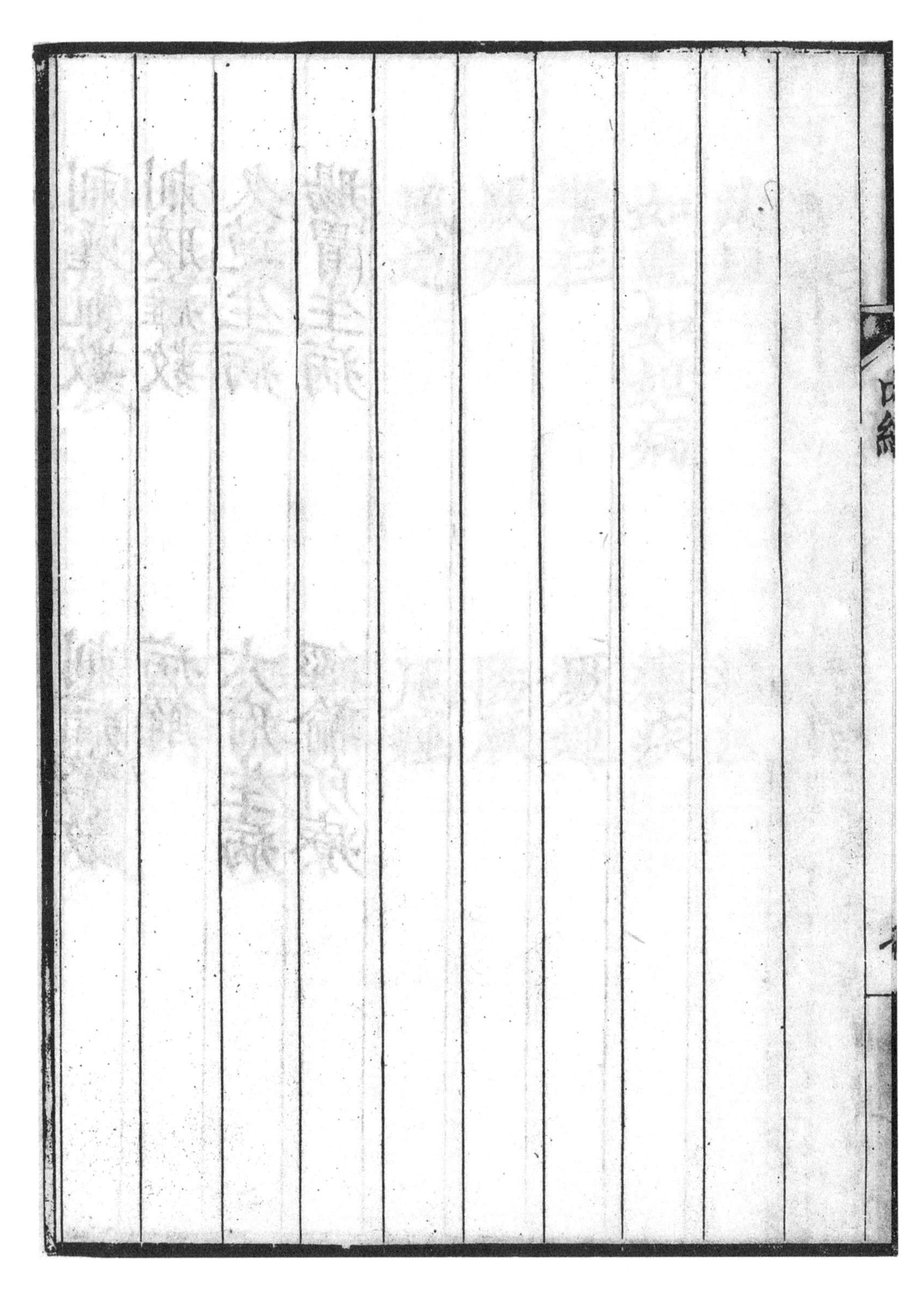

黃帝内經太素卷第二 攝生之二

通直郎守太子文學臣楊上善奉　敕撰注

黃陂蕭延平北承甫校正

順養

六氣

九氣

調食

壽限

順養

平按此篇自篇首至不致邪僻見靈樞卷六第二十九師傅篇自夫治民至不致邪僻見甲乙經卷六第二自久視傷血至久所病也見靈樞卷十二第七十八九鍼論又見素問卷七第二十三宣明五氣篇自春三月至末見素問卷一第二四時調神大論又見甲乙經卷一第二

黄帝曰余聞先師有所心藏弗著於方余願聞而藏之則而行之先師心藏比斵輪之巧不可□□遂不著於方也又上古未有文著□□□蘗代也非文不傳故請方傳之藏而則之　平按有所心藏所字原缺之則而行四字原缺謹依靈樞補入注斵輪之巧衰刻巧誤作功不可下原缺二字蘗代上原缺三字衰刻不缺謹依原鈔以存真上以治民下以治身先人後已大聖之情也使百姓无病上下相和親德澤下流理國之意子孫无憂理家之意傳於後世无有終時可得聞乎言其益遠　平按終時別本作終始岐伯曰遠乎哉問夫治民與治自治彼與治此治小與治大治國與治家未有逆而能治者也夫唯順而已矣人之與已彼此大小國家八者守之取全循之取美須順道德陰陽物理故順之者吉逆之者凶斯乃天之道　平按岐素問靈樞均作歧下同不再舉治自別本作治身靈樞甲乙經均作自治順者非獨陰陽脈論氣之逆順也百姓人民皆欲順其志也

非獨陰陽之道十二經脈營衛之氣有逆有順百姓之情皆不可逆是以順之有吉也故曰聖人無常心以百姓爲心也志願也黄帝曰順之奈何岐伯曰入國問俗入家問諱上堂問禮臨病人問所便夫爲國爲家爲身之道各有其理不循其理而欲正之身者未之有也所以並須問者欲各知其理而順之也俗諱禮便人之理也陰陽四時天地之理也存生之道闕一不可故常問之也便宜也謂問病人寒熱等病量其所宜隨順調之故問所便者也　平按自上節順者至本節岐伯曰甲乙經無此文注其理二理字袁刻均作禮所便下原鈔本有者字袁刻無黄帝曰便病人奈何言何方而知其所便也　平按甲乙經病下無人字岐伯曰夫人中熱消癉則便寒寒中之屬則便熱中腸胃中也腸胃中熱多消飲食即消癉病也癉熱也音丹熱中宜以寒調寒中宜以熱調解其便也　平按夫人人字靈樞甲乙經均無注癉病下原有也字寒調上原有以字袁刻均無謹依原鈔本補入胃中熱則消穀令人懸心善飢齊以上皮熱自此以下廣言熱中寒中之狀胃中熱以消穀虛以喜飢胃在齊上胃中食氣上薰故皮熱也腸中熱則出黄如糜齊以下皮寒陽上陰下胃熱腸冷自是常理今胃

中雖熱不可過熱過熱乖常腸中雖冷不可不和不和則多熱出黃腸冷多熱不通故齊下皮寒也　平按麋下甲乙經有色字齊靈樞甲乙經均作臍上同

胃中寒則䐜脹腸中寒則腸鳴飧泄䐜叱鄰反張起也飧音孫謂食不消下泄如水和飯也冷氣不下故多脹腸中冷而氣轉故腸鳴也　平按䐜靈樞作腹甲乙經作填

胃中寒腸中熱則脹且泄以上腸胃俱熱俱寒此乃胃寒腸熱俱下時也脹是胃寒泄是腸熱腸中不可熱令熱則腸中不和故脹且泄也　平按脹下靈樞有而字注令熱袁刻作令熱

胃中熱腸中寒則疾飢少腹痛此胃熱腸寒俱時胃熱故疾飢腸寒故腹痛也　平按痛下靈樞甲乙經均有脹字

黃帝曰胃欲寒飲腸欲熱飲兩者相逆便之奈何且夫王公大人血食之君驕恣從欲輕人而無能禁之禁之則逆其志順之則加其病便之奈何治之何先胃中常熱故欲滄滄而飲腸中恒冷故欲灼灼而食寒熱乖和則損於性命若從欲則加病逆志則生怒二者不兼故以先爲問也　平按寒飲靈樞飲作饑

岐伯曰人之情莫不惡死而樂生告之

以其馭語之以其道示以其所便開之以其所苦雖有無道之人惡有不聽令者乎正可逆志以取其所樂不可順欲而致其所苦故以道語之無理不聽也　平按靈樞馭作敗其道作其善示以其所便作道之以其所便聽令者乎作聽者乎注理字疑衍袁刻無黃帝曰治之奈何岐伯曰春夏先治其標後治其本秋冬先治其本後治其標本謂根與本也標末也方昭反謂枝與葉也春夏之時萬物之氣上升在標秋冬之時萬物之氣下流在本候病所在以行療法故春夏取標秋冬取本也黃帝曰便其相逆者奈何謂適於口則害於身違其心而利於體者奈何　平按甲乙經相逆作先逆岐伯曰便此者食飲衣服亦欲適寒溫寒無凄凄暑無出汗食飲者熱毋灼灼寒毋滄滄滄滄寒也音倉寒無凄等謂調衣服也熱毋灼等謂調食飲也皆逆其所便也　平按凄凄靈樞甲乙經均作凄愴寒溫中適故氣將持乃不致邪僻五藏之中和適則其真氣內守外邪不入病無由生　平按將持甲乙經作搏持邪僻下靈樞有也字

蘭陵堂刊

久視傷血夫爲勞者必内有所損然後血等有傷役心注目於色久則傷心心主於血故久視傷血　平按注役心役字别本作侵久卧傷氣人卧則肺氣出難故久卧傷肺肺傷則氣傷也久坐傷肉人久靜坐脾則不動不動不使故久坐傷脾脾傷則肉傷也久立傷骨人之久立則腰腎勞損腎以主骨故骨髓傷也久行傷筋人之久行則肝膽勞損肝傷則筋傷也此久所病也平按此久所病也靈樞作此五久勞所病也春三月此謂發陳陳舊也言春三月草木舊根舊子皆發生也天地俱生萬物以榮天之父也降之以德地之母也資之以氣德之與氣俱能生也物因德氣英華開發也夜卧蚤起春之三月主膽肝之府足少陽用事陰消陽息故養陽者至夜即卧順陰消也蚤字古早字旦而起順陽息也　平按蚤素問巢氏病源均作早注主膽肝之府袁刻作主肝膽之府謹按主膽二字爲句肝之府三字爲句膽爲足少陽經與足厥陰經肝經爲表裏於義既足玩下文小腸心之府注自明廣步於庭被髮緩形以使志生廣步於庭勞以使志也被髮緩形逸以使志也勞逸處中和而生也故其和者是以内攝生者也生而勿殺予而勿奪賞而勿罰此春氣之應也養生之道也生予賞者順少陽也殺奪罰者逆少

陽也故順成和則外攝生也內外和順春之應也斯之順者爲身爲國養生道也　平按素問應下無也字**逆則傷於肝夏爲寒爲變奉生長者少**肝氣在春故晚卧形晚起逸體急形殺奪罰者皆逆少陽也故其爲身者逆即傷肝夏爲傷寒熱病變也其爲國也霜雹風寒災害變也春時內外傷者奉夏生長之道不足也　平按素問逆則傷於肝作逆之則傷肝夏爲寒爲變作夏爲寒變奉下無生字巢氏病源夏字下有變字寒下無爲變二字注晚卧下形字恐衍文袁刻無**夏三月此謂蕃秀**蕃代元反茂也夏三月時萬物蕃滋茂秀增長者也**天地氣交萬物英實**陰陽氣和故物英華而盛實也　平按素問英作華**晚卧蚤起**夏之三月主小腸心之府手太陽用事陰虛陽盈故養陽者多起少卧也晚卧以順陰虛蚤起以順陽盈實也　平按素問晚作夜**無厭於日使志無怒**日者爲陽故不可厭之怒者爲陰故使志無怒之**使英成秀使氣得洩**使物華皆得秀長使身開腠氣得通洩也　平按素問英上有華字洩作泄下同不再舉**若所愛在外此夏氣之應也養生之道也**內者爲陰外者爲陽諸有所愛皆欲在陽此之行者應太陽之氣養生之道也　平按素問應下無也字生作長巢氏病源同**逆之則傷心秋爲痎瘧則奉**

收者少冬至重病蚤卧晚起厭日生怒傷英不秀壅氣在内皆逆太陽氣也故夏爲逆者則傷乎心秋爲痎瘧奉秋收之道不足得冬之氣成熱中病重也　平按素問奉上無則字巢氏病源無則奉收者少冬至重病二句秋三月此謂容平夏氣盛長至秋也不盛不長以結其實故曰容平也天氣以急地氣以明天氣急者風清氣涼也地氣明者山川景淨也蚤卧蚤起與雞俱興秋之三月主肺藏手太陰用事陽消陰息故養陰者與雞俱卧順陰息也與雞俱起順陽消也使志安寧以緩秋形春之緩者緩於緊急秋之緩者緩於滋盛故寧志以緩形　平按素問形作刑收斂神氣使秋氣平夏日之時神氣洪散故收斂順秋之氣使之和平也　平按注洪袁刻作渙無外其志使肺氣精此秋氣之應也養收之道也攝志存陰使肺氣之無雜此應秋氣養陰之道也　平按素問精作清應下無也字巢氏病源同逆之則傷肺冬爲飧洩則奉養者少晚卧晚起志不寧者秋時以逆太陰氣秋即傷肺至冬飧洩奉冬養之道少也　平按素問奉養作奉藏巢氏病源無則奉養者少句冬三月此謂氣閉藏陰氣外閉陽氣内藏　平按素問無氣字巢氏病源同水冰地

坼敕白反分也毋擾乎陽言居陰分故毋擾陽平按乎素問作乎蚤卧晚起冬之三月主腎藏足少陰用事陽虛陰盈故養陰者多卧少起蚤卧順陽虛晚起順陰盈也必待日光使志若伏匿伏匿靜也卧盡陰分使志靜也平按素問匿上有若字若有私意若已有德去寒就温言十一月陰去陽來故養陰者凡有私意諸有所得與陰俱去順陽而來無相擾也平按有德素問巢氏病源均作有得玩本注亦作得恐係傳寫之訛毋洩皮膚使氣不極此冬氣之應也養藏之道也閉諸腠理使氣不洩極也斯之行者應冬腎氣養陰之道也平按素問不極作亟奪逆之則傷腎春為痿厥則奉生少也早起晚卧不待日光志氣外洩冬為逆者傷腎痿厥奉春養生之道少也痿厥不能行也一曰偏枯也於危反平按素問則奉生少也作奉生者少天氣清靜光明者也天道之氣清虛不可見安靜不可為故得三光七耀光明者也玄元皇帝曰虛靜者天之明也平按靜顧本素問作淨趙府本仍作靜藏德不上故不下天設日月列星辰張四時調陰陽日以曝之夜以息之風以乾之雨露濡之其生物也莫見其所養而物長其所殺也莫見其所喪而物亡此謂天道藏德不上故不下者也

聖人象之其起福也不見其所以而福起其除禍也不見其所由而禍除則聖人藏德不上故不下也玄元皇帝曰上德不德是以有德即其事也　平按素問上作止新校正云別本亦作上

上下則日月不明

君上情在於已有私修德遂不爲德玄元皇帝曰下德不失德是以無德君之無德則令日月薄蝕三光不明也　平按素問上下作天明

邪害空竅

空竅謂三百六十五穴也君不修德和陽氣者則疵癘賊風入人空竅傷害人也

陽氣閉塞地氣冒明

陽氣失和故令陰氣冒覆三光　平按兩氣字下素問均有者字

雲露不精則上應甘露不下

陰氣失和致令雲露無潤澤之精無德應天遂使甘露不降陰陽不和也言白露者恐後代字誤也　平按素問雲露作雲霧甘露作白露

交通不表萬物命故不施

陰陽不得交通則一中分命無由布表生於萬物德澤不露故曰不施也

不施則名木多死惡氣發風雨不節甘露不下則菀藁不榮賊風數至暴雨數起天地四時不相保乃道相失則未央絕滅

盜奪之君德不施布禍及昆蟲災延草木其有八種一者名木多死謂名好草木不黃而落二者惡氣發謂毒氣疵癘流行於國三者風雨不節謂風不時而起雲不族而雨

四者甘露不下謂和液无施菀槀當爲宛槁宛痿死槁枯也於阮反陳根舊枝死不榮茂五者賊風數至謂風從衝上來破屋折木先有虛者被尅而死六者暴雨數起謂驟疾之雨傷諸苗稼七者天地四時不相保謂陰陽乖繆寒暑無節八者失道未央絶滅未央者久也言盜夸之君絶滅方久也　平按素問惡氣發作惡氣不發甘露作白露乃道作與道**唯聖人順之故身無奇疾萬物不失生氣不竭**唯聖人順天藏德不止故有三德一者身无奇疾奇異邪氣不及於身也二者萬物不失澤及昆蟲恩露草木各得生長也三者生氣不竭生氣和氣也和氣不竭致令雲露精潤甘露時降也　平按素問順作從疾作病**逆春氣則少陽不生而肝氣内變**少陽足少陽膽府脈爲外也肝藏爲陰在内也故府氣不生藏氣變也**逆夏氣則太陽不長心氣内洞**太陽手太陽小腸府脈在外也心藏爲陰居内也故府氣不生藏氣内洞洞疾流洩也**逆秋氣則太陰不收肺氣焦漏**太陰手太陰肺之脈也腠理豪毛受邪入於經絡則脈不收聚深入至藏故肺氣焦漏焦熱也漏洩也　平按焦漏素問作焦滿新校正云焦滿全元起本作進滿甲乙經太素作焦滿玩本注焦熱也漏洩也若作滿於洩字義不合仍从原鈔本作焦漏爲是**逆冬氣則少陰不藏腎氣濁沈**少陰足少陰腎之脈也少陰受

邪不藏能靜深入至藏故腎氣濁沈不能營也　平按濁沈素問作獨沈新校正云詳獨沈太素作沈濁與此亦異甲乙經作濁沈同此**失四時陰陽者失萬物之根也**陰陽四時萬物之本也人君違其本故萬物失其根　平按素問作夫四時陰陽者萬物之根本也**是以聖人春夏養陽秋冬養陰以順其根故與萬物沈浮於生長之門**聖人與萬物俱浮即春夏養陽也與萬物俱沈即秋冬養陰也與萬物沈浮以爲養者志在生長之門也　平按順素問作從下同**逆其根則伐其本壞其真**逆四時之根者則伐陰陽之本也壞至真之道也**故陰陽四時者萬物之終始也死生之本也逆之則災害生順之則奇疾不起是謂得道**陰爲萬物終死之本也陽爲萬物始生之源也逆之則災害生入於死地也順之則奇疾除得長生之道也　平按甲乙經無四時二字素問奇疾作苛疾**道者聖人行之愚者佩之**聖人得道之言行之於身寶之於心府也愚者得道之章佩之於衣裳寶之於名利也**順陰陽則生逆之則死順之則治逆之則亂**生死在身理亂在國**反順**

爲逆是謂内格不順四時之養身内有關格之病也是故聖人不治已病治未病不治已亂治未亂此之謂也夫病已成形而後藥之亂成而後治之譬猶渴而穿井鬭而鑄兵亦不晚乎身病國亂未有豪微而行道者古之聖人也病亂已微而散之者賢人之道也病亂已成而後理之者衆人之失也理之無益故以穿井鑄兵無救之失以譬之也　平按素問病已成下無形字亂下有已字鑄兵作鑄錐亦不晚乎作不亦晚乎

六氣平按此篇見靈樞卷六第三十決氣篇又見甲乙經卷一第十二

黄帝曰：余聞人有精氣津液血脉，余意以爲一氣耳，今乃辨爲六名，余不知其所以，願聞何謂精。一氣者真氣也真氣在人分一以爲六别故惑其義也　平按靈樞所以下有然字無願聞何謂精句岐伯曰：兩神相薄，合而成形，常先身生，是謂精。但精及津液與氣異名同類故皆稱氣耳雄雌二靈之别故曰兩神陰陽二神相得故謂之薄秈爲一質故曰成形此先於身生謂之爲精也　平按薄靈樞甲乙經均作搏何謂氣下焦如瀆謂之津液中焦如漚謂之爲營血上焦如霧爲衛稱氣未知所由　平按甲乙經無何謂氣岐伯曰六字岐伯曰上焦開發宣五穀味熏膚熏肉充身澤毛若霧露之溉是謂氣上焦開發宣揚五穀之味熏於膚肉充身澤毛若霧露之溉萬物故謂之氣即衛氣也　平按靈樞甲乙經均無熏肉二字何謂津岐伯曰腠理發洩汗出腠理是謂津腠理所洩之汗稱之爲津　平按汗出腠理靈樞作汗出溱溱何謂液岐伯曰穀氣滿淖澤注於骨骨屬屈伸光澤補益腦髓皮膚潤澤是謂液淖□卓反濡潤也通而言之小便汗等皆稱津液今別骨節中汁爲液故餘名津也五穀之精膏注於諸骨節中其汁淖澤因屈伸之動流汁上補於腦下補諸髓旁益皮膚令其潤澤稱之爲液　平按穀氣滿靈樞甲乙經作穀入氣滿光澤靈樞作洩澤甲乙經作出洩何謂血岐伯曰中焦受血於汁變化而赤是謂血五穀精汁在於中焦注手太陰脈中變赤循脈而行以奉生身謂之爲血也　平按中焦受血於汁靈樞作中焦受氣取汁甲乙經作中焦受

汁何謂脈岐伯曰壅遏營氣令毋所避是謂脈盛壅營血之氣日夜營身五十周不令避散故謂之脈也　平按甲乙經壅作擁　黃帝曰六氣者有餘不足氣之多少腦髓之虛實血脈之清濁何以知之六氣之中有餘不足總問也腦髓等別問取其所知也　平按注取別本作求　岐伯曰精脫者耳聾腎以主耳故精脫則耳聾氣脫者目不明五藏精氣爲目故氣脫則目闇津脫則腠理開汗大泄前之二脫言脫所由故有脫也以下三脫直著其脫狀故津脫腠理開汗泄爲狀液脫者骨屬屈伸不利色夭腦髓消胻痠耳數鳴骨節相屬之處無液故屈伸不利無液潤澤皮毛故色夭腦髓無補故腦髓消胻痠耳鳴胻衡孟反　平按甲乙經骨屬作骨痺靈樞胻作脛　血脫者色白夭然不澤其脈空虛此其候也以無血故色白無血潤膚故不澤脈中無血故空虛以爲不足虛之狀也　平按不澤下甲乙經有脈脫者三字　黃帝曰六氣者貴賤何如岐伯曰六氣者各有部主也其

貴賤善惡可爲常主然五穀與爲大海六氣有部有主有貴有賤有善有惡人之所受各有其常皆以五穀爲生成大海者也平按與爲大海靈樞甲乙經均作與胃爲大海也

九氣平按此篇見素問卷十一第三十九舉痛論篇又見甲乙經卷一第一

黄帝曰余聞百病生於氣也怒則氣上喜則氣緩悲則氣消恐則氣下寒則氣收聚炅則腠理開氣洩憂則氣亂勞則氣耗思則氣結九氣不同何病之生炅音桂熱也人之生病莫不内因怒喜思憂恐等五志外因陰陽寒暑以發於氣而生百病所以善攝生者内除喜怒外避寒暑故無道夭遂得長生久視者也若縱志放情怒以氣上傷魂魂傷肝傷也若喜氣緩傷神神傷心傷也若憂悲氣消亦傷於魂魂傷肝傷也恐以氣下則傷志志傷腎傷也若多寒則氣收聚内傷於肺也若多熱腠理開洩内傷於心也憂則氣亂傷魄魄傷則肺傷也若多勞氣耗則傷於腎思以氣結傷意意傷則脾傷也五藏既傷各至不勝時則致死也皆由九邪生於九氣所生之病也　平按素問余聞作余知氣收下無聚字氣洩上有腠理開三字憂作驚新校正云按太素驚作憂與此正合又注傷魄魄

傷二魄字原鈔作魂原校作魄按經文云肺藏氣氣舍魄又云肺在志爲憂作傷魄亦合岐伯曰：怒則氣逆，甚則歐血及食而氣逆上也。因引氣而上，故氣逆。怒甚氣逆，則致歐血及食氣逆上也。平按：食而氣逆，素問作飧洩。按新校正云：按甲乙經、太素作食而氣逆，與此正合。喜則氣和志達，營衛行通利，故氣緩焉。喜則氣和志達，營衛行利，故氣緩爲病也。平按：通上，素問、甲乙經均無行字。悲則心系急，肺布葉舉，兩焦不通，營衛不散，熱氣在中，故氣消。肝脈上入頏顙，連目系，支者從肝別貫膈，上注肺。肺以主悲，中上兩焦在於心肺。悲氣聚於肺，葉舉心系急，營衛之氣在心肺聚而不散，神歸不移，所以熱而氣消虛也。平按：素問兩焦不通作而上焦不通。新校正云：按甲乙經、太素作兩焦不通，與此正合。又王注釋布葉謂布蓋之大葉，新校正疑非是，復引全元起云：悲則損於心，心系急則動於肺，肺氣繫諸經，逆故肺布而葉舉。安得謂肺布爲肺布蓋之大葉。據此，則全注與本注意合。恐則精卻，卻則上焦閉，閉則氣還，還則下焦脹，故氣不行。雖命門藏精，通名爲腎。腎脈起腎，上貫肝膈，入肺中，支者從肺絡心，注胸中。故人驚恐，其精卻縮，上焦起胃口上，上焦既閉不通，則氣不得上，還於下焦，下焦脹滿，氣不得行。平按：精卻，甲乙經作神卻又素問新校正云氣不行當作氣下行玩本注仍當作氣不行熱則腠理開營衛通故汗大洩氣不得行或因熱而腠理開營衛外通汗大洩也　平按素問甲乙經熱作炅素問故汗大洩作汗大泄故氣泄寒則腠理閉氣不行故氣收聚因營衛不通遇寒則腠理閉塞則氣聚爲病也　平按寒則腠理閉甲乙經無此三句素問在炅則腠理開三句之前聚素問作矣憂則心無所寄神無所歸慮無所定故氣亂心神之用人之憂也忘於衆事雖有心情無所任物故曰無所寄氣營之處神必歸之今既憂繫氣聚不行故神無歸也慮亦神用也所以憂也不能逆慮於事以氣無主守故氣亂也　平按素問甲乙經憂均作驚新校正云太素驚作憂寄素問甲乙經均作倚注心情別本作心精勞則喘喝汗出内外皆越故氣耗人之用力勞乏則氣并喘喝皮腠及内藏府皆汗以汗即是氣故汗出内外氣衰耗也　平按喘喝顧本素問作喘息趙府本作喘且甲乙同内外素問作外内思則身心有所存神有所止氣留而不行故氣結矣專思一事則心氣駐一物所以神務一物之中心神引氣而聚故結而爲病也　平按身素問甲乙經均無甲乙經存作傷素問止作歸正新校正云按甲乙經歸正二字作止字氣留甲乙經作氣流

調食

平按此篇自篇首至皆辛見靈樞卷八第五十六五味篇又見甲乙經卷六第九惟編次前後稍異自肝色青至五味所宜見素問卷七第二十二藏氣法時論自黃帝問少俞曰至走肉矣見靈樞卷九第六十三五味論自五味至末見靈樞卷十二第七十八九鍼論又見素問卷七第二十三宣明五氣篇

黃帝曰：願聞穀氣有五味，其入五藏，分別奈何？穀氣津液味有五種，各入其五藏，別之奈何？伯高曰：胃者，五藏六府之海也，水穀皆入於胃，五藏六府皆稟於胃。胃受水穀，變化以滋五藏六府，五藏六府皆受其氣，故曰皆稟也。平按甲乙經伯高曰作岐伯對曰，無水穀二字，稟下靈樞有氣字。五味各走其所喜，穀味酸，先走肝；穀味苦，先走心；穀味甘，先走脾；穀味辛，先走肺；穀味鹹，先走腎。五味所喜，謂津液變爲五味，則五性有殊，性有五行，故各喜走同性之藏。平按甲乙經自穀味酸以下至走腎，文法與此不同而義意相類。穀氣津液已行，營衛大通，乃化糟粕，以次傳下水穀化爲津液清氣猶如霧露名營衛行脉内外無所滯礙故曰大通其沈濁者名爲糟粕泌别汁入於膀胱故曰以次傳下也粕頗洛反　平按甲乙經穀氣下有營衛俱行四字糟粕上無化字　黄帝曰營衛之行奈何　因前營衛大通之言故問營衛所行　平按甲乙經之行作俱行　伯高曰穀始入於胃其精微者先出於胃之兩焦以既五藏別出兩行於營衛之道　精微津液也津液資五藏已衛氣出胃上口營氣出於中焦之後故曰兩行道也　平按既靈樞甲乙經均作漑行上甲乙經有焦字　其大氣之搏而不行者積於胸中命曰氣海出於肺循喉嚨故呼則出吸則入　搏謗各反聚也穀化爲氣計有四道精微營衛以爲二道化爲糟粕及濁氣并尿其與精下傳復爲一道搏而不行積於胸中名氣海以爲呼吸復爲一道合爲四道也　平按甲乙經命曰作名曰靈樞嚨作咽　天之精氣其大數常出三入一故穀不入半日則氣衰一日則氣少矣　天之精氣則氣海中氣也氣海之中穀之精氣隨呼吸出入也人之呼也穀之精氣三分出已及其吸也一分還入即須資食充其腸胃之虚以接不還之氣若半日不食則腸胃

漸虛穀氣衰也一日不食腸胃大虛穀氣少也七日不食腸胃虛竭穀氣皆盡遂命終也　平按天之精氣靈樞甲乙經作天地之精氣

黃帝曰：穀之五味可得聞乎？伯高曰：請盡言之。充虛接氣內穀為實故因其問請盡言之

五穀五穀五畜五菓五菜用之充飢則謂之食以其療病則謂之藥是以脾病宜食粳米即其藥也用充飢虛即為食也故但是入口資身之物例皆若是此穀畜菓菜等二十物乃是五行五性之味藏府血氣之本也充虛接氣莫大於茲奉性養生不可斯須離也黃帝並依五行相配相剋相生各入藏府以為和性之道也案神農及名醫本草左右不同各依其本具錄注之冀其學者量而取用也

粳米飯甘味苦平無毒稻米味甘溫生　平按靈樞粳作秔音庚靈樞甲乙經均無飯字注生原鈔作生原校作平

麻酸胡麻味甘平麻子味甘平

大豆鹹大豆黃卷味甘平無毒生大豆味甘平

麥苦大麥味鹹溫微寒無毒似穬麥無皮穬麥味甘微寒無毒小麥味甘微寒無毒

黃黍辛丹黍米味苦微溫無毒黍米味甘溫無毒

五菓棗甘大棗味甘平殺烏頭毒生棗味辛

李酸人味苦甘平無毒實味苦　平按注人別本作李

栗鹹栗味鹹溫無毒

杏苦核味甘苦溫花味苦無毒實味□酸

桃辛核味苦甘平無毒實味酸

五畜牛甘肉味甘平無毒

犬酸牝犬肉味鹹酸無毒

豬鹹肉味苦　平按甲乙經豬作豕下同

羊苦味甘大熱

無毒雞辛丹雄雞味甘微温微寒無毒白雄雞肉微温烏雄雞肉温也　平按甲乙經牛犬豕羊雞下均有肉字五菜葵甘冬葵子味甘寒無毒黄芩爲之使葵根味甘寒無毒葉爲百菜主心傷人韭酸味辛酸温無毒藿鹹案别録小豆葉爲藿薤苦味辛苦温無毒葱辛葱實味辛温無毒根主傷寒頭痛汁平五色黄色宜甘青色宜酸黑色宜鹹赤色宜苦白色宜辛養生療病各候五味之外色以其味益之也　平按甲乙經黄青黑赤白下均無色字凡此五者各有所宜所言五宜者脾病者宜食粳米飯牛肉棗葵脾病食甘素問甘味補苦味爲寫　平按所言五宜靈樞作五宜所言五色者心病者宜食麥羊肉杏薤心病食苦素問鹹味補甘味爲寫腎病者宜食大豆黄卷豬肉栗藿腎病食鹹素問鹹味寫苦味爲補也黄卷以大豆爲之肝病者宜食麻犬肉李韭肝病食酸素問酸味寫辛味爲補肺病者宜食黄黍雞肉桃葱肺病食辛素問辛味寫酸味爲補　平按甲乙經黍上無黄字五禁肝病禁辛心病禁鹹脾病

禁酸腎病禁甘肺病禁苦五味所剋之藏有病宜禁其能剋之味肝色青宜食甘粳米飯牛肉棗皆甘肝者木也甘者土也宜食甘者木剋於土以所剋資肝也　平按素問無飯字棗下靈樞素問均有葵字心色赤宜食酸犬肉李皆酸心者火也酸者木也木生心也以母資子也　平按酸下素問有小豆二字新校正云太素小豆作麻應依新校正補入犬肉下靈樞有麻字李下素問靈樞均有韭字脾色黃宜食鹹大豆豕肉栗皆鹹脾者土也鹹者水也土剋於水水味鹹也故食鹹以資於脾也　平按栗下素問靈樞均有藿字素問此段在肺色白段之下肺色白宜食苦麥羊肉杏皆苦肺者金也苦者火也火剋於金也以能剋為資也　平按杏下素問靈樞均有薤字腎色黑宜食辛黃黍雞肉桃皆辛腎者水也辛者金也金生於水以母資子　平按桃下素問靈樞均有蔥字辛散肝酸性收欲得散者食辛以散之酸收肺辛性散欲得收者食酸以收之甘緩脾甘性緩欲得緩者食甘以緩之苦堅心苦性堅欲得堅者食苦以堅之鹹濡腎鹹性濡欲得濡者食鹹以濡也　平按濡素問作耎下同毒藥攻邪前總言五味有攝養之功今説毒藥攻邪之要

邪謂風寒暑溼外邪者也毒藥俱有五味故次言之五穀爲養五穀五味爲養生之主也五菓爲助五菓五味助穀之資五畜爲益五畜五味益穀之資五菜爲埤五菜五味埤穀之資　平按埤素問作充袁刻作稗恐誤氣味合而服之以養精益氣穀之氣味入身養人五精益人五氣也此五味者有辛酸甘苦鹹各有所利或散或收或緩或堅或濡五味各有所利利五藏也散收緩堅濡等調五藏也　平按素問五下無味字四時五藏病五味所宜於四時中五藏有所宜五味有所宜　平按素問病下有隨字黄帝問少俞曰五味之入於口也各有所走各有所病酸走筋多食之令人癃力中反淋也篆字癃也　平按癃漢書高祖本紀年老癃病勿遣作癃乃古文癃字也鹹走血多食之令人渴辛走氣多食之令人洞心大貢反心氣流洩疾苦走骨多食之令人變歐甘走肉多食之令人心悗余知其然也不知其

何由願聞其故五味各走五藏所主益其筋血氣骨肉等不足皆有所少有餘並招於病其理是要故請聞之　平按靈樞歐作嘔下同少俞對曰酸入胃其氣濇以收上之兩焦弗能出入也濇所斂反不滑也酸味性爲濇收故上行兩焦不能與營俱出而行復不能自反還入於胃也不出則留於胃中胃中和溫即下注膀胱膀胱之胞薄以濡得酸即縮卷約而不通水道不通故癃既不能出胃因胃氣熱下滲膀胱之中膀胱皮薄而又耎故得酸則縮約不通所以成病爲癃癃淋也胞苞盛尿也　平按靈樞濡作懦陰者積筋之所終也故酸入走筋人陰器一身諸筋終聚之處故酸入走於此陰器黃帝曰鹹走血多食之令人渴何也少俞曰鹹入於胃其氣上走中焦注於脉則血氣走之血與鹹相得則血涘血涘則胃汁注之注之則胃中竭竭則咽路焦故舌乾善渴腎主於骨鹹味走骨

言走血者以血爲水也鹹味之氣走於中焦血脉之中以鹹與血相得即澁而不中胃汁注之因即胃中枯竭咽焦舌乾所以渴也咽爲下食又通於涎故爲路也涘音俟水厓義當凝也　平按靈樞血涘血涘四字作凝凝二字汁上有中字舌下有本字

血脉者中焦之道也故鹹入而走血矣血脉從中焦而起以通血氣故味之鹹味走於血也黄帝曰辛走氣多食之令人洞心何也少俞曰辛入於胃其氣走於上焦上焦者受氣而營諸陽者也洞通洩也辛氣慓悍走於上焦上焦衛氣行於腠外營腠理諸陽薑韭之氣薰之營衛之氣不時受之久留心下故洞心以薑韭之氣辛薰營衛之氣非時受之則辛氣久留心下故令心氣洞洩也辛者與氣俱行故辛入而與汗俱出矣辛走衛氣即與衛氣俱行故辛入胃即與衛氣汗俱出也黄帝曰苦走骨多食之令人變歐何也少俞曰苦入於胃五穀之氣皆不能勝苦苦入下管三焦之道皆閉而不通

故變歐苦是火味計其走血以取資骨令堅故苦走骨也苦味堅强五穀之氣不能勝之故入三焦則營衞不通下焦復約所以食之還出名曰變歐也　平按靈樞管作脘齒者骨之所終也故苦入而走骨齒爲骨餘以楊枝苦物資齒則齒鮮好故知苦走骨故入而復出知其走骨人食苦物入咽還出故知走骨而出歐也黃帝曰甘走肉多食之令人心悗何也少俞曰甘入於胃其氣弱少不能上於上焦而與穀留於胃中甘者令人柔潤者也胃柔則緩緩則蟲動蟲動則令人心悗甘味氣弱不能上於上焦又令柔潤胃氣緩而蟲動蟲動者穀蟲動也穀蟲動以撓心故令心悗悗音悶　平按靈樞弱少作弱小於上焦作至於上焦中下無甘字心悗作悗心其氣外通於肉故曰甘入走肉矣脾以主肉甘通於肉故甘走肉也五味所入酸入肝辛入肺苦入心甘入脾鹹入腎淡入胃是謂五味五味各入其藏甘味二種甘與淡也穀入於胃變爲甘味未成曰淡屬其在於胃已

咸爲甘走入於脾也　平按靈樞無所入二字素問無淡入胃三字新校正云太素又云淡入胃與此正合 五走酸走筋辛走氣苦走血鹹走骨甘走肉是謂五走九卷此文及素問皆苦走骨鹹走血此文言苦走血鹹走骨皆左右異具釋於前也 五裁病在筋無食酸病在氣無食辛病在骨無食鹹病在血無食苦病在肉無食甘口嗜而欲食之不可多也必自裁也命曰五裁裁禁也筋氣骨肉血等乃是五味所資以理食之有益於身從心多食致招諸病故須裁之　平按素問宣明五氣篇注新校正云按太素五禁云肝病禁辛心病禁鹹脾病禁酸肺病禁苦腎病禁甘名此爲五裁楊上善云口嗜而欲食之不可多也必自裁之命曰五裁按新校正所引太素經文與此小異所引楊注乃本書經文與此亦異

壽限平按此篇自篇首至故中年而壽盡矣見靈樞卷八第五十四天年篇自黃帝曰其氣盛衰至末見甲乙經卷六第十二自黃帝問於岐伯曰人年老而無子者至末見素問卷一第一上古天真論

黃帝曰人之夭壽各不同或夭或壽或卒死或病久

願聞其道問有四意夭壽卒死病久　平按靈樞人之夭壽作人之壽夭或夭或壽作或夭壽岐伯曰答中答其得壽得壽有九餘三略之五藏堅固謂五藏形堅而不虛固而不變得壽一也血脈和調謂血常和脈常調得壽二也肌肉解利謂外肌肉肉各有分利得壽三　平按注上肉字恐是内字之誤皮膚緻密緻大利反謂皮腠閉密肌膚緻實得壽四營衛之行不失其常謂營衛氣一日一夜各循其道行五十周營衛其身而無錯失得壽五呼吸微徐謂吐納氣微微不麤徐徐不疾得壽六氣以度行呼吸定息氣行六寸以循度數日夜百刻得壽七六府化穀胃受五穀小腸盛受大腸傳導膽爲中精決三焦司決瀆膀胱主津液共化五穀以奉生身得壽八津液布揚所謂泣汗涎涕唾等布揚諸竅得壽九也　平按注涎袁刻作液各如其常故能久長上之九種營身之事各各無失守常不已故得壽命長生久視也　平按久長靈樞作長久黃帝曰人之壽百歲而死者何以致之問其得壽所由岐伯曰使道隧以長謂有四事得壽命長使道謂是鼻空使氣之道隧以長出氣不壅爲壽一也基牆高以方鼻之明堂牆基高大方正爲壽二也通調營衛

三部三里三部謂三焦部也三里謂是膝下三里胃脈者也三焦三里皆得通調爲壽三起骨高肉滿百歲乃得終也起骨謂是明堂之骨明堂之骨高大肉滿則骨肉堅實爲壽四也由是四事遂得百歲終也黃帝曰其不能終壽而死者何如問其夭死平按靈樞自黃帝曰其不能終壽而死者至故中年而壽盡矣一段敘次在形骸獨居而終矣之後岐伯曰其五藏皆不堅夭者亦四五藏皆虛易受邪傷爲夭一也使道不長空外以張喘息暴疾使道短促鼻空又大洩氣復多爲夭二也平按不長袁刻作不通依原鈔更正靈樞亦作不長又卑基牆鼻之明堂基牆卑下爲夭三也薄脈少血其肉不實數中風血氣不通真邪相攻亂而相引脈小血少皮肉皆虛多中外邪血氣壅塞真邪相攻引亂真氣爲夭四平按靈樞不實作不石中風作中風寒故中年而壽盡矣黃帝曰善黃帝聞夭壽之所由故讚述之也平按故中年而壽盡矣靈樞作故中壽而盡也黃帝曰其氣之盛衰以至其死可得聞乎消息盈虛物化之常故人氣衰時時改變以至於死地各不同形故請陳之也

岐伯曰：人生十歲，五藏始定，血氣已通，其氣在下，故好走。二十歲，血氣始盛，肌肉方長，故好趨。三十歲，五藏大定，肌肉堅固，血脈盛滿，故好步。四十歲，五藏六府十二經脈皆大盛以平定，腠理始疏，榮華頹落，髮鬢頒白，平盛不揺，故好坐。血營血也，氣衛氣也。大盛，內盛也。始疏，外衰。平按：《甲乙經》人生作人年，始疏作始開，頹落作剝落，髮鬢作鬢髮。《靈樞》鬢作頗，頒作班。又按：原鈔平盛不揺，平字傍有丕彼悲反大也六字，疑平盛應作丕盛，別本作丕。五十歲，肝氣始衰，肝葉始薄，膽汁始減，目始不明。六十歲，心氣始衰，喜憂悲，血氣懈惰，故好臥。七十歲，脾氣虛，皮膚枯。八十歲，肺氣衰，魄離，魄離故言喜誤。九十歲，腎氣焦，藏枯，經脈空虛。百歲，五藏皆虛，神氣皆去，形骸獨居而終矣肝為木心為火脾為土肺為金腎為水此為五行相生次第故先肝衰次第至腎也至於百歲五藏虛壞五神皆去枯骸獨居稱為死也　平按始滅靈樞作始滅喜憂悲靈樞作苦憂悲甲乙經作乃善憂悲又甲乙經惰作墮皮膚枯作皮膚始枯故四支不舉魄離二字靈樞不重甲乙經作魂離魄散喜誤靈樞甲乙經均作善誤藏枯甲乙經作藏萎枯靈樞藏上有四字下無枯字又甲乙經百歲上有至字終下有盡字

黃帝問於岐伯曰人年老而無子者材力盡邪將天數然材力攝養之力也天數天命之數也　平按甲乙經無此一段及下岐伯曰三字岐伯曰女子七歲腎氣盛更齒髮長腎主骨髮故腎氣盛更齒髮長　平按更齒素問甲乙經均作齒更二七而天癸至任脈通伏衝脈盛月事以時下故有子天癸精氣也任衝脈起於胞中下極者也今天癸至故任脈通也伏衝之脈起於氣街又天癸至故衝脈盛也二脈並營子胞故月事來以有子也　平按天癸甲乙經作天水下同伏衝素問作太衝新校正云太素作伏衝下同與此正合三七腎氣平均故真牙生而長極真牙後牙也長極身長也四七筋骨堅髮長極身體盛壯身之筋骨體髮無不盛極

五七陽明脈衰面始焦髮始憻陽明脈起於面行於頭故陽明衰面與髮始焦落　平按始焦甲乙經作皆焦憻作白素問作墯六七三陽脈衰於上面皆焦髮白三陽太陽少陽陽明也三陽脈俱在頭故三陽衰面焦髮白平按髮白素問作髮始白甲乙經無此一段七七任脈虛伏衝衰少天癸竭地道不通故形壞而無子任衝二脈氣血俱少精氣盡子門閉子宮壞故無子　平按伏衝衰少素問甲乙經作太衝脈衰少丈夫年八歲腎氣實髮長齒更二八腎氣盛天癸至精氣溢寫陰陽和故能有子三八腎氣平均筋骨勁強故真牙生而長極四八筋骨隆盛肌肉滿五八腎氣衰髮憻齒藁六八陽氣衰於上面焦鬢髮頒白七八肝氣衰筋不能動天癸竭精少腎藏衰形體皆極八八則齒髮去齒藁者骨先衰肉不附故令齒枯也　平按寫甲乙

經作瀉下同肌肉滿素問甲乙經均作肌肉滿壯陽氣衰於上素問作陽氣衰竭於上腎藏衰甲乙經作腎氣衰腎者生水受五藏六府之精而藏之故五藏盛乃寫今五藏皆衰平按素問甲乙經生水均作主水乃寫均作乃能瀉以下據素問上古天真論及甲乙經形氣盛衰大論補入筋骨解墯天癸盡矣故髮鬢白身體重行步不正而無子耳

黃帝內經太素卷第二 攝生之二

黃陂 陳孝啟 蕭貞昌 校字

黄帝内經太素卷第三 陰陽

通直郎守太子文學臣楊上善奉　敕撰注

黄陂蕭延平北承甫校正

平按此篇自傷腫上殘脱篇目亦不可考故自黄帝曰以下至痛形謹依素問卷二第五陰陽應象大論補入自傷腫以下至末見素問陰陽應象大論又見甲乙經卷六第七惟編次小異

黄帝曰陰陽者天地之道也萬物之綱紀變化之父母生殺之本始神明之府也治病必求於本故積陽爲天積陰爲地陰静陽躁陽生陰長陽殺陰藏陽化氣陰成形寒極生熱熱極生寒寒氣生濁熱氣生清清氣在下則生飧泄濁氣在上則生䐜脹此陰陽反

作病之逆從也故清陽爲天濁陰爲地地氣上爲雲
天氣下爲雨雨出地氣雲出天氣故清陽出上竅濁
陰出下竅清陽發腠理濁陰走五藏清陽實四支濁
陰歸六府水爲陰火爲陽陽爲氣陰爲味味歸形形
歸氣氣歸精精歸化精食氣形食味化生精氣生形
味傷形氣傷精精化爲氣氣傷於味陰味出下竅陽
氣出上竅味厚者爲陰薄爲陰之陽氣厚者爲陽薄
爲陽之陰味厚則泄薄則通氣薄則發泄厚則發熱
壯火之氣衰少火之氣壯壯火食氣氣食少火壯火
散氣少火生氣氣味辛甘發散爲陽酸苦涌泄爲陰

陰勝則陽病，陽勝則陰病。陽勝則熱，陰勝則寒。重寒則熱，重熱則寒。寒傷形，熱傷氣。氣傷痛，形以上從素問陰陽應象大論補入傷腫。既迫痛傷形，即便爲腫也。故先痛而後腫者，氣傷形也；先邪傷衛氣致痛，後形腫者，謂衞氣傷及於形也。先腫而後痛者，形傷氣也。邪先客於皮膚爲腫，而後壅衛氣爲痛者，謂形傷及於氣也。風勝則腫，燥勝則乾，邪風客於皮膚，則爲䐜腫也。邪熱燥於皮膚，則皮乾無汗。平按：素問、甲乙經腫均作動，腫下均有熱勝則腫句。寒勝則胕，快付反，檢義當腐。寒勝肉熱，肉當腐。平按：胕素問、甲乙經均作浮。溼勝則濡。陰溼氣盛則多汗也。平按：濡下素問、甲乙經均有寫字。天有四時五行，天之用也。以生長收藏，四時之用。以生寒暑燥溼，五行所生也。有本有風，謂具五者也。平按：溼下素問、甲乙經均有風字。人有五藏，人之有也。有五氣以喜怒悲憂恐。五氣，五藏氣也。喜怒等，心肺肝脾腎五志者。平按：有五氣素問作化五氣，甲乙經作化爲五氣；喜上素問、甲乙經均有生字。故喜怒傷氣，內傷者也。寒暑傷形外傷者也故曰喜怒不節寒暑過度生乃不固內外傷已生得堅固不道夭者未之有也　平按素問無故曰二字此節以上有暴怒傷陰暴喜傷陽厥氣上行滿脈去形十六字甲乙經同重陰必陽重陽必陰故曰冬傷於寒春必病溫傷過多也冬寒陰也人於冬時溫衣熱食腠理開發多取寒涼以快其志者寒入腠理腠理遂閉內行藏府至春寒極變爲溫病也　平按病溫顧本素問作溫病趙府本素問仍作病溫春傷於風夏生飧泄春風陽也春因腠理開發風入腠閉內行藏府腸胃之中至夏飧泄也飧水洗飯也音孫謂腸胃有風水穀不化而出也夏傷於暑秋生痎瘧夏因汗出小寒入腠藏之於內至□氣發腠理外閉風氣內發以成痎瘧痎音皆　平按素問秋生作秋必注氣發上原缺一字玩經文應作秋袁刻作夏秋傷於溼冬生欬嗽秋多雨溼人傷受溼溼從上下至冬寒並傷肺故成欬嗽也愷代反又邱吏反謂逆氣也　平按自此以下素問有帝曰余聞上古聖人至陽在外陰之使也一段其文甚長中間新校云所引太素及楊注甚多當在今本所闕七卷中惜不可考矣黃帝問曰法陰陽奈何陰陽者天地綱紀變化父母養生之道法之以成故問之岐伯答曰陽勝則身熱陽勝八益爲實陰勝七損爲虛言八益者

身熱一益也陰弱陽盛故通身熱也腠理閉二益也陽開腠理過盛則閉而麤三益也熱盛則腠理皮上麤澁也平按而麤素問作喘麤甲乙經作喘息麤為之俛仰四益也熱盛上下故身俛仰平按俛仰甲乙經作後悶汗不出而熱五益也陰氣內絕故汗不出身仍熱乾齒六益也熱盛至骨故齒乾也平按素問甲乙經作齒乾以煩俛七益也熱以亂神故煩悶也平按俛素問作冤甲乙經作悶腹滿死八益也熱盛胃中故腹滿也前已七益復加腹滿故致死平按滿甲乙經作脹能冬不能夏以其內熱故能冬之大寒不能夏之小熱平按二能字甲乙作耐陰勝則身寒下言七損也身寒一損也身苦寒汗出二損也无陽禁腠故汗出身常清三損也清冷也身皮膚常冷也平按素問甲乙經清作清袁刻亦作清數慄四損也數數戰慄也而寒五損也戰而復寒也寒則厥六損也寒則手足逆冷也厥則腹滿死七損也前已六損復加冷氣滿腹冷氣滿腹故致死也能夏不能冬寒人遇熱故堪能也平按兩能字甲乙經均作耐此陰陽更勝之變也病之形能也此是陰陽變極之理亦是人之病所能也黃帝問曰調此二者柰何陰陽相勝遂有七損八益虛實不和故謂調之岐伯

答曰能去七損八益則二者可調也損者損於身益者益於病若人能修道察同去損益之病則陰陽氣和无諸衰老壽命无窮與天地同極也　平按去素問甲乙經均作知不知用此則蚤衰人不脩道不去損益則陰陽不調是謂不道不道早衰也　平按注不道二字原鈔重袁刻刪去不合仍依原鈔衰之節年四十而陰氣自半也起居衰矣始衰時節年四十也六府爲陽氣五藏爲陰氣人年四十五藏陰氣自半已衰腠理始疏榮華頹落髮鬢頒白行立之起坐臥之居日漸已衰也年五十體重耳目不聰明矣人年五十脾氣衰故體重肝氣衰故目不明腎氣衰故聽不聰也年六十陰痿大氣衰九竅不利人年六十腎氣衰精氣減筋弛故宗筋痿也十二經脈三百六十五絡爲大氣也其氣皆上於面而走空竅其精陽氣上於目而爲睛其別氣走於耳而爲聽其宗氣上出於鼻而爲臭其濁氣出於胃走唇舌而爲味今經脈大氣皆衰故九竅不利下虛上實涕泣俱出腰以上爲陽以居上也腰以下爲陰以居下也年六十者精減陰痿行步無力即下虛上實也神衰失守故涕泣俱出　平按出下素問有矣字故曰知之則强知察於同去七損八益其身日强不知則老人察於異有損有益故身速衰也玄

元皇帝曰物壯則老謂之不道不道早已此之謂也**故同名異邪**道理无物不通故同名也物有方殊故異邪也　平按故同名異邪句素問作故同出而名異耳注方殊方字疑是萬字之誤**智者察同愚者察異**察觀也智者反物觀道愚者反道觀物**愚者不足智者有餘有餘則耳目聰明身體輕強年老復壯壯者益理**愚者觀物有三不足目暗耳聾則視聽不足也體重力衰則身不足也老者曰衰壯者曰老則壽不足也智者觀道神清性明故三有餘也視聽曰勝則耳目有餘也身強體輕則身有餘也年老反同乳子之形年壯更益氣色之理則壽有餘　平按素問年老作老者理作治**是以聖人爲無爲之事**聖人謂廣成子等也忘物喪我任物之動即爲無爲之事也　平按注無爲袁刻作無物**樂恬惔之能**怡神適性即樂恬惔之能也**從欲快志於虛無之守**聖人欲無欲之欲志無求之志故從快於虛無不失其道謂之守也**故壽命無窮與天地終此聖人之治身也**虛無守者其神不擾其性不穢性不穢故外邪不入神不擾故藏府□內與虛無同道與天地齊德遂獲有餘無窮之壽也故廣成子語黃帝曰吾以目無所見耳無所聞心無所知神將自守故人盡死而我獨存即其事也斯乃聖人理身之

蘭陵堂刊

遺也　平按注藏府下原鈔空一格傍注安欣二字天不足西北故西方陰也而人右耳目不如左明地不滿東南故東方陽也人左手足不如右強也夫天地者形之大也陰陽者氣之大也大形而生萬形則大形以爲父母萬形爲子也故大形有所不足而生萬物萬物不可足也故人頭法天則右耳目聰明不足也手足法地故左手足便強不足也以其天陽不足西北地陰不足東南故也　平按素問西方作西北方東方作東南方黃帝問曰何以然岐伯答曰東方陽也其精并上故上明而下虛故使耳目聰明而手足不便也東方是陽陽氣上昇故上實下虛則人左箱上勝下劣也　平按素問陽也下有陽者二字并上作并於上并於上六字故上明作則上明西方陰也陰者其精并於下并於下則下盛而上虛故其耳目不聰明而手足便也西方是陰陰氣下沈故下實上虛則人右箱下勝上劣也　平按此段原鈔無謹據素問補於西方是陰注上故俱感於邪其在上也則右甚在下則左

甚此天地陰陽所不能全故邪居之非直左右陰陽虛處耳目手足有所不善然左右俱感於邪虛處獨甚今人患手足左甚耳目右甚即其事也則天地陰陽有所不全人法天地何取可具其全非直人有不全萬物皆爾不可全也故聖人法天則地中順萬物居不得已安於不足是謂攝生之大妙　平按注已安下袁刻有居也二字乃因原安字右旁有此二字不宜混入正文故天有精地有形天有氣之精成人耳目地有質之形成人手足天有八紀地有五理天有八風之紀紀生萬物地有五行之理理成萬物故爲父母也　平按理素問作里物下素問有之字故能爲萬物父母清陽上天濁陰歸地故陰陽和也稱爲萬物陰陽離也號爲天地也是故天地之動靜神明爲之紀故能以生長化成收藏終而復始是故以天之動也以地之靜也以神明御之爲綱紀也三者備故能爲四時生長化成收藏終始者也　平按紀上素問有綱字化成二字素問無唯賢人上配天以養頭下象地以養足中象人事以養五藏人頭象天故配天養頭使七竅俱美同七曜之明也足以象地故使五常安同山岳雙鎮也中身象於人事人有五藏餘禽獸等有不具者故

象人事以養五藏同真人　平按中象象字素問作傍注雙字原缺原校作雙

天氣通於肺

肺爲四藏上蓋是人之天故天氣通肺也

地氣通於咽

咽中入食以生五藏六府故地氣通咽也

風氣通於肝

東方生風風生木木生酸酸生肝故風氣通於肝　平按咽素問作嗌

雷氣通於心

心能覺動四支百體故雷氣通心也

穀氣通於脾

五穀滋味入脾故穀氣通脾也　平按穀素問作谷

雨氣通於腎

雨者水也故雨氣通腎也

六經爲川

三陰三陽六經之脈流諸血氣以注腸胃故爲川也　平按川袁刻作水注同

腸胃爲海

夫海者一則衆川歸之二則利澤萬物腸胃爲彼六經所歸又滋百節故爲海也

九竅爲水注

聲色芳味如水從外流於上之七竅注入經川溲後糟粕之水從内出下二竅也有本爲外注理亦相似　平按注經川川字袁刻作水

水注之氣以天地爲之陰陽

聲色芳味之氣從外入内有養故以地爲陰也糟粕溲後從内出外得通故以天爲陽也　平按素問水注二字不重

陽之汗以天地雨名之

陽發腠理出汗同天地間雨故汗名雨也

氣以天地之風

前明人汗以天地之雨爲名則人之氣以天地之風名也　平按素問氣上有陽之二字風上有疾字風下有名之二字

暴氣象雷

人身中氣上下有聲故象雷也

氣

逆象陽無陰之陽即爲災故氣逆不和者象於陽也　平按氣逆素問甲乙經均作逆氣　故治不法天之紀不用地之理則災害至矣爲家爲國之道不依天之八紀地之五理國有亡破之災身有夭喪之害也　故風之至傍如風雨風謂天之邪氣者也邪氣至觸身傍傷人體者如暴風雨入人腠理漸深爲病者也　平按風上素問有邪字傍素問甲乙經均作疾　故善治者治皮毛其次治肌膚其次治筋脈其次治六府其次治五藏五藏半死半生善者謂上工善知聲色形脈之候妙識本標故療皮毛能愈藏府之病亦療藏府能除皮毛之疾故病在皮毛療於皮毛病在五藏療於五藏或病淺而療淺或病深而療深或病淺而療深或病深而療淺皆愈者斯爲上智十全者也今夫邪氣始入皮毛之淺遂至五藏之深上工療之有十五死五生者以其陰陽兩感深重故也　平按五藏二字袁刻不重五藏下素問有治五藏者四字　故天之邪氣感則害五藏謂天降八正虛風從衝上來爲損至深故害五藏也　平按害下素問有人字　水穀之寒溫感則害六府天地之間資生氣味謂水穀也六府貯於水穀節之失和次害六府也　平按素問溫作熱害下有於字　地之溼氣感則

害皮肉筋脈腎爲水藏主骨又深少經未能即傷餘之四藏所主皮肉筋脈在外感即先傷未至六府也故用鍼者從陰引陽從陽引陰肝藏足厥陰脈實肝府膽足少陽脈虛須寫厥陰以補少陽即從陰引陽也若少陽實厥陰虛須寫少陽以補厥陰即從陽引陰也餘例准此　平按故下素問有善字以右治左以左治右謂繆刺刺諸絡脈謂以巨刺刺諸經脈以我知彼謂醫不病能知病人以表知裏或瞻六府表脈以知五藏裏脈或瞻聲色之表能知藏府之裏也以觀過與不及之理見微得過用之不殆寸口之脈過五十動然後一代謂之過不滿五十謂之不及見關格微病得過失也見微過而救人者謂未病之病療十十全故無危殆　平按得甲乙經作則善診者按脈善謂上工善能診候診候之要謂按脈　平按素問按脈上有察色二字甲乙經同先別陰陽審清濁而知部候按脈之道先須識別五藏陰脈六府陽脈亦須審量營氣爲濁衛氣爲清和兩手各有寸關尺三部之別也　平按部候素問甲乙作部分別本亦作部分注和兩手和字疑是知字傳寫之誤視喘息聽音聲而知所苦須看病人喘息遲急麤細聽病人五行音聲即知五藏六府皮毛膚肉筋脈骨髓何者所苦此謂聽聲而知者也　平按甲乙音聲

作聲音知下有病字

觀權衡規矩而知病所在

面部有五藏六府五行氣色觀乎即知病在何藏府也此謂察色而知也　平按規上甲乙有視字在素問作主甲乙作生

按尺寸而觀浮沈滑濇而知病所生

濇所敕反不滑也人之兩手從關至魚九分為寸也從關至尺一寸為尺也尺寸終始一寸九分為尺寸也凡按脈也者按寸口得五藏六府十二經脈之氣以知善惡又按尺部得知善惡依此大經竟無關部關者尺寸分處關自無地依秦越人寸口為陽得地九分尺部為陰得地一寸尺寸終始一寸九分亦無關地華佗云尺寸關三部各有一寸三部之地合有三寸未知此言何所依據王叔和皇甫謐等各說不同並有關地既無依據不可行用但關部不得言無然是尺寸分處自無其地脾脈在中有病寄見尺寸兩閒至下脈經之中具定是非也按脈之道先別陰陽清濁知部分以次察聲色知病所苦所在始按尺寸觀浮沈等四時之脈以識病源也　平按所生下素問有以治二字新校正云按甲乙經作知病所在以治則無過下無過二字續此為句與此正合注尺寸分處袁刻作寸尺分處

以治無過以診則不失矣

此以診候知病源已然後命諸鍼艾湯藥等法療諸病者必有袪疾服靈之福定無夭年損傷之罪以其善診則無失也　平按甲乙治下有則字不作無：

故曰

病之始起也可刺而已

以其善診病之始生即以小鍼消息去之不用毒藥者此則其微易散者也

其盛可待而衰也病盛不可療者如堂堂之陣不可即擊待其衰時然後療者易得去之如瘧病等也　平按而衰也素問甲乙作衰而已故曰因其輕而揚之謂風痺等因其輕動道引微鍼揚而散之因其重而減之謂溼痺等因其沉重燔鍼按熨漸減損也　平按注溼痺袁刻誤作滋痺因其衰而彰之謂癲狂等取其衰時彰寫去之也形不足者溫之以氣謂寒瘦少氣之徒補其陽氣也精不足者補之以味五藏精液少者以藥以食五種滋味而補養之其高者因而越之風熱實於頭胸因寫越之其下者引而竭之寒溼實於腰足引寫竭之中滿者寫之於內氣脹腸胃之中可以寫之其有邪者清以爲汗其在皮者汗而發之清冷也邪腸胃寒熱病氣也或入藏府或在皮毛皆用鍼藥以調汗而出之也　平按清素問甲乙作漬形二字袁刻作清今依原鈔作清其慓悍者按而投之慓芳照反急疾也悍胡旦反禁其氣急不散以手按取然後投鍼也　平按投素問甲乙作收其實者散而寫之諸有實者皆散寫之審其陰陽以別柔剛陽病治陰陰病治陽

夫物柔弱者陽之徒也剛强者陰之徒也陰經受邪流入陽經爲病是爲陰經爲本陽經爲標療其本者療於陰經即陽病療陰也陽經受邪准陰療陽也即陰病療陽也人陰陽二經陰經若實陽經必虛陽經若實陰經定虛故陽虛病者宜寫陰陰實病者宜補陽也 定其血氣各守其鄉血實宜決之氣虛宜掣引之 須定所病在氣在血各守血氣病之別鄉寫乃用鍼刺去實血補乃用鍼引氣引皮補已縱皮閉門使氣不泄掣死曳反引也　平按氣虛甲乙作氣實掣素問作掣注縱皮縱字袁刻作從

調陰陽

平按此篇見素問卷一第三生氣通天論

黃帝問於岐伯曰夫自古通天者生之本也 古謂上古中古者也調陰陽而攝其生則通天之義上古中古人君攝生莫不法於天地故生同天地長生久視通天地者生之本也不言通地者天爲尊也 本於陰陽 本於天地陰陽之氣 天地之間六合之內其氣九州九竅五藏十二節皆通於天氣 在於天地四方上下之間所生之物即九州等也九州即是身外物也九竅等物身內物也十二節者謂人四支各有三大節也謂九州等內外物皆通天氣也　平按素問於作乎 其生在其氣三 謂天地間

九州等物其生皆在陰陽及和三氣　平按素問在作五别本亦作五　謂數犯此者則邪氣傷人

此壽之本　陰陽分爲四時和氣人之縱志不順四時和氣攝生爲風寒雨溼邪氣傷也此順三氣養生壽之本也　平按素問數上無謂字壽下有命字本下有也字

蒼天之氣清靜則志意治　蒼天色也氣謂四時和氣者也天之和氣清而不濁靜而不亂能令人志意皆清靜也　平按素問靜作淨

夫順之則陽氣固雖有賊邪弗能害也此因時之序也　人能順清靜和氣則藏氣守其內府氣固其外則雖有八正虛風賊邪不能傷也斯因四序之和自調攝也　平按素問順上無夫字序下無也字

故聖人摶精神服天氣通神明　摶附也或有也聖人令精神相附不失有服清靜之氣通神令清通性令明故得壽弊天地而不道夭　平按素問摶作傳服天上無或字通上有而字

氣失之則內閉九竅外壅肌肉衛氣散解此謂自傷氣之削也　陰氣失和則內閉九竅令便不通外壅肌肉使腠理壅塞也陽氣失和則腠理開解衛氣發洩也此之失者皆是自失將攝故令和氣銷削也　平按素問失上無氣字衛原鈔作衡據本注應作衛素問亦作衛

陽氣者若天與日失

其行獨壽不章故天運當以日光明是故陽因上而衛外者也人之陽氣若天與日不得相無也如天不得無日日失其行則天不明也故天之運動要藉日行天得光明也人與陽氣不得相無若無三陽行於頭上則人身不得章延壽命也故身之生運必待陽脈行身已上故壽命章也是以陽上於頭衞於外也　平按素問行獨二字作所則折三字上而二字作而上二字因於寒志欲如連樞起居如驚神氣乃浮連數也樞動也和氣行身因傷寒氣則志欲不定數動不住故起居如驚神魂飛揚也　平按素問寒下無志字連樞作運樞新校正云全元起本作連樞因於暑汗煩則喘喝靜則多言體若燔炭汗出如散喝蘧曷反呵也謂喘呵出氣聲也汗者陰氣也故汗出即熱去今熱汗出而煩擾也若靜而不擾則內熱狂言如此者雖汗猶熱汗如沐浴汗不作珠故曰如散也　平按素問如散作而散因於溼首如裹攘大筋濡短小筋施長施長者爲痿如而也攘除也人有病熱用水溼頭而以物裹人望除其熱是則大筋得寒溼縮小筋得熱緩長施緩也絕爾反筋之緩瘲四支不收故爲痿也　平按素問裹下有溼熱不三字濡作緛施作弛小筋施長下有緛短爲拘四字爲痿上無者字因陽氣爲臚

四維相代陽氣而竭因邪氣客於分肉之間衛氣壅遏不行遂聚爲腫四時之氣各自維守今四氣相代則衛之陽氣竭壅不行故爲腫也　平按因陽氣爲腫素問作因於氣爲腫而竭作乃竭陽氣者煩勞則張精絕辟積於夏使人前厥辟稗尺反夏日陽氣盛時入房過多則陽虛起精絕辟積生前厥之病也辟積辟疊停廢之謂也前厥即前仆也　平按前厥素問作煎厥目盲不可以視耳閉不可以聽精絕則腎府足太陽脈衰足太陽脈起目内眥故太陽衰者即目盲也精絕腎虛則腎官不能聽也潰潰乎若壞都滑滑不止潰胡對反潰潰滑滑皆亂也陽氣煩勞則精神血氣亂若國都亡壞不可止也一曰滑不正則都大也言非直精神血氣潰亂四支十二大骨痿瘲不正也　平按滑滑不止素問作汨汨乎不可止注滑不正則應作都骨不正按原鈔滑滑不止右偏有滑滑不止都骨不正八小字陽氣大怒則形氣而絕血宛於上使前厥有傷於筋縱陰并於陽盛怒則衛氣壅絕血之宛陳上并於頭使人有仆故曰前厥并傷於筋故痿瘲也　平按陽氣下素問有者字而絕作絕而宛作菀使前厥作使人薄厥其若不容而出汗偏阻使人偏枯阻壞也慈吕反容緩也陽氣盛者必傷筋痿緩其若不緩則冷汗偏出壞

身偏枯不隨之病也或偏枯疼者也平按而出汗偏阻素問作汗出偏沮**汗出見溼乃生痤疽**若汗偏身見溼於風即邪風客於肌肉壅遏營衛傷肉以生痤疽也痤癰之類然小也俗謂之癤子久壅陷骨者爲痤疽也 平按素問疽作疿**膏粱之變足生大釘受如持虛**膏粱血食之人汗出見風其變爲病與布衣不同多足生大釘膿膏粱身虛見溼受病如持虛器受物言易得也 平按素問膏作高釘作丁新校正云按丁生之處不常如足蓋謂膏粱之變饒生大丁非偏著足也又素問持虛下有勞汗當風寒薄爲皶鬱乃痤十一字**陽氣者精則養神柔則養筋**衛之精氣晝行六府夜行五藏令五神清明行四支及身令筋柔弱也**開闔不得寒氣從之乃生大僂**腠理有邪開令邪出則開爲得也腠理無邪閉令不開即闔爲得也今腠理開邪入即便閉之故不得也寒邪入已客於腰脊以尻代踵故曰大僂僂曲也力矩反**陷脈爲瘻流連肉腠**寒邪久客不散寒熱陷脈以爲膿血流連在肉腠之間故爲瘻 平按流素問作留**輸氣化薄傳爲善畏乃爲驚駭**輸者各繫於藏氣化薄則精虛不守故善畏而好驚也 平按素問輸作俞乃作及**營氣不順逆於肉理乃生癰腫**脈肉營氣爲邪氣傷不得循脈陰陽相注故逆於肉理敗肉即

生癰也　平按素問順作從癰作癰注脈肉肉字別本作內魄汗不盡形弱而氣爍穴輸已閉發爲風瘧故風者百病之始也魄肺之神也肺主皮毛腠理人之汗者皆是肺之魄神所營因名魄汗夏傷於暑汗出不止形之虛弱氣之衰損淫邪藏於腠理腠理已閉至秋得寒內外相感遂成風瘧而氣爍故邪風者百病始爍式藥反淫邪氣　平按素問不盡作未盡清靜則肉腠閉距雖有大風苛毒弗之能客此因時之序也不爲躁動毛腠閉距八風不能傷者順四時之序調養故無病也苛害也音柯　平按素問距作拒客作害故人病久則傳化上下不并良醫弗爲人病雖久得有傳變上下陰陽不并至其所王必當自愈故良醫不爲也　平按素問病上無人字故陽畜積病死而陽氣當隔隔者當寫不亟正治旦乃敗亡故陽病者畜積不得傳化有其死期者陽脈當隔脈有隔之時當即寫之不急療者必當死也隔格也亟急也　平按旦乃敗亡素問作粗乃敗之別本旦作且注療者別本作療之故陽氣者一日而主外平旦人氣生日中而陽氣隆日西陽

氣已虛氣門乃閉是故暮而收距毋擾筋骨毋見霧露夫陽者生氣也陰者死氣也故陽氣一日而主外陰氣一夜而主內一日外者分爲三時平旦人氣始生爲少陽也日中人氣隆盛爲太陽也日西人氣始衰爲虛陽也陽氣虛者陰氣即開也陰氣開者即申酉戌少陰生也故暮須收距無令外邪入皮毛也亥子丑時即至陰也故至陰時無擾骨也寅卯辰即厥陰也故厥陰時無擾於筋見霧露也陰衰見溼因招寒溼病　平按素問開作閉反此三時形乃困薄不順晝夜各三時氣以養生者必爲病困迫於身薄迫也岐伯曰陰者藏精而極起者也陽者衛外而爲固者也五藏藏精陰極而陽起也六府衛外陽極而陰固也故陰陽相得不可偏勝也　平按素問極起作起亟陰不勝其陽則其脈流薄疾并乃狂陽勝即人迎脈動或停或遠是則陰并陽盛發爲狂病　平按素問脈上無其字陽不勝其陰五藏氣爭九竅不通陰勝則藏氣無衛故外九竅閉而不通也　平按五藏上素問有則字是以聖人陳陰陽筋脈和同骨髓堅固氣血皆順如是則外內調和邪不能

容耳目聰明氣立如故故聖人陳陰陽使人調內外之氣和而不爭也　平按素問順作從外內作內外客作害風客淫氣精乃亡邪傷肝風客淫情之氣遂令陰盛施精不已故精亡也肝脈循陰入肝故精亡傷肝也　平按注淫情情字別本作精因而飽食筋脈橫解腸澼爲痔澼音僻洩膿血也肝主於筋亦生於血肝既傷已又因飽食穀氣盛迫筋脈解裂廣腸漏洩膿血名之爲痔也　平按腸澼袁刻誤作傷澼因而一飲則逆氣一者大也既已亡筋傷肝又因大飲則爲逆氣之病也　平按一素問作大因而強力腎氣乃傷高骨乃壞亡精傷肝復因力已入房故傷腎也腎以藏精主骨腎傷則大骨壞也高大也凡陰陽之要陰密陽固而兩者不和若春無秋若冬無夏因而和之是謂聖度腠理密不洩者乃內陰之力也五藏藏神固者外陽之力也故比四時和氣不得相無也因四時和氣和於身者乃是先聖法度也　平按陰密陽固素問作陽密乃固故強不能陰氣乃絕陰氣衰者可以補陰更強入房寫其陰故陰氣絕也　平按故強不能素問作故陽強不能密袁刻於能下加一密字與原鈔不合因於露風乃生寒熱精亡肝傷更得

寒溼風邪邪風成者爲寒熱病也　平按素問此段上有陰平陽祕精神乃治陰陽離決精氣乃絶四句後二句本書見下文是以春傷於風邪氣流連乃爲洞洩夏傷於暑秋爲痎瘧秋傷於溼氣上逆而欬發爲痿厥陰陽離決精氣乃絶冬傷於寒春乃病熱洞大貢反疾流也肺惡寒溼之氣故上逆欬也至冬寒溼變熱四支不用名曰痿厥二氣離分不和故精氣絶也　平按素問流連作留連春乃病熱作春必温病四時之氣爭傷五藏也風寒暑溼四時邪氣爭而不和即傷五藏也陰之生本在五味身內五藏之陰因五味而生也　平按素問生上有所字陰之五官陽在五味五藏陰之官也謂眼耳鼻口舌等五官之陽本於五味者也故五味內滋五藏五官於是用强也　平按素問官作宫陽作傷是故味過酸肝氣以津肺氣乃絶夫五味者各走其藏得中則益傷多則損故傷酸者能令肝氣下流膀胱胞薄遂成於癃漏洩病也肺氣尅肝今肝氣津洩則肺無所尅故肺氣無用也　平按肺素問作脾味過於鹹則大骨氣勞短肌氣抑鹹以資骨今鹹過傷骨則脾無所尅故肌肉短小脾氣壅抑也　平

按素問肌下有心字味過苦心氣喘滿色黑腎不衛苦以資心今苦過傷心喘滿歐吐則腎氣無力故色黑而不能衛也　平按素問苦作甘腎不衛作腎氣不衡味過於甘脾氣濡胃氣乃厚甘以資脾氣今甘過傷脾氣濡令心悶胃氣厚盛也　平按素問甘作苦濡上有不字味過於辛筋脈沮弛精神乃英辛以資肺今辛多傷肺肺以主氣筋之氣壞洩於皮毛也心神剋肺氣沮洩神氣英盛浮散無用也　平按英素問作央王注作久字解新校正謂此論味過所傷不宜作精神長久解央乃殃也此古文簡略字多假借用也其說為長是故謹和五味則骨正筋柔氣血以流腠理以密調五味各得其所者則鹹能資骨故骨正也酸能資筋故筋柔也辛能資氣故氣流也苦能資血故血流也甘能資肉故腠理密也如是則氣骨以精謹道如法長有天命謹順也如是調養身者則氣骨常得精勝上順天道如先聖法則壽弊天地故長有天命也　平按顧本素問氣骨作骨氣趙府本仍作氣骨

陰陽雜說平按此篇自篇首至是謂得道見素問卷一第四金匱真言論自黃帝問於岐伯曰人有四經至陰陽相過曰彈見素問卷二

第七陰陽別論自凡痺至痺聚在脾見素問卷十二
第四十三痺論自陰爭於内至末見素問陰陽別論

黄帝問於岐伯曰天有八風經有五風八風發邪氣經風觸五藏八風八正邪風也正月朔日有此八風發爲邪氣傷人者也經風八虚風也謂五時八風從虚鄉來觸於五藏舍之爲病也　平按素問問下無於岐伯三字五風下有何謂岐伯對曰六字發邪下無氣字有以爲二字注八正袁刻作八方按前調陰陽篇雖有邪賊句楊注云雖有八正虚風不能傷也依原鈔作八正爲是邪氣發病所謂得四時之脈者謂得四時相勝之脈以爲候　平按素問脈作勝別本亦作勝春勝長夏長夏勝冬冬勝夏夏勝秋秋勝春所謂得四時之勝也謂天風經風在身邪氣行於寸口有相勝之候　平按素問無得字東風生於春病在肝輸在頸項東風從春生已與肝爲病者肝之病氣運致於頸項頸項爲春也　平按注運致別本作逆致南方風生於夏病在心輸在胸脇胸脇當心故爲夏也西方風生於秋病在肺輸在肩背肩背當肺故爲秋也北方風

生於冬病在腎輸在腰股腰股近腎故爲冬也中央爲土病在脾輸在脊故精者身之本也脊膂當脾故爲仲夏也土爲五穀之精以長四藏故爲身之本也　平按素問輸作俞下同南西北下均無方字故精者身之本也句在後故春氣者病在頭在頭頸項夏氣者病在藏藏謂心腹秋氣者病在肩背肩背爲秋氣也冬氣者病在四支冬爲痺厥多在四支故春喜病鼽衄傷寒春病在頭故喜鼽衄也夏喜病洞洩寒傷風夏病在藏故喜病洞洩寒中也　平按素問寒作寒中夏作長夏在仲夏之後仲夏喜病胸脇傷温夏病在胸脇故喜病胸脇秋喜病風瘧仲夏傷暑者秋喜病風瘧也冬喜病痺厥傷溼冬病故爲痺厥故冬不按蹻春不病鼽衄春不病頸項夫冬傷寒氣在於腠理者以冬强勇按蹻多勞困腠理開寒氣入客今冬不作按蹻則無傷寒至春不患熱病鼽衄故春不病頸項者也蹻几小反强勇見也　平按素問鼽上無病字夏不病洞洩寒中仲夏不病胸脇春傷風時多循於頭入於府藏故至夏日作飱洩寒中病也所以春

無傷風即無夏飧泄之病故至仲夏不病胸脇　平按素問夏不病洞泄作長夏在仲夏不病胸脇下秋不病風瘧秋不病肩背胸脇仲夏不傷暑於胸脇至秋無瘧及肩背胸脇病也　平按素問無秋不病肩背胸脇句冬不病痺厥飧洩而汗出藏於清者至春不病温冬病痺厥飧洩內虛又因汗出寒入藏於内故至春病温是為冬傷於寒春為温病所由者也　平按清素問作精藏於清上素問有夫精者身之本也故八字夏暑汗不出者秋成風瘧小寒入腠理不得汗洩至秋寒氣感而成瘧也此平人脉法地也平人脉法要須知風寒暑溼四氣為本然後候知弦鈎毛沈四時脉也地即本也　平按素問無地字岐伯曰陰中有陰陽中有陽平旦至日中天之陽陽中之陽也日中至昏天之陽陽中之陰也子午巳東晝為陽也卯酉巳北夜為陰故平旦至日中陽中之陽也日中至昏陽中之陰也　平按岐伯曰素問作故曰昏上有黄字合夜至雞鳴天之陰陰中之陰也雞鳴至平旦天之陰陰中之陽也子午巳西夜為陰卯酉巳南晝為陽

故合夜至雞鳴陰中之陰也
雞鳴至平旦陰中之陽也　故人亦應之人同陰陽故人亦有陽中之陽陽中之陰陰中之陰陰中
之陽也　夫言人之陰陽則外爲陽内爲陰皮毛膚肉在外爲陽筋骨藏府在内爲陰
言人身之陰陽則背爲陽腹爲陰背在胸上近頭故爲陽也腹在胸下近腰故爲陰也
言人之身五藏中之陰陽則藏者爲陰府者爲陽肺
肝心脾腎五藏皆爲陰膽胃大腸小腸三焦膀胱六
府皆爲陽就身之中五藏藏於精神爲陰六府貯於水穀爲陽也　平按素問言人之身五藏中之陰陽作言人身之藏府中之陰陽肺
肝心脾腎作肝心脾肺腎三焦二字在膀胱下　所以欲知陰中之陰陽中之陽何
也爲冬病在陰夏病在陽春病在陰秋病在陽所以須知陰陽
相在者以其四時風寒暑溼在陰陽也何者冬之所患欬嗽痺厥得之秋日傷
溼陰也夏之所患飧洩病者得之春日傷風陽也春之所患温病者得之冬日
傷寒陰也秋之所患欬瘧病者得之夏日傷暑陽也　平
按注欬瘧恐係痎瘧之誤以上篇夏傷於暑秋爲痎瘧也　皆視其所在

爲施鍼石視瞻候也宜以三部九候瞻知所在然後命於鍼灸砭石湯藥導引五立療方施之不誤使十全者也故背爲陽陽中之陽心也背爲陽陽中之陰肺也心肺在膈已上又近背上所以爲陽也心以屬火火爲太陽故爲陽中之陽也肺以屬金金爲少陰故爲陽中之陰也腹爲陰陰中之陰腎也腹爲陰陰中之陽肝也腎肝居膈以下又近下極所以爲陰也腎以屬水水爲太陰故爲陰中之陰也肝以屬木木爲少陽故爲陰中之陽也腹爲陰陰中之至陰脾也脾居腹中至陰之位以資四藏故爲陰中之陰此皆陰陽表裏外內左右雌雄上下相輸應也故以應天之陰陽也五藏六府即表裏陰陽也皮膚筋骨即內外陰陽也肝肺所主即左右陰陽也牝藏牡藏即雌雄陰陽也腰上腰下即上下陰陽也此五陰陽氣相輸會故曰合於天也　平按素問外內作內外無左右上下四字問曰五藏應四時有放乎答曰有東方青色入通於肝開竅於目藏精於肝精謂木精也汁也三合藏之肝府膽中也　平按素問問曰作帝曰有放乎作各有收受乎其病

發驚駭起怒亡魂故驚駭也其味辛肝味正酸而言辛者於義不通有云金剋木爲妻故肝有辛氣　平按素問辛作酸注而言辛袁刻作有本言辛其類草木五行各別多類故五行中各稱類也草木類同別也其畜雞其穀麥其應四時上爲歲星春當歲星是以春氣在頭也其音角頭爲身之初首故春氣在也其數八成數八是以知病在筋也其臭臊是知筋位居春故以病在筋也赤色入通於心火生於木心又屬火火色赤故通心　平按赤色上素問有南方二字開竅於耳九卷云心氣通舌舌既非竅通於耳藏精於心心有七孔三毛盛精汁三合故病在五藏心爲五藏主不得受於外邪受外邪則五藏皆病也其味苦酸酸爲苦母並母言之故有苦酸　平按素問無酸字其類火其畜羊其穀黍九卷云黃黍味辛苦味剋辛仍金火相濟故并言之其應四時其星上爲熒惑夏時上爲熒惑以知病在脈也脈位居夏故病在脈其音徵其數七成數七也其臭焦黃色入通於脾胃五色皆自通藏不言其府此言府者以胃

爲四藏資糧故兼言也　平按素問黃色上有中央二字脾下無胃字開竅於口藏精於脾精脾中散膏半斤主裹血溫五藏也故病在於舌本脾脈足太陰連舌本故夏病在舌本也其味甘其類土其畜牛其穀稷其應四時上爲鎮星其脾王四季故季夏上爲鎮星也故知病在肉也其音宮其數五脾肉在夏故有病在肉其數五謂生數其臭香白色入通於肺開竅於鼻藏精於肺精肺液也　平按白色上素問有西方二字故病在於背肺爲陽中之陰在背故病在背其味辛其類金其畜馬其穀稻九卷云粳米味甘黍味辛此中稻辛其應四時上爲大白星秋時上爲大白星故知病在皮毛皮毛在秋故病在皮毛也其音商其數九其臭腥九爲成數黑色入通於腎開竅於二陰二陰謂前後陰也　平按黑色上素問有北方二字藏精於腎精謂腎液病在於谿谷其味鹹其類水其畜豕其穀

豆肉之大會爲谷小會爲谿肉分之間谿骨之會腎間動氣爲原氣在谿谷間故冬病在也　平按素問谿下無谷字豖作彘其應四時上爲辰星冬時上爲辰星以知病在骨骨氣在冬故病在骨其音羽其數六其臭腐六爲成數岐伯曰善爲脈者謹察五藏六府逆順陰陽表裏雌雄之紀藏之心意合之於精非其人勿教非其人勿授是謂得道善候脈者須察藏府之氣有逆有順陰陽表裏雌雄綱紀得之於心合於至妙然後教於人教於人之道觀人所能妙知聲色之情可使瞻聲察色諸如是等謂其人也教謂教童蒙也授謂授久學也如是行者可謂上合先聖人道也　平按素問善上有故字無岐伯曰三字逆順二字作一逆一從四字合之於精作合心於精黃帝問於岐伯曰人有四經十二順四經謂四時經脈也十二順謂六陰爻六陽爻相順者也　平按素問黃帝問下無於岐伯三字順作從下同下有何謂岐伯對曰六字四經應四時十二順應十二月肝心肺腎四脈應四時之氣十二爻應十二月十二月應十二脈十二經脈也脈有陰陽十二經脈六陰六陽

知陽者知陰，知陰者知陽。妙知人迎之變，即懸識氣口；於氣口之動，亦達人迎。凡陽有五，五五二十五陽。五藏之脈於五時見，隨一時中即有五脈，五脈見時皆有胃氣，即陽有五也。五時脈見，即有二十五陽數者也。所謂陰者，真藏，其見則爲敗，敗必死。於五時中五藏脈見，各無胃氣，唯有真藏獨見，此爲陰也。平按：其，素問作也。又素問死下有也字。注爲陰爲字，袁刻作所謂二字。所謂陽者，胃胞之陰陽。胃胞之中，苞裹五穀，具五藏爲糧，此則真藏陰爲陽，故曰胃胞陰陽者也。平按：素問胞作脘，陽上無陰字，下有也字。別於陽者，知病之處；陽，胃氣也。足陽明脈通於胃，是以妙別陽明胃氣，則諸脈受病所在並知之。別於陰者，知死生之期。妙別五藏之脈，即知死生有期。三陽在頭，三陰在手，三陽行胃人迎之脈在頭，三陰行太陰寸口之脈在手也。所謂一也。陰陽上下動如引繩，故曰一也。別於陽者，知病忌時；別於陰者，知死生之期。善別手太陰脈，善別胃脈，即和胃氣有無禁忌在於四時。平按：注和，別本作知。即知真藏脈之有無死生之期。謹熟陰陽，無與衆謀。謹能純熟陰陽脈氣之道，決於心者，不復有疑，故不與衆人謀。

議也所謂陰陽者去者爲陰至者爲陽動者爲陽靜爲陰數者爲陽遲者爲陰凡陰陽者去靜與遲皆爲陰至動與數皆爲陽　平按素問靜下有者字靜者句在動者句上遲者句在數者句上凡持真藏之脉者肝至懸絶九日死有本爲十八日　平按素問藏之二字作脉之藏三字九作急十八三字心至懸絶九日死肺至懸絶十日死腎至懸絶五日死脾至懸絶四日死得真藏脉者死然死之期得五藏懸絶已去各以其藏之氣分晝日爲數脉至即絶久而不來故曰懸絶　平按素問十日作十二日五日作七日問曰二陽之病發心痺有不得隱曲女子不月其傳爲風消其傳爲息賁三日者死不治二陽者陽明也陽明謂手陽明大腸脉也足陽明胃脉也陽明所發心痺等病也隱曲大小便風消謂風熱病消骨肉也息賁賁隔也爲隔息也　平按素問曰上無問字痺作脾息賁下無三日二字曰三陽爲病發寒熱下爲癰腫及爲痿厥喘悁其傳爲索澤其傳爲頹

疝三陽太陽也謂手太陽小腸脈也足太陽膀胱脈也太陽所發寒熱等病悁悁季綿反憂恚也索奪也憂恚不已傳爲奪人色潤澤也　平按素問喘悁作腨痛

曰一陽發病少氣喜欬喜洩傳爲心瘛其傳爲隔一陽少陽也手少陽三焦脈也足少陽膽脈也少陽發少氣等病隔塞也　平按素問喜作善瘛作掣少氣原鈔作小氣玩注宜作少素問亦作少又注少陽少字原鈔亦作小恐係鈔寫之誤謹更正

二陽一陰發病生驚駭背痛喜噫喜欠名曰風厥二陽陽明也一陰厥陰也手厥陰心包脈也足厥陰肝脈也此二脈發驚駭等病風厥也　平按素問生作主

二陰一陽發病喜脹心滿喜氣二陰少陰也手少陰心脈也足少陰腎脈少陰少陽發喜脹等病　平按注腎脈下袁刻有一陽少陽也五字

三陽三陰發病爲偏枯痿易四支不舉三陽太陽也三陰太陰也手太陰肺脈也足太陰脾脈也太陰發偏枯等病也

鼓一陽曰鉤曰鼓一陽少陽也少陽脈至手太陰寸口其脈鼓也鼓脈鼓動也一陽之鼓曰鉤也　下按素問鉤平無曰字

一陰曰毛一陰厥陰也厥陰脈至之寸口曰毛此陰脈不稱鼓也有本一曰陰曰毛也

鼓陽勝隱曰弦脈鼓陽勝於隱曰弦　平按素問隱作急別本隱上有陰字

蘭陵堂刊

鼓陽至而絶曰石至者爲陽也鼓陽至絶曰石也陰陽相過曰彈陰陽之脈至寸口相擊曰彈也　平按彈素問作溜凡痺之客五藏者肺痺者煩則滿喘而歐邪氣客肺及手太陰故煩滿喘歐也　平按素問煩下無則字歐作嘔心痺者不通煩則下鼓暴上氣而喘嗌乾喜噫厥氣上則恐邪氣客心及手太陽故上下不通煩則少腹故脹等病也　平按素問不通上有脈字則上有心字喜作善注少腹故脹故恐係鼓字之誤肝痺者夜卧則驚多飲數小便上爲演壞邪氣客肝及足厥陰脈厥陰脈係目及陰故卧驚數小便演當涎謂涎流壞中心也　平按演壞素問作引如懷三字腎痺者善脹尻以伐踵脊以伐項邪客腎及少陰之脈故喜脹脊曲也　平按素問善作喜兩伐字均作代項作頭脹下袁刻有足攣二字原鈔無脾痺者四支懈惰發欬歐汁上爲大寒邪客脾及足太陰脈不得營於四支故令懈惰又發脾欬胃寒歐冷水也　平按素問懈惰作解墮歐作嘔寒作塞大腸痺者數飲出而不得中氣喘爭時發飧洩邪客大腸及手

陽明脈大腸中熱大便難肺氣喘爭時有飧洩也　平按素問腸上無大字出而作而出注爭字原鈔作年謹依經文作爭

胞痺者少腹膀胱按之兩髀若沃以湯濇於小便上爲清涕膀胱盛尿故謂之胞即尿脬脬匹苞反邪客膀胱及足太陽膀胱中熱故按之髀熱下則小便有濇上則鼻清涕出也　平按少腹原鈔作少腸素問作少腹袁刻作小腸與原鈔素問均異謹依素問作少腹兩髀素問作內痛新校正云全元起本作兩髀據此則全元起本與此相合若沃以湯湯字原鈔作陽恐傳寫之誤謹依素問作湯別本亦作湯

陰氣者靜則神藏躁則消亡五藏之氣爲陰氣也六府之氣爲陽氣也人能不勞五藏之氣則五神各守其藏故曰神藏也賊郎反若怵惕思慮悲哀動中喜樂無極愁憂不解盛怒不止恐懼不息躁動不已則五神消滅傷藏者也

飲食自倍腸胃乃傷凡人飲食胃實則腸虛腸實則胃虛腸胃更實更虛故得氣通長生久視若飲食自倍則氣不通夭人壽命也此則傷府也

淫氣喘息痺聚在肺淫過也喘息肺所爲也喘息過者則肺虛邪客故痺聚也

淫氣憂思痺聚在心憂思心所爲憂思過者則心傷邪客故痺聚也

淫氣歐唾痺聚在腎歐唾腎所爲也歐唾過者則腎虛邪客故痺聚也　平按歐唾素問作遺溺

淫氣渴之痺聚

在肝肝以主血今有渴乏多傷血肝虛故痺聚也　平按渴乏素問作乏竭淫氣飢絕痺聚在胃飢者
胃少穀也飢過絕食則胃虛故痺聚淫氣壅塞痺聚在脾穀氣過塞則實而痺聚於脾也　平按飢絕素問作肌絕
下無痺聚在胃淫氣壅塞二句新校正云詳從上凡痺客五藏者至此全元起本在陰陽別論中此王氏所移據此則全元起本與太素同也陰爭
於內陽擾於外魄汗未藏四逆而起起則動肺使人
喘喝五藏為陰內邪陰氣以傷五藏故曰爭內六府為陽外邪陽氣以侵六府故曰擾外皮毛腠理也肺魄所主故汗出腠理名魄汗也藏猶閉也
陰陽爭擾汗出腠理未閉寒氣因入四支逆冷內傷於肺故使喘喝喝喘聲呼割反　平按素問動作熏喝作鳴陰之所生和
本曰味五藏所生和氣之本曰五味也　平按素問味作和是故剛與剛陽氣破散陰
氣乃消亡剛與剛陽盛也陽盛必衰故破散也無陽之陰必消亡也淖則剛柔不和經氣乃
絕淖亂也音濁言陽散陰消故剛柔不和則十二經氣絕也　平按素問此段下有死陰之屬不過三日而死生陽之屬不過四日而死數句本書在
後岐伯曰所謂生陽死陰者肝之心謂之生陽木生火也心

之肺謂之死陰火剋金也肺之腎謂之重陰少陰重至陰也腎之脾謂之辟陰死不治辟重疊至陰大陰重也結陽者腫四支結聚結陰者便血一升再結二升三結三升血聚多至三升也陰陽結者鍼多陰少陽曰石水少腹腫少陰爲水故多字誤也　平按素問結下無者字鍼作斜石原鈔作右恐誤素問作石腹腫二字原鈔缺左方只餘右方復重二字謹依素問作腹腫三陽結謂之消消渴消中也三陽太陽平按素問三陽作二陽注消渴渴字袁刻誤作濁二陽結謂之隔便溲不通也一陽陽明也　平按素問二作三三陰結謂之水三陰太陰一陰一陽結謂之喉痺厥陰少陽也陰搏陽別謂之有子陰脈聚陽脈不聚也陰陽虛腸辟陰陽府藏脈皆虛者腸辟疊死　平按素問辟下有死字死陰之屬不過三日而死生陽之屬不過四日而已陰陽死生期也　平按素問此數語在經氣乃絕之下四日而已素問作四日而死新校正云按別本作四日而生全元起注本作四日而已

俱通詳上下文義作死者非據此則全元起注本與此正合袁刻誤作四日而死 陽加於陰謂之汗 加勝之也 陰虛陽搏謂之崩 崩下血也 三陰俱搏三十日夜半死 太陰總得三陰之氣 平按素問三十作二十 二陰俱搏十五日夕死 少陰總得二陰之氣 平按素問十五作十三夕下有時字別本亦有時字 一陰俱搏十日平旦死 厥陰氣皆來聚故曰俱也 平按顧本素問無平旦二字趙府本有 三陽俱搏且鼓三日死 三陽之脈聚而且鼓 三陽三陰俱搏心腹滿發盡不得隱曲五日死二陽俱搏募病溫死不治不過十日死 陽明之氣皆聚則陽明募病有本為幕也 平按素問募作其

黃帝内經太素卷第三 陰陽

黃陂蕭貞昌校字

黃帝內經太素卷第五 人合

通直郎守太子文學臣楊上善奉　敕撰注

黃陂蕭延平北承甫校正

平按此篇自注文不足二節故得懷子也以上殘脫不完篇目亦不可考故自黃帝問於伯高曰至以抱人形謹從靈樞卷十第七十一邪客篇補入自天有陰陽以下至天地相應者見靈樞邪客篇

黃帝問於伯高曰願聞人之肢節以應天地奈何伯高荅曰天圓地方人頭圓足方以應之天有日月人有兩目地有九州人有九竅天有風雨人有喜怒天有雷電人有音聲天有四時人有四肢天有五音人有五藏天有六律人有六府天有冬夏人有寒熱天

有十日人有手十指辰有十二人有足十指莖垂以應之女子不足二節以抱人形以上從靈樞邪客篇補入不足二節故得懷子也天有陰陽人有夫妻歲有三百六十五日人三百六十五節平按靈樞人下有有字地有高山人有肩膝地有深谷人有腋膕戈麥反曲腳也地有十二經水人有十二經脈地有雲氣人有衛氣地有草蔖千古反草名也又死草也　平按雲氣原鈔雲字下半不全只餘上半雨字按素問陰陽應象大論云地氣上爲雲此云地有雲氣正合袁刻因靈樞作泉脈遂作泉氣恐誤蔖靈樞作蓂人有豪毛天有晝晦人有臥起天有列星人有齒牙地有小山人有小節地有山石人有高骨地有林木人有募筋地有聚邑人有䐃肉歲有十二月人有十二節地有時不生草

人有毋子此人所以與天地相應者幕當爲膜亦幕覆也膜筋十二經筋及十二筋之外裹膜分肉者名膜筋也人身上有二十六形應天地之形也　平按靈樞齒牙作牙齒時上有四字

陰陽合平按此篇自篇首至此之謂也見靈樞卷七第四十一陰陽繫日月篇篇中間自在上者爲陽至蒼色一段經文楊注原鈔殘闕平於日本仁和寺宮御藏本殘卷十三紙中檢出證以靈樞陰陽繫日月篇經文補入生於火故及有肝肝者之間而此篇缺處復完亦幸事也自此之謂也黃帝曰至末見素問卷二第六陰陽離合論又見靈樞卷二第五根結篇又見甲乙經卷二第五

黃帝曰余聞天爲陽地爲陰日爲陽月爲陰其合之於人奈何岐伯曰腰以上爲天腰以下爲地故天爲陽地爲陰夫人身陰陽應有多種自有背腹上下陰陽有藏府內外陰陽有五藏雄雌陰陽有身手足左右陰陽有腰上下天地陰陽也足之十二脈以應十二月月生於水故在下者爲陰腰下爲地故兩足各有三陰三陽應十二月故十二脈也人身左右隨是一邊即有十二脈者天地通取也月爲太陰之精生水在地故爲陰也　平按靈樞

蘭陵堂刊

足上有故字脈上有經字手之十指以應十日日生於火故在上者爲陽日爲太陽之精生火在天故爲陽也平按日生於火靈樞作日主火黄帝曰合之於脈奈何岐伯曰寅者正月生陽也主左足之少陽未者六月主右足之少陽卯者二月主左足之太陽午者五月主右足之太陽辰者三月主左足之陽明巳者四月主右足之陽明此兩陽合於前故曰陽明從寅至未六辰爲陽從申至丑六辰爲陰十一月一陽生十二月二陽生正月三陽生三陽巳生能令萬物生起故曰生陽生物陽氣正月未大故曰少陽六月陽氣巳少故曰少陽二月陽氣巳太故曰太陽五月陽氣猶大故曰太陽三月四月二陽合明故曰陽明也平按正月下靈樞有之字申者七月生陰也主右足之少陰丑者十二月主左足之少陰酉者八月主右足之太陰子者十一月主左足之太陰

戌者九月主右足之厥陰亥者十月主左足之厥陰此兩陰交盡故曰厥陰五月一陰生六月二陰生七月三陰已生能令萬物始衰故曰生陰生物七月陰氣尚少故曰少陰十二月陰氣已衰故曰少陰八月陰氣已大故曰太陰十一月陰氣猶太故曰太陰九月十月二陰交盡故曰厥陰厥盡也　平按七月下靈樞有之字甲主左手之少陽己主右手之少陽乙主左手之太陽戊主右手之太陽景主左手之陽明丁主右手之陽明此兩火并合故爲陽明甲乙景丁戊己爲手之陽也庚辛壬癸爲手之陰也甲乙爲少陽者春氣浮於正月故曰少陽己爲夏陽將衰故曰少陽甲在東方故爲左也己在中宮故爲右也乙戊爲手太陽者乙爲二月陽氣已太故曰太陽戊夏陽盛故爲太陽乙在東方戊在中宮故有左右也景丁爲陽明者景爲五月丁爲六月皆是南方火也二火合明故曰陽明也　平按景靈樞作丙唐人避太祖諱丙爲景猶諱淵爲泉也注夏陽將衰夏衰二字因蟲蝕不全玩其剩處與夏衰二字相近證以上注陽氣已少故曰少陽陰氣已衰故曰少陰於義亦合謹擬作夏衰二字庚主右手之少陰癸主左手之少陰辛主

右手之太陰壬主左手之太陰故足之陽者陰中之少陽也足之陰者陰中之大陰也庚癸爲少陰者十二辰爲地十幹爲天天中更有陰陽故甲乙等六爲陽庚辛等四爲陰庚爲七月申陰氣未大故曰少陰癸爲十二月丑陰氣將終故曰少陰辛壬爲太陰者辛爲八月酉陰氣已大故曰太陰壬爲十一月子陰氣盛大故曰太陰心主厥陰之脉非正心脉於十幹外無所主也足爲陰也足之有陽陰中少也足之有陰陰中大也　平按注八月下原缺一字證以上注七月申則此八月應是酉字謹擬作酉又注十幹幹字原缺右方疑是幹字謹擬作幹手之陽者陽中之太陽也手之六陽乃是腰以上陽中之陽故曰太陽手之陰者陽中之少陰也手之六陰乃是腰以上陽中之陰陽大陰少故曰少陰腰以上者爲陽腰以下者爲陰此上下陰陽也其於五藏也心爲陽中之太陽肺爲陽中之少陰以上上下陰陽此爲五藏陰陽心肺居鬲以上爲陽肝脾腎居鬲以下爲陰故陽者呼心與肺也陰者吸脾與腎也心肺俱陽心以屬火故爲陽中大陽也心肺俱陽肺以屬金故爲陽中少陰也　平按注陰者吸者字原缺據上文陽者呼當是者字謹擬作者肝爲陰中之少

陽脾爲陰中之至陰腎爲陰中之太陰三藏居鬲以下爲陰肝藏屬木故爲陰中少陽也脾在鬲下屬土且以居下故爲陰中至陰腎下屬水故爲陰中之太陰也　平按素問六節應象論謂肺爲陽中之太陰腎爲陰中之少陰肝爲陽中之少陽新校正引太素肺爲陽中之少陰腎爲陰中之太陰肝爲陰中之少陽以證素問王注之失其說甚詳檢素問卷三第九六節應象論王注下新校正自知黃帝曰以治之奈何岐伯曰正月二月三月人氣在左無刺左足之陽春之三月人三陽氣在左足王處故不可刺也四月五月六月人氣在右無刺右足之陽夏之三月人三陽氣在右足王處故不可刺也七月八月九月人氣在右無刺右足之陰秋之三月人三陰氣在右足王處故不可刺也十月十一月十二月人氣在左無刺左足之陰冬之三月人三陰氣在左足王處故不可刺也黃帝曰五行以東方爲甲乙木主春春者蒼色蒼色有肝肝者主足厥陰也今乃以甲爲左手

少陽不合於數何也岐伯曰此天地之陰陽也非四時五行之以次行也且夫陰陽之者有名而無形故數之可十離之可百散之可千推之可萬此之謂也五行次第陰陽以甲爲厥陰上下天地陰陽以甲爲陽者良以陰陽之道無形無狀裁成造化理物無窮可施名以名實故數之可十推之可萬也　平按靈樞主春作王春蒼色二字不重有肝作主肝主足厥陰作足厥陰無主字可十十字原缺原校補推之推字袁刻誤作推注同謹更正黄帝曰余聞天爲陽地爲陰日爲陽月爲陰三百六十五日成一歲人亦應之今聞三陰三陽不應陰陽其故何也三陰三陽之數各三不應天地日月陰陽二數何也黃帝非不知之欲因問廣衍陰陽變化無窮之數也　平按素問黃帝下有問字六十下無五字今下無聞字岐伯曰陰陽者數之可十離之可百散之可千推之可萬萬之大不可勝數也然其要一也言陰陽之理大

而無外細入無間豪末之形並陰陽彫刻故其數者不可勝數也故陰中有陰陽中有陽陽中有陰陰中有陽然則混成同爲一氣則要一也　平按素問岐伯下有對字離作推散作數　天覆地載萬物方生也　二儀合氣也　未出地者命曰陰處名曰陰中之陰　辨陰陽所謂雄雌者也人之與物未生以前含在陰中未出地也未生爲陰在陰之中故爲陰中之陰也　則出地者命曰陰中之陽　所生已生曰陽初生未離於地故曰陰中之陽也　陽予之正陰爲之主　陽氣以爲人物生正陰氣以爲人物養主也　故生因春長因夏收因秋藏因冬失常則天地四塞　一氣離爲陰陽以作生養之本復分四時遂爲生長收藏之用終而復始如環無端謂之常也若失其常四時之施壅塞不行也　平按注施袁刻作弛　陰陽之變其在人者亦數之可散也　散分也陰陽之變俱通內外外物既爾內身之變亦可分爲衆□□可勝數也　黃帝曰願聞三陰三陽之離合也　別爲三陰三陽推之可萬故爲離也唯一陰一陽故爲合也　岐伯曰聖人南面而立　古者聖人欲法天地人三才形象處於明堂南面而立以取法焉也　前曰

廣明後曰太衝太衝之地名曰少陰聖人中身以上陽明爲表在前故曰廣明太陰
爲裏在後故廣明下名曰太陰衝脈在太陰之下故稱後曰
太衝太衝衝脈下次有少陰故曰少陰爲地以腎最居下故也
少陰之上名
曰太陽太陽即足太陽是腎之府膀胱脈也
藏陰在內府陽居外故爲上者也
太陽根於至陰結
於命門至陰是腎少陰脈也是陰之極陽生之處故曰至陰太陽接至陰
而起故曰根於至陰上行絡項聚於目也結聚也　平按素問根
下有起字
名曰陰中之陽少陰水中而有此陽
氣故曰陰中之陽也
中身而上名曰廣
明廣明之下名曰太陰身中表之上名曰廣明脾藏足太陰脈從
足至舌下太陰脈在廣明裏故爲下也廣
明爲表故
爲上也
太陰之前名曰陽明陽明根起於厲兌結於
顙大陽明脾府之脈在太陰表前從足指厲兌上行聚於顙上額顱顙額也
蘇蕩反　平按結於顙大素問無此句靈樞作結於顙大顙大者鉗耳
也甲乙經作結於頏顙頏顙者鉗大鉗大者耳也原鈔本
作顙大又本書卷十經脈根結亦作顙大袁刻作顙上
名曰陰中之陽
人腹爲陰陽明從太陰而起行
於腹陰上至於顙故爲陰中陽
厥陰之表名曰少陽少陽根起

於厥陰結於窗籠名曰陰中之少陽厥陰之脈起於足大指藂毛之上循陰股上注於肺陰藏行內也少陽肝府之脈起足厥陰上聚於耳爲表陽府氣以少陽屬木故爲陰中少陽也　平按素問無結於窗籠四字是故三陽之離合也太陽爲關陽明爲闔少陽爲樞三陽離合爲關闔樞以營於身也夫爲門者具有三義一者門關主禁者也膀胱足太陽脈主禁津液及於毛孔故爲關也二者門闔謂是門扉主關閉也胃足陽明脈令真氣止息復無留滯故名爲闔也三者門樞主轉動者也膽足少陽脈主筋綱維諸骨令其轉動故爲樞也　平按太陽爲關關字甲乙經素問靈樞均作開日本鈔本均作開乃關字省文玩楊注門有三義一者門關主禁者也主禁之義關字爲長若開字則說不去矣再考靈樞根結篇及甲乙經經脈根結篇於太陽爲開之上均有不知根結五藏六府折關敗樞開闔而走之文本書卷十經脈根結與靈樞甲乙同則是前以關樞闔三者並舉後復以爲關爲闔爲樞分析言之足證明後之爲關關字即前之折關關字無疑矣下太陰爲關與此同義不再舉再按嘉祐本素問新校正云九墟太陽爲關作關三經者不得相失搏而勿傳命曰一陽唯有太陽關者則真氣行止留滯骨摇動也唯有陽明闔者則肉節敗骨動摇也唯有少陽樞者則真氣行止留滯肉節內敗也相得各守所司同爲一陽之道也搏相得也傳失所守也　平按傳素問作浮

願聞三陰岐伯曰外者爲陽内者爲陰然則中爲陰其衝在下者名曰太陰太陰根起隱白結於太倉名曰陰中之陰 衝在太陰之下少陰脉上足太陰脉從隱白而出聚於太倉上至舌本是脾陰之脉行於腹陰故曰陰中之陰也 平按素問隱上有於字隱白下無結於太倉四字 太陰之後名曰少陰少陰根起於涌泉結於廉泉名曰少陰 腎脉足少陰從足小指之下入涌泉上行聚於廉泉至於舌本也 平按素問無結於廉泉四字名曰少陰作名曰陰中之少陰 少陰之前名曰厥陰厥陰根起於大敦結於玉英 肝脉足厥陰在少陰前起於大指聚毛之上入大敦聚於玉英上頭與督脉會於顛注於肺中也 平按素問無結於玉英四字 陰之絶陽名曰陰之絶陰 無陽之陰是陰必絶故曰陰之絶陰 是故三陰之離合也太陰爲關厥陰爲闔少陰爲樞 三陽爲外門三陰爲内門内門亦有三者一者門關主禁者也脾藏足太陰脉主禁水穀之氣輸納於中不失故爲關也二者門闔主開閉者也肝藏足厥陰脉主守神氣出

入通塞悲樂故爲闔也三者門樞主動轉也腎藏足少陰脈主行津液通諸經脈故爲樞者也三經者不得相失也搏而勿沈名曰一陰三陰經脈也三陰之脈摶聚而不偏沈故得三陰同一用也陰陽鍾鍾也傳爲一周鍾鍾行不止住兒營衛行三陰三陽之氣相注不已傳行周旋一日一夜五十周也　平按素問鍾鍾作䨥䨥傳字上無也字有積字氣裏形表而相成者也五藏之氣在裏內營形也六府之氣在表外成形者也　平按而相成者也素問作而爲相成也

四海合平按此篇自篇首至末見靈樞卷六第三十三海論自人亦有四海至逆者必敗見甲乙經卷一第八惟文法微有不同

黃帝問岐伯曰：余聞刺法於夫子，夫子之所言，不離於營衛血氣。夫十二經脈者，內屬於府藏，外絡於支節，子乃合之於四海何乎？血謂十二脈中血也氣謂十二脈中當經氣也　平按靈樞問下有於字支作肢四海下無何字岐伯曰：人亦有四海，十二經水。十二經水者皆注於海海有東西南北命曰四海黃帝曰以人應之奈何岐伯曰人亦有四海黃帝曰請聞人之四海岐伯曰人有髓海有血海有氣海有水穀之海凡此四者所以應四海者也十二經水者皆注東海東海周環遂爲四海十二經脈皆歸胃海水穀胃氣環流遂爲氣血髓骨之海故也水穀之海比於東海也　平按靈樞以人應之奈何下無岐伯曰人亦有四海黃帝曰請聞人之四海十七字黃帝曰遠乎哉夫子之合人天地四海也願聞應之奈何岐伯曰必先明知陰陽表裏營輸所在四海定矣胃脈以爲陽表也手太陰足少陰脈爲陰裏也衝脈爲十二經脈及絡脈之海即亦表亦裏也　平按營靈樞作滎黃帝曰定之奈何岐伯曰胃者爲水穀之海其輸上在氣街下至三里胃盛水穀故名水穀之海胃脈足陽明也足陽明脈過於氣街三里其氣上下輸此等穴也　平按甲乙輸作腧下同不再舉衝脈

者爲十二經之海其輸上在於大杼下出於巨虛之上下廉衝脉管十二經脉大杼是足太陽手太陽脉所發之穴巨虛上下廉則足陽明脉所發之穴此等諸穴皆是衝脉致氣之處故名輸也膻中者爲氣之海其輸上在柱骨之上下前在於人迎膻胸中也音檀食入胃已其氣分爲三道有氣上行經隧聚於胸中名曰氣海爲肺所主手陽明是肺府脉行於柱骨上下入缺盆支者上行至鼻爲足陽明循頸下人迎之前背是膻中氣海氣之輸也腦爲髓之海其輸上在其蓋下在風府胃流津液滲入骨空變而爲髓頭中最多故爲海也是腎所生其氣上輸腦蓋百會之穴下輸風府也黄帝曰凡此四海者何利何害何生何敗岐伯曰得順者生得逆者敗知調者利不知調者害得生得敗言逆順天也爲利爲害言調不人也黄帝曰四海之逆順奈何岐伯曰氣海有餘者氣滿胸中急息面赤氣海不足則氣少不足以言有餘謂邪氣益真氣

也面赤謂氣上衝面陽脈盛也　平按急息靈樞作悗息甲乙作悗急息血海有餘者則常想其身大怫然不知其所病血海不足則常想其身小狹然不知其所病血多脈盛故神想見身大也怫扶弗反怫鬱不安不知所苦也　平按怫下甲乙有鬱也二字水穀之海有餘者則腹滿脹水穀之海不足則飢不受穀食髓海有餘者則輕勁多力自過其度髓海不足則腦轉耳鳴胻痠眩冒目無所見懈殆安卧腦減不滿顱中故腦易轉喜耳鳴也髓不滿脛中故胻痠痠也腦虛少筋肉血等精液不足故眩冒無所見也髓虛四支腰□無力故懈怠安卧也痠息官反眩元遍反瞑目亂也眀亡到反覆也　平按滿脹甲乙作脹滿胻靈樞作脛甲乙作脛胻眀靈樞甲乙均作冒殆均作怠注腰下一字原缺袁刻作脊黄帝曰余以闗逆順調之奈何岐伯曰審守其輸而調其虛實毋犯其害順者得復逆者必敗黄帝曰善輸謂四海之輸　平按毋字原

缺下半靈樞甲乙均作無應是毋字甲乙無黃帝曰善四字

十二水 平按此篇見靈樞卷三第十二經水篇又見甲乙經卷一第七惟文法略異

黃帝問於岐伯曰經脈十二者外合於十二經水而內屬於五藏六府 天下凡有八十一州此中國州之一也名爲赤縣神州每一州之外有一重海水環之海之外有一重大山遶之如此三重海三重山環而圍遶人居其內名曰一州一州之內凡有十二大水自外小山小水不可勝數人身亦爾大脈總有十二以外大絡小絡亦不可數天下八十一州之中唯取中國一州之地用法人身十二經脈內屬藏府以人之生在此州中稟此州地形氣者也 夫十二經水者其大小深淺廣狹遠近各不同五藏六府之高下小大受穀之多少亦不等相應奈何 問其十二經脈取法所由也 夫經水者受水而行之 此問其藏府經絡各有司主調養所由十二經水各從其源受水輸之於海故曰受水行也 五藏者合神氣魂魄而藏 五藏合五神之氣心合於神肝合於魂肺合於魄脾合於營腎合於

精五藏與五精神氣合而藏之也　平
按藏下靈樞甲乙均有之字袁刻同
六府者受穀而行之受氣
而揚之
胃受五穀成熟傳入小腸小腸盛受也小腸傳入大腸大腸傳導
也大腸傳入廣腸廣腸傳出也胃下別汁出膀胱之胞傳陰下洩
也膽爲中精有木精三合藏而不寫此即府受穀行之者也五府與三焦共氣
故六府受氣三焦行之爲原故曰揚也　平按注成熟熟字袁刻誤作熱別汁
出膀胱五字原缺不完平細玩蟲蝕剩處與此
五字相近謹擬作此袁刻作膀胱膀胱四字
經脈者受血而營之
合而以治奈何刺之深淺灸之壯數可得聞乎
營氣從
中焦並
胃口出上焦之後所謂受氣泌糟粕□津液化津液精微注之肺脈之中化而
爲血流十二脈中以奉生身故生身之貴無過血也故營氣獨行於十二經導
營身故曰營氣營氣行經如霧者也經中血者如渠中水也故十二經受血各
營也　平按注津液上一字下半蟲蝕不全袁刻作成細玩上半剩處確非成
字宜空
一格
岐伯答曰善乎哉問也天至高不可度地至廣
不可量此之謂也且夫人生天地之間六合之內此
天之高地之廣非人力所能度量而至也若夫八尺

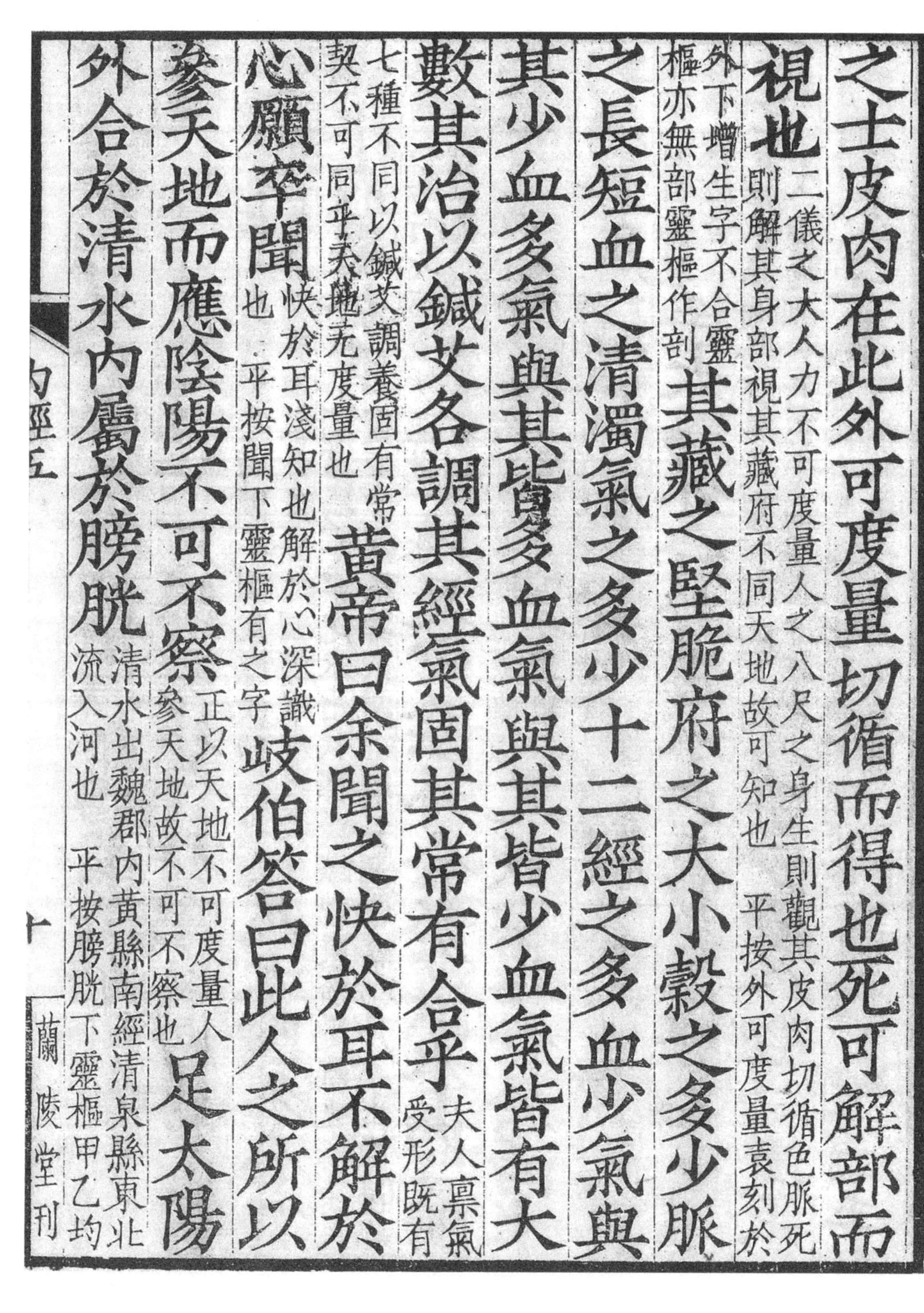

之士皮肉在此外可度量切循而得也死可解部而視也二儀之大人力不可度量人之八尺之身生則觀其皮肉切循色脈死則解其身部視其藏府不同天地故可知也　平按外可度量袁刻於外下增生字不合靈樞亦無部靈樞作剖其藏之堅脆府之大小穀之多少脈之長短血之清濁氣之多少十二經之多血少氣與其少血多氣與其皆多血氣與其皆少血氣皆有大數其治以鍼艾各調其經氣固其常有合乎夫人稟氣受形既有七種不同以鍼艾調養固有常契不可同乎天地无度量也黃帝曰余聞之快於耳不解於心願卒聞快於耳淺知也解於心深識也　平按聞下靈樞有之字岐伯答曰此人之所以參天地而應陰陽不可不察正以天地不可度量人參天地故不可不察也足太陽外合於清水內屬於膀胱清水出魏郡內黃縣南經清泉縣東北流入河也　平按膀胱下靈樞甲乙均

內經五　十

蘭陵堂刊

有而通水道焉五字本書在後**足少陽外合於渭水內屬於膽**渭水出隴西首陽縣鳥鼠同穴山東北至華陰入河過郡四行一千八百七十里雍州浸也**足陽明外合於海水內屬於胃**海海晦也言其水廣博望之晦闇不測崖際故曰海也海即四海也足陽明脈血氣最多合之四海眾水之長也**足太陰外合於湖水內屬於脾**湖當為雩雩陀水出代郡鹵城縣東流過郡九行千三百四十里為并州川一解云湖當為沽沽水出漁陽郡東南入海行七百五十里此二水亦得為合也　平按雩袁刻作雩**足少陰外合於汝水內屬於腎**汝水出汝南郡定陵縣高陵山東南流入淮過郡四行一千三百四十里也**足厥陰外合於沔水內屬於肝**沔綿善反沔水出武郡番冢山東流入江也　平按沔靈樞甲乙均作澠注武郡武字原鈔作武袁刻作南郡考水經注沔水出武都沮縣狼谷中應作武**手太陽外合於淮水內屬於小腸而通水道焉**淮水出南陽郡平武縣桐柏山東南流入海過郡四行三千二百四十里也**手少陽外合於漯水內屬於三焦**漯湯合反漯水出平原郡東北流入於海又河內亦有漯水出王屋山東南流入河此二水並得為合也**手**

陽明外合於江水內屬於大腸江水出蜀岷山郡升遷縣東南流入海過郡九行七千六百六十里也　平按注升遷原鈔作外遷據水經注應作升　手太陰外合於河水內屬於肺河水出崑崙山東北隅便潛行至蔥嶺于闐國到積石山東北流入海過郡十六行九千四百里也　手少陰外合於濟水內屬於心濟水出河東垣縣至王屋山東北流入於河　手心主外合於漳水內屬於心包漳水清漳水也出上黨沽縣西北少山東流合濁漳入於海解是濁漳濁漳出於上黨長子縣西發鳩山東流入海也　凡此五藏六府十二經水者皆外有源泉而內有所稟此皆外內相貫如環無端人經亦然十二經水如江出岷山河出崑崙即外有源也流入於海即內有所稟也水至於海已上爲天河復從源出流入於海即爲外內相貫如環無端也人經亦爾足三陰脈從足指起即外有源也上行絡府屬藏比之入海即內有所稟也以爲手三陰脈從胸至手變爲手三陽脈從手而起即外有源也上行絡藏屬府即內有所稟也上頭以爲足三陽脈從頭之下足復變爲足三陰脈即外內相貫如環無端也　平按外內靈樞甲乙作內外　故天爲陽地爲陰腰

已上爲天腰以下爲地人腰以上爲天爲陽也自腰以下爲地爲陰也經脈昇天降地與經水同行故得合也故清以北者爲陰湖以北者爲陰中之陰清水以北已是其陰湖在清北故爲陰中之陰也漳以南者爲陽河以北至漳者爲陽中陰漳南爲陽河北爲陰故河北至漳爲陽中陰也漯以南至江者爲陽中之太陽漯居陽地故爲陽中太陽　平按太陽太字甲乙無此一州之陰陽所以人與天地相參者也陰陽之理無形大之無外小之無内但人生一州之地形必象之故以一州陰陽合人者也　平按州靈樞作隅黃帝曰夫經水之應經脈也其遠近淺深水血之多少各不同合而以刺之奈何問有三意經水經脈遠近一也淺深二也水之與血多少三也然則身經脈有三不同請隨調之岐伯答曰足陽明五藏六府之海胃受水穀化成血氣爲足陽明脈資潤五藏六府五藏六府稟成血氣譬之四海滋澤無窮故名爲海也其脈大血多氣盛熱壯足陽明脈具有四義故得名海

其脈粗大一也其血又多二也其穀氣盛三也陽氣熱四也有此四義故得比於海也　平按熱下原缺一字據靈樞甲乙補入**刺此者不深弗散**刺此道刺中度人足三陽脈足陽明脈須深六分以爲深也其脈在皮下深血氣又盛故深六分方得散其氣也**不留不寫**血氣既盛留之方得頓而寫也若熱在皮膚之中聚爲病者即疾寫之故曰熱即疾寫也**足太陽深五分留七呼足少陽深四分留五呼足陽明深六分留十呼足太陰深三分留四呼足少陰深二分留三呼足厥陰深一分留二呼**問曰十二經脈之氣並有發穴多少不同然則三百六十五穴各屬所發之經此中刺手足十二經者爲是經脈所發三百六十五穴爲是四支流注五藏三十輸及六府三十六輸穴也答曰其正取四支三十輸及三十六輸餘之間穴有言其脈發會其穴即屬彼脈故取其脈者即是其脈所發之穴也問曰此手足陰陽所刺分數與明堂分數大有不同若爲取定答曰此及明堂所刺分數各舉一例若隨人隨病其例甚多不可一概也今足太陽脈在皮肉中有深四分有餘故以刺入五分爲例若脈行更有深淺可以意捫循取之爲當餘皆放此留七呼者此據太陽脈氣強弱以爲一例若病盛衰更多少可隨時調之不可以爲定也餘皆放此也　平按足陽明一段靈樞在足太陽上甲乙經陽明太陽下均

有多血氣刺四字足少陽下有少血氣刺四字太陰厥陰下均有多血少氣刺五字少陰下有少血多氣刺五字 手之陰陽其受氣之道近其氣之來疾其深皆毋過二分其留皆毋過一呼 手之六陰從手至胸屬藏絡府各長三尺五寸手之六陽從手至頭屬府絡藏各長五尺足之六陰從足至胸屬藏絡府各長六尺五寸足之六陽從足至頭屬府絡藏各長八尺此手足十二之脈當經血氣上下環流也然足經既長即血氣環流其道遠也復是陰氣故其行遲也手經既短即血氣環流其道近也復是陽氣故其行疾也以其道近脈淺刺深無過二分也以其氣疾故留之不過一呼也 平按其深靈樞甲乙經均作其刺深注從手至胸胸字原缺袁刻作胃據本注下文從足至胸應作胸字 其少長小大肥瘦以心撩之命曰法天之常 撩力條反取也人之生也五時不同初生為嬰兒能笑以上為孩六歲以上為小十八歲以上為少二十以上為壯五十以上為老今量三十以下為少三十以上為長黃帝之時七尺五寸以上為大不滿七尺五寸為小今時人之大小可以意取之天者理也少長小大肥瘦之變變而不恒以合天為妙此天之常道也賢人以意取之妙合其理故曰法天之常也 平按撩甲乙作料注為孩孩字下半蟲蝕細玩上半剩處於孩字為近日本醫心方卷二十五引太素經云小兒初生為嬰能笑為孩兒謹擬作孩袁刻作小復將下文六歲以上為小改作少十八歲以上

爲少改作壯二十以上爲壯改作長與原鈔不合又壯下二字原缺據靈樞衞氣失常篇五十己上爲老擬作五十二字灸之亦然灸而過此者得惡火即骨枯脈續刺而過此者則脫氣灸法亦須量人少長大小肥瘦氣之盛衰穴之分寸四時寒溫壯數多少不可卒中失於常理故壯數不足厥疾不瘳若過其限火毒入身諸骨枯槁經脈潰膿名爲惡火之病火無善惡火壯傷多故名惡火也　平按續靈樞甲乙經均作濇袁刻作潰據注經脈潰膿當是潰字別本亦作潰

黃帝問曰夫經脈之小大血之少多膚之厚薄肉之堅脆及䐃之大小可爲度量乎膚皮也䐃膕等塊肉也舉人形有十種不同請設度量合中之法也　平按靈樞少多作多少䐃作膕

岐伯答曰其可爲度量者取其中度者也不甚脫肉而血氣不衰者也若失度之人痟瘦而形肉脫者惡可以度量刺乎審切循捫按視其寒溫盛衰而調之是謂因適而爲眞者也中度者非唯取七尺五寸以爲中度亦取肥瘦寒溫

盛衰處其適者以爲中度膂音藉也七尺五寸人爲中度者量定捫没屯反摸也　平按失度失字靈樞作夫

黃帝內經太素卷第五　人合

黃陂　陳孝敞　蕭貞昌　校字

黄帝内經太素

甲子冬

蕭延平題

黄帝内經太素卷第六 藏府之一

通直郎守太子文學臣楊上善奉　敕撰注

黄陂蕭延平北承甫校正

平按此篇自喜樂者以上日本原鈔正本殘缺篇目亦不可考平從日本仁和寺宫御藏本殘卷十三紙中檢出自在我者以下至竭絶而失生經文楊注證以靈樞本神篇補入喜樂者以上斷珪零璧缺而復完洵堪寶貴自在我者以上惜無從查出故自黄帝問於岐伯曰至地之謹依靈樞卷二第八本神篇補入自喜樂者以下至末均見本神篇又見甲乙經卷一第一

黄帝問於岐伯曰凡刺之法必先本於神血脉營氣精神此五藏之所藏也至其淫泆離藏則精失魂魄飛揚志意悗亂智慮去身者何因而然乎天之罪與人之過乎何謂德氣生精神魂魄心意志思智慮請

問其故岐伯答曰天之在我者德也地之以上從靈樞本神篇補入在我者氣也德流氣薄而生者也未形之分挽與我身謂之德者天之道也故莊子曰未形之分物得之以生謂之德也陰陽和氣質成我身者地之道也德中之分流動陰陽之氣和亭遂使天道無形之分動氣和亭物得生也　平按注挽字恐係施字之誤故生之來謂之精雄雌兩神相搏共成一形先我身生故謂之精也兩精相搏謂之神即前兩精相搏共成一形一形之中靈者謂之神者也即乃身之微也問曰謂之神者未知於此精中始生未知先有今來答曰案此内經但有神傷神去與此神生之言是知來者非曰始生也及案釋教精合之時有神氣來託則知先有理不虛也故孔丘不答有知無知量有所由唯佛明言是可依隨神往來者謂之魂魂者神之別靈也故隨神往來藏於肝名曰魂並精而出入者謂之魄魄亦神之別靈也並精出此而入彼謂為魄也並薄浪反所以任物者謂之心物萬物也心神之用也任知萬物必有所以神□□□□□物□任物故謂之心也心有所憶謂之意意亦神之用也任物之心有所追憶謂之意也意之所存謂之志志亦神之用也所憶之意有所專存謂之志也

因志而存變謂之思 思亦神之用也專存之志變轉異求謂之思也 因思而遠慕謂之慮 慮亦神之用也變求之思逆慕將來謂之慮也 因慮而處物謂之智 智亦神之用也因慮所知處物是非謂之智也 故智者之養生也 神之所用窮在於智故曰智者之養生也 必順四時而適寒暑 智者養生要有之道春夏養陽使適於暑也秋冬養陰使適於寒 和喜怒而安居處 喜怒所生生於居處智者發而中節故因以和安也 節陰陽而調柔剛 陰以致剛陽以起柔兩者有節則剛柔得矣 平按柔剛靈樞甲乙均作剛柔 如是則邪僻不至長生久視 智者行和節養之道則五養神安六府氣調經脈用營腠理密緻如此沴癘元本不生八正四邪無由得至自斯已往或齊天地莫見冬抃或類彭年長生久視也 平按注五養恐係五藏之誤冬抃二字未詳因原鈔如是故仍之 是故怵惕思慮者流溢而不固 怵惕思慮多傷於心神傷無守所爲不固也 悲哀動中者竭絶而失生 人之悲哀動中傷於肝魂肝魂淚竭筋絶失□也 平按注失下原缺一字據經文應作生 喜樂者憚散而不藏 喜樂志達氣散□於肺魄故精不守藏也憚立

安反牽引也　平按攑靈樞甲乙均作僤原鈔作樿考樿音展上聲木白理也音義均不合疑作撣音彈寒韻太玄經撣繫其名提持也與本注音義爲近再查日本鈔本凡手旁多从木如搏作榑之類今樿字恐係撣字傳寫之誤注氣散下原缺一字據上注傷於肝應作傷䰟下原有故精不守藏也六字袁刻脱

愁憂者閉塞而不行也　愁憂氣結傷於脾意故閉塞不行　平按閉上靈樞甲乙有氣字　盛怒者迷惑而不理　盛怒氣聚傷於腎志故迷惑失理也　平按理靈樞甲乙作治　恐懼者蕩憚而不收　右腎命門藏精氣恐懼驚蕩則精氣無守而精自下故曰不收　平按甲乙注云太素不收作失守今仍作不收或另有本耶　心怵惕思慮則傷神　心藏也怵惕腎來乘心也思慮則脾來乘心二邪乘甚故傷神也　神傷則恐懼自失破䐃脫肉　神爲其主故傷神則反傷右腎故恐懼自失也亦反傷脾故破䐃脫肉也　毛悴色夭死于冬　毛悴肺傷色夭肝傷也以神傷則五藏皆傷也冬火死時也　肝悲哀動中則傷䰟　肝藏也悲哀太甚傷肝故曰動中肝傷則䰟傷　平按肝上靈樞有脾憂愁至死於春一段本書在後　䰟傷則狂忘不精不敢正當人　䰟既傷已肝腎亦傷故□□及□不精不敢當人也　平按狂忘甲乙作狂妄不精不敢正當人甲乙作其精不守注一本作

不精不精則不正當靈樞作狂忘不精不精則不正當人注
故下缺二字及下缺一字袁刻作故狂妄不精與原鈔不合
縮而攣筋兩脇骨舉肝足厥陰脈環陰器故魂肝傷宗筋縮也肝又主諸筋故攣也
肝在兩脇故肝病兩脇骨舉也　平按縮上靈樞有陰字骨舉
靈樞作骨不舉甲乙作令人
陰縮而肋攣兩脇肋骨不舉
毛悴色夭死于秋秋木死
時也
肺喜樂無極則傷魄肺藏也喜樂心喜乘肺無極傷
魄也　平按無極甲乙作樂極
魄傷則狂狂者意不存人皮革焦魄傷則傷藏故發狂病也以樂蕩神故狂病意不
當人又肺病皮革焦也　平按人皮革焦甲乙作
其人皮
革焦
毛悴色夭死于夏夏金
死時
脾愁憂而不解則傷意意傷則悗亂四支不舉肺來乘脾故憂愁不已傷意發狂悗亂並
脾病四支不舉也　平按悗甲乙作悶
毛悴色夭死于春春土死時也問曰脾主愁憂又云精氣並於肝則
憂即肝爲憂也素問云心在變動爲憂即心爲憂
也肺在志爲憂也即肺爲憂其義何也答曰脾爲四藏之本意主愁憂故心在
變動爲憂即意之憂也或在肺志爲憂亦意之憂也若在腎志爲憂亦是意之
憂也故愁憂所在皆屬脾也　平按心之憂在心變動肺之憂在肺之志詳素
問陰陽應象大論新校正引楊注又見甲乙經精神五藏論所引楊注按甲乙

經云肝之與腎脾之與肺互相成也脾者土也四藏皆受成焉故恐發於肝而成於腎愛發於脾而成於肝又云心之與肺脾之與心亦互相成也故喜變於心而成於肺思發於脾而成於心一過其節二藏俱傷此經互言其義耳又新校正謂甲乙經具有此説取五志迭相勝而爲言各舉一則義俱不足兩見之則互相成義也**腎盛怒而不止則傷志**肝來乘腎故不已傷志也**志傷則喜忘其前言腰脊不可以俛仰屈伸**腎志傷故喜忘腎在腰脊之中故腎病不可俛仰屈伸也　平按善靈樞甲乙均作喜屈伸二字甲乙無**毛悴色夭死于季夏**季夏水死時也**恐懼而不解則傷精**恐懼起自命門故不解傷精也**精傷則骨痠痿厥精□□**精爲骨髓之液故精傷則骨痠疼及骨痿也　平按厥精下原缺二字靈樞甲乙作時自下三字**是故五藏主藏精者也**人腎有二左爲腎藏右爲命門命門藏精精者五藏精液故五藏藏精**不可傷傷則守失而陰虛陰虛則無氣無氣則死矣**五藏之神不可傷也傷五神者則神去無守藏守失也六府爲陽五藏爲陰藏無神守故陰虛也陰藏氣無遂致死也故不死之道者養五神也人皆怵惕思慮則以傷神悲哀動中日亡魂性喜樂無極神魄散揚愁憂不解志意悗亂盛

怒無止失志多忘恐懼驚神傷精痿骨□以千端之禍害此一生終以萬品欲情澆亂真性仍服金石貴寶摧斯易生之軀多求神仙芳草日役百年之命昔彭聃以道怡性壽命遐長秦武採藥求仙早昇霞氣故廣成子語黄帝曰來吾語汝至道無視無聽抱神以靜形將自正也必靜必清無勞汝形無摇汝精心無所知神將守形可以長生故我修身千二百歲人皆盡死而我獨存得吾道者上爲皇下爲王失吾道者上見光下爲土是知安國安人之道莫大怡神亡神亡國之災無出情欲故岐伯以斯至道上答黄軒述千古之遺風拯萬葉之荼苦也　平按守失靈樞甲乙作失守注痿骨下原缺一字據下文終以終字此疑作始又注遺風別本作道風

是故用鍼者察觀病人之能以知精神魂魄之存亡得失之意五藏已傷鍼不可以治之也

上古但有湯液之爲而不用鍼至黄帝賊邪傷物故用鍼石並藥灸等雜合行之以除疾疾病療病之要必本其人五神存亡可得可失死生之意然後命諸鍼藥以行調養若其人縱逸五神以傷愚醫不候神氣存亡更加鍼藥必其早夭不待時也　平按察觀甲乙作觀察能靈樞甲乙均作態

肝藏血血舍魂肝氣虛則恐實則怒

肝心脾肺腎謂之五藏藏精氣也血脈營氣精謂之五精氣舍五神也肝主於筋人卧之時血歸於肝故魂得舍血也腎爲水藏主於恐懼肝爲木藏主怒也水以生木故肝子虛者腎母乘之故肝虛恐也

心藏

脉脉舍神心氣虛則悲實則笑不休肝爲木藏主悲哀也心爲火藏主於笑也木以生火故火子虛者木母乘之故心虛悲者也脾藏營營舍意脾氣虛則四支不用五藏不安實則脹經溲不利溲小留反營血肉也脾主水穀藏府之主虛則陽府四支不用陰藏不安實則脹滿及女子月經並大小便不利故以他乘致病也　平按此段靈樞在心藏脉之上則脹靈樞作則腹脹經溲甲乙作涇溲肺藏氣氣舍魄肺氣虛則息利少氣實則喘喝胸憑仰息肺主五藏穀氣亦不受他乘故虛則喘息利而少氣實則胸滿息難也　平按息利靈樞作鼻塞不利甲乙經作鼻息不利胸憑靈樞作胸盈甲乙作憑注云九墟作盈腎藏精精舍志腎氣虛則厥實則脹五藏不安肺爲金藏主於狂厥腎爲水藏主於水脹五藏不安金以生水故水子虛者金母乘之故狂厥逆也　平按志甲乙作氣必審察五藏醫療之道先識五藏氣之虛實及知虛實之病形以知其氣之虛實而謹調之所生之病然後命乎鍼藥謹而調之　平按靈樞無察字而謹調之作謹而調之也

五藏命分 平按此篇自篇首至末見靈樞卷八第四十七本藏篇又見甲乙經卷一第五

黄帝問於岐伯曰：人之血氣精神者，所以奉於生而周於性命者也。大初之無謂之道也，太極未形物得以生謂之德也，未形德者有分且然無間謂之命也，此命流動生物物成生理謂之形也，形體保神各有所儀謂之性也。是以血氣精神奉於一形之生，周於形體所儀之性，亦周有分無間之命，故命分流動成形體，保神爲性，形性久居爲生者，皆血氣之所奉也。平按奉下靈樞無於字。經脈者，所以行血氣而營陰陽，濡筋骨，利關節者也。十二經脈也，十二經脈行營血氣，營於三陰三陽，濡潤筋骨，利關節也。衛氣者，所以溫分肉，充皮膚，肥腠理，司關闔者也。衛氣慓悍，行於分肉，司腠理關闔也。平按關字原鈔作開，乃關字省文，袁刻作開，靈樞作關。志意者，所以御精神，收魂魄，適寒溫，和喜怒者也。脾腎之神志意者，能御精神，令之守身，收於魂魄，使之不散，調於寒暑，得於中和，和於喜怒，不過其節者，皆志意之德也。平按和喜怒和字原缺，袁刻作知，恐誤，靈樞作和，謹依靈樞補入，注御字原缺，據經文應作御。是故血和則經脈流行營覆陰陽筋骨勁强關節滑利矣營氣和益也覆者營氣能營覆陰陽也平按滑靈樞作清衛氣和則分解滑利皮膚調柔腠理緻密矣衛司腠理故緻密也平按分解滑利靈樞作分肉解利志意和則精神專直魂魄不散悔怒不至五藏不受邪氣矣志意所爲必當故無悔矣志意司腠理外邪不入故五藏不受也平按靈樞不至作不起不受邪氣作不受邪寒温和則六府化穀風痺不作寒暑内適六府則中和穀化賊風邪痺無由起也經脈通利支節得矣此人之常平也若爾血氣營衛志意調者乃是人之平和者平按得下靈樞有安字五藏者所以藏精神血氣魂魄者也六府者所以化穀而行津液者也此人之所以具受於天也愚智賢不肖毋以相倚也五藏藏神六府化穀此乃天之命分愚智雖殊得之不相依倚也津液即泣汗涎涕唾也平按穀上靈樞有水字液者二字原缺謹據靈樞補入愚上靈樞有無

字然其有獨盡天壽而毋邪僻之病百年不衰雖犯風雨卒寒大暑猶不能害也有其不離屏蔽室內無怵惕之恐然猶不免於病者何也願聞其故人有勞神怵惕無所不爲雖犯賊風邪氣獨盡天年復有閑居無思不預外邪不免於病不道傷命同稟血氣何乃有殊願聞其故也　平按其有靈樞作有其猶不能害靈樞作猶有弗能害邪僻僻字原缺之恐二字原缺謹據靈樞補入岐伯對曰窘乎哉問也窘奇預反急也五藏者所以參天地副陰陽而連四時化五節者也肺心居其上故參天也肝脾腎在下故參地也肝心爲牡副陽也脾肺腎等牝副陰也肝春心夏肺秋腎冬即連四時也從五時而變即化五節節時也　平按五節者也也字原缺據靈樞補入五藏者固有小大高下堅脆端正偏傾者六府者亦有長短小大厚薄結直緩急者天地陰陽四時八節造化不同用參五藏何得一也五藏各有五別□□六府皆准五藏亦有五別故藏府別言各有五別五五二十五也五藏既五六府亦五三焦一府屬於膀

胱故唯有五　平按注各有五別下空二格別本作各有五色五別下二格不空

凡此二十五者各各不同或善或惡或吉或凶請言其方心小則安此爲善也易傷以憂即爲惡也心堅則藏安守固此爲吉也心脆則喜病消癉熱中即爲凶也如此藏府隨義皆有善惡吉凶請具陳也　平按其方其字原缺謹據靈樞補

心小則安邪弗能傷易傷以憂心大則憂不能傷易傷於邪藏小則神□不敢自寬故常安邪不入也藏大則神氣宣縱故憂不能傷邪入不安也　平按甲乙經以憂作於憂又按甲乙經注云太素邪作外邪今本仍無外字又注神下一字原缺左旁恐係收字袁刻作敢

心高則滿於肺中悗而喜忘難開以言心藏高者則神高也心高肺逼□於心故悗喜忘也以其神高不受他言故難開以言也　平按肺中中字原缺謹據靈樞補入喜靈樞作善注心高高字原缺下方細玩剩處於高字爲近謹據經文作高逼下一字原不全細玩剩處與近字相似袁刻作小恐未安謹空一格

心下則藏外易傷於寒易恐以言心下則在肺藏之外神亦居外故寒易傷也亦以神下故易恐以言也

心堅則藏安守固藏堅則神守亦堅固故其心藏安不病其神守堅固

心脆則喜

病消癉熱中五藏柔脆神亦柔脆故藏柔脆人血脈上行轉而爲熱消肌膚故病消癉熱中也癉音丹熱中胃中熱故也　平按脆原缺謹據靈樞甲乙補熱中中字原缺旁有小注中字據注熱中胃中熱也應作熱中靈樞甲乙同袁刻作注刻在五藏柔脆上則混經於注矣心端正則和利難傷五藏端正神亦端正也神端正性亦和柔故聲色芳味之利難相傷也斯乃賢人君子所以得心神也心偏傾操持不壹無守司也心藏偏傾不一神亦如之故操持百端竟無守司之恒此爲衆人小人所得心神也心藏言神有此八變後之四藏但言藏變皆不言神變者以神爲魂魄意志之主言其神變則四種皆知故略不言也　平按甲乙經注引楊上善注云心藏言神有八變後四藏但言藏變不言神變者以神爲魂魄意之主言其神變則四藏可知故略而不言也與此注正合袁刻心藏言神誤作之神意志下空十一格不合肺小則少飲不病喘喝人分所得肺小則少飲漿水又肺小不受外邪故不病喘喝喝喘聲　平按甲乙無喝字大則喜病胸痺喉痺逆氣肺大喜受外邪故喜病痺及逆氣也　平按大則下靈樞甲乙有多飲二字甲乙無喉痺二字肺高則上氣肩息欲欬肺高則上迫缺盆故上氣喘息兩肩並動故曰肩息又肺上迫故數欲欬　平按肩息欲欬靈樞無欲字甲乙作喘息欬逆肺下則居賁迫肝善

脇下痛賁當膈也補崑反氣來委膈下迫於肝致脇下痛以肝居脇下故也　平按居賁甲乙作逼賁迫肝靈樞甲乙作迫肺注委膈原校作垂膈肺堅則不病欬上氣肺藏堅固不爲邪傷故無欬與上氣也　平按欬甲乙作欬逆肺脆則善病消癉易傷以下四藏之變例同心藏　平按善靈樞作苦甲乙易傷下有也字注云一云易傷於熱喘息鼻衄肺端正則和利難傷也肺偏傾則胸偏痛也偏傾者隨偏所在即偏處胸痛也肝小則安無脇下之病肝小不受外邪故安無兩脇下痛　平按安上靈樞有藏字肝大則逼胃迫咽迫咽則喜鬲中且脇下痛胃居肝下咽在肝傍肝大下逼於胃傍迫於咽迫咽則咽膈不通飲食故曰膈中也肝大受邪故兩脇下痛　平按咽迫咽三字原缺謹據甲乙補喜靈樞作苦肝高則上支賁切脇急爲息賁肝高上支於膈又切於脇支膈切脇既急即喘息於賁故曰息賁也　平按切甲乙作加急靈樞作悗肝下則安胃脇下空空則易受邪胃居肝下是以肝下則安於胃上脇下無物故易受邪氣　平按安胃靈樞作逼胃肝堅則藏安難傷也肝堅則外邪不入故安難傷也

肝脆則喜病消癉易傷也肝端正則和利難傷也肝偏傾則脇下偏痛也偏近一箱則一箱空處偏痛也 平按偏痛偏字靈樞無脾小則安難傷於邪也脾小外邪不入故安而難傷也脾大則善湊眇而痛不能疾行眇以沼反胠空處也脾大湊向空眇而痛大□不行則□胠空也 平按善靈樞甲乙作苦眇甲乙音停注不行上原缺一字袁刻作力則下原缺一字袁刻作脇脾高則眇引季脇而痛脾下則眇緩高則眇牽季脇中痛也脾下則下加於大腸加於大腸則藏外善受邪脾下即是大腸故脾下加出於脾藏所居之外故喜受邪 平按外善受邪靈樞無外字善作苦脾堅則藏安難傷也外邪不傷故安脾脆則喜病消癉易傷也脾端正則和利難傷也脾偏傾則喜瘈喜脹瘈充曳反牽縱也脾偏形近一箱動而多痺又氣聚為脹也 平按喜瘈喜脹靈樞作善滿善脹甲乙經作瘈瘲喜脹腎小則安難傷也腎小不受外邪故安而難傷也腎大則喜病腰痛不可以

俛仰易傷以邪也腎大在於腰中故俛仰皆痛也腎高則善背膂痛不可以俛仰腎高去腰著於脊膂故脊膂痛不得俛仰也腎下則腰尻痛不可以俛仰爲狐疝腎下入於尻中下廹膀胱故尻痛不可俛仰疝所姦反小腹痛大小便難曰疝疝有多種此爲狐疝謂狐夜時不得小便少腹處痛日出方得人亦如此因名狐疝也腎堅則不病腰背痛腎在腰背之間故腎堅則腰不痛也腎脆則善病消癉腎端正則和利難傷也腎偏傾則善腰尻偏痛二腎有一偏傾則偏處痛也按癉下靈樞甲乙有易傷二字　平凡此二十五變者人之所以喜常病也人之五藏受之天分有此二十五變者不由人之失養之愆故雖不離屏蔽常喜有前病也

黃帝曰何以知其然也五藏二十五變皆在身中變生常病亦居其内未知因候知以爲調養也岐伯曰赤色小理者心小粗理者心大理者肉之文理粗音麤也無䯏骬者心高䯏骬小短舉者心下䯏骬長者心堅䯏骬

弱以薄者心脆，髃骬直下不舉者心端正，髃骬倚一方者心偏傾也。髃骬胸前蔽骨蔽心神也其心上入肺中不須蔽骨故心高以無蔽骨爲候也高者志意高遠也故短小舉者爲心下之候下者志意卑近也　平按骬靈樞作骬弱下靈樞甲乙有小字　白色小理者肺小，粗理者肺大，巨肩反膺陷喉者肺高，合掖張脇者肺下，好肩背厚者肺堅，肩背薄者肺脆，好肩膺者肺端正，脇偏竦者肺偏傾也。大肩胸膺反□喉骨陷入肺必高上　平按巨肩巨字原鈔作臣謹依靈樞甲乙作巨掖靈樞甲乙作腋好肩膺靈樞甲乙作背膺厚竦靈樞作踈甲乙作竦注云一作欵　青色小理者肝小，粗理者肝大，廣胸反骹者肝高，合脇兔骹者肝下，胸脇好者肝堅，脇骨弱者肝脆，膺腹好好相得者肝端正，脇骨偏舉者肝偏傾也。骹足脛也反前曲出也　平按兔靈樞作兔甲乙作脆好好靈樞甲乙均不重恐衍　黃色小理者脾小，粗理者脾大，揭脣者脾高，脣下縱者脾下，脣堅者脾堅，脣大而不堅者脾脆，脣上下好者脾端正，脣偏舉者脾偏傾也。揭，舉也，起輒反。黑色小理者腎小，粗理者腎大，高耳者腎高，耳後陷者腎下，耳堅者腎堅，耳薄不堅者腎脆，耳好前居牙車者腎端正，耳偏高者腎偏傾。一箱獨高爲偏。平按：高耳，甲乙作耳高。凡此諸變者，持則安，減則病。凡此二十五變，過分以爲不善，減則爲病，持平安和以爲大則也。平按：減原鈔作咸，謹依靈樞、甲乙作減。黃帝曰：善哉！然非余之所問也。願聞人之有不可病者，至盡天壽，雖有深憂大恐怵惕之志，猶不能感也，甚寒大熱，弗能傷也；其有不離屏蔽室内，又無怵惕之恐，然不免於病者何也願聞其故子言五藏之變所知是要然非吾之問本意問本意者人生盡於天壽內則深憂大恐外則甚寒極熱然無所傷不爲病也而有外無寒暑之侵內去怵惕之懷而疾病百端其故何也　平按感靈樞作減岐伯曰五藏六府者邪之舍也請言其故五藏六府堅端正者和利得人則道之宅也藏府脆而偏傾則邪氣舍也爲道之宅則其性和柔神明聰利人之受附也爲邪之舍不離病也心奸邪也喜爲盜也乖公正也言不恒也是知二十五變雖得之於天調養得中縱內外邪侵不爲病也乖和失理雖不離屏蔽終爲病也前言一藏各有五病末極理也今言一變具有五藏方得盡理故請言故也五藏皆小者少病善焦心愁憂夫五神以依藏故前言心藏之變神亦隨之次說四藏之變不言神變今總論五藏初有四變唯言於神次有二變但說於藏次有二變復但言神也心藏形小外邪難入故少病神亦隨小故不能申焦心愁憂也　平按靈樞甲乙善均作苦愁憂上均有大字注自申袁刻自作白五藏皆大者緩於事難使憂五藏皆高者好高舉措措置也旦故反　平按憂上靈樞甲乙均有以字舉措正統本甲乙經作舉指五藏皆下者好出人下意志卑弱五藏皆堅者無病五藏皆脆者不離於病五

蘭陵堂刊

藏皆端正者和利得人五藏皆偏傾者邪心喜盜不可以爲人平反覆言語也喜虚意反好也和謂神性和柔利謂薄於名利並爲人所附也　平按得人下靈樞甲乙均有心字喜盜均作善盜不可以爲人甲乙無以字覆甲乙作復

藏府應候平按此篇自篇首至末見靈樞卷七第四十七本藏篇又見甲乙經卷一第五

黃帝問曰願聞六府之應五藏應候已説於前六府之候闕而未論故次問之岐伯答曰肺合大腸大腸者皮其應也心合小腸小腸者脉其應也肝合膽膽者筋其應也脾合胃胃者肉其應也腎合三焦膀胱三焦膀胱者腠理豪毛其應也腎合三焦膀胱故有五府也五藏爲陰合於五府五府爲陽故皮脉筋肉腠理豪毛五府候也　平按肝合膽肝字原缺謹依靈樞甲乙補豪靈樞甲乙作毫

黃帝曰應之奈何岐伯答曰肺應皮皮厚者大腸厚

皮薄者大腸薄，皮緩腹果大者大腸大而長，皮急者大腸急而短，皮滑者大腸直，皮肉不相離者大腸結。應候也。肺以皮爲候，肺合大腸，故以其皮候大腸也。結，紆屈多。　平按：果，靈樞、甲乙作裹。大而長，大字甲乙作緩。皮急者大腸急而短，甲乙作皮急而短。皮滑，皮字原缺不全，靈樞、甲乙均作皮，袁刻作外，恐誤。心應脈，皮厚者脈厚，脈厚者小腸厚；皮薄者脈薄，脈薄者小腸薄；皮緩者脈緩，脈緩者小腸大而長；皮薄而脈沖小者，小腸小而短。心合於脈，脈在皮中，故得以皮候脈，脈候小腸也。沖，虛也。脈虛小也。　平按：小腸大而長，小字原缺，謹依靈樞、甲乙補。脈沖小者，沖字道藏本靈樞作衝。諸陽經脈皆多紆屈者小腸結。諸陽脈，六陽經也。小腸之脈，太陽也。太陽與諸陽爲長，故諸陽經紆屈多者，則知小腸亦紆屈也。紆屈即名爲結也。陽經在於膚，不見，候其陽絡即經可知矣。　平按：多字原缺，謹依靈樞、甲乙補。注與諸陽，與字袁刻脫。脾應肉，肉䐃堅大者胃厚，肉䐃麽者胃薄，肉䐃小而麽者胃不堅脾以合胃故以肉䐃候於胃也麽小也莫可反　平按麽袁刻作糜注同靈樞甲乙均作麽肉䐃不稱其身者胃下者下管約不利肉䐃不堅者胃緩謂䐃顆累與身大小不相稱也胃下逼於下管故便溲不利　平按管甲乙作脘下管約甲乙注云太素作下脘未約肉䐃無小果累者胃急肉䐃多小果累者胃結者胃上管約不利果音顆謂肉䐃無小顆段連累　平按果靈樞甲乙作裹小果累下甲乙有標緊二字多小果靈樞作多少裹累胃結二字靈樞甲乙重肝應爪厚色黃者膽厚爪薄者膽薄爪堅者膽急爪濡者膽緩肝以合膽膽以應筋爪爲筋餘故以爪候膽也　平按應爪甲乙作應筋爪爪薄爪堅爪濡下靈樞甲乙有色紅色青色赤等字爪無弱者膽直無弱強也爪強膽直也　平按無弱者靈樞甲乙作直色白無約者爪惡色多敗者膽結人之爪甲色不得明淨又多好破壞者其人膽紆屈結也　平按多敗二字靈樞作黑多紋三字甲乙作黑多文三字腎應骨密理厚皮者三焦膀胱厚粗理薄皮者三焦膀胱

薄腠理疏者三焦膀胱緩急皮而無豪毛者三焦膀胱急豪毛美而粗者三焦膀胱直希豪毛者三焦膀胱結腎以應骨骨應三焦膀胱三焦膀胱氣發腠理故以腠理候三焦膀胱也三焦之氣如霧漚溝瀆與膀胱水府是同故合為一府也腠理豪毛在皮故亦以皮之豪毛為候也　平按腠理疏靈樞作疏腠理急皮二字靈樞甲乙均作皮急希均作稀黃帝曰薄厚美惡皆有形願聞其所病已聞六府美惡之形然未知美惡生病何如　平按薄厚靈樞作厚薄形上甲乙有其字

岐伯曰各視其所外應以知其內藏則知其所病矣各視外候則知所生病矣　平按各字靈樞無所外應所字靈樞甲乙無

藏府氣液

平按此篇自篇首至不得盡期而死矣見靈樞卷四第十七脈度篇自肺氣通於鼻至不得盡期而死矣見甲乙經卷一第四自五藏氣心主意至腎主骨見素問卷七第二十三宣明五氣篇自黃帝問至實而不滿見素問卷三第十一陰陽別論自腦髓骨脈膽至實而不滿見甲乙經卷一第三自問曰太陰陽明至下先受之見素問卷八第二十九太陰陽明論篇又見甲乙經七卷第一上篇自問曰見眞藏至帝曰善見素問

卷六第十九玉機真藏論篇又見甲乙經卷四第一上篇自問曰脾病而四支不用至末見素問太陰陽明論又見甲乙經九卷第六又按素問玉機真藏論注新校正云詳自黃帝問至帝曰善一段全元起本在第四卷太陰陽明表裏篇中王冰移於此據此則太素與全元起本同惜全本已亡無從查究耳

五藏常內閱於上在七竅閱余說反簡也其和氣上於七竅能知臭味色穀音等五物各有五別也　平按在七竅靈樞作七竅也肺氣通於鼻鼻和則鼻能知臭香矣肺脈手太陰正別及絡皆不至於鼻而別之入於手陽明脈中上俠鼻孔故得肺氣通於鼻也又氣有不循經者積於胸中上肺循喉嚨而成呼吸故通於鼻也鼻爲肺竅故肺氣和者則鼻得和氣故鼻知臭香素問言有五臭經無五香香脾之臭也　平按鼻和靈樞作肺和臭香甲乙作香臭心氣通於舌舌和則舌能知五味矣舌雖非竅手少陰別脈循經入心中上繫舌本故得心氣通舌也素問赤色入通於心開竅於耳者腎者水也心者火也水火相濟心氣通耳故以竅言之即心以耳爲竅又手太陽心之表脈入於耳中故心開竅在於耳也　平按舌和靈樞作心和肝氣通於目目和則目能辨五色肝脈足厥陰上頏顙也連目系故得

通於目系　平按目和靈樞作肝和甲乙辨作視

脾氣通於口，口和則口能知五穀矣。脾足太陰脈上膈俠咽連舌本散舌下故得氣通口也穀有五味舌已知之五穀之別口知之也故食麥之者不言救也　平按口和靈樞作脾和甲乙知作別穀下有味字注麥之之字疑衍

腎氣通於耳，耳和則耳能聞五音矣。手足少陽手足太陽及足陽明絡皆入耳中手少陽足少陽手太陽此三正經入於耳中足太陽脈在耳上角又入腦中即亦絡入於耳足陽明耳前上行亦可絡入耳中手陽明絡別入耳中計正經及絡手足六陽皆入耳中經說五絡入耳中疑足太陽絡不至於耳也　平按耳和靈樞作腎和

五藏不和則七竅不通，六府不和則留爲癰疽。五藏主藏精神其脈手足六陰絡於六府屬於五藏六府主貯水穀其脈手足六陽絡於五藏屬於六府七竅者精神戶牖也故六陰受邪入藏則五藏不和五藏不和則七竅不通利也六陽受邪入府則六府不和六府不和則陽氣留處處爲癰疽　平按七竅甲乙作九竅留爲癰疽甲乙作留結爲癰靈樞無疽字注處處下處字疑衍

故邪在府則陽脈不利，陽脈不利則氣留之，氣留之則陽氣盛矣。故外邪循脈入府則府內不調流於陽脈陽脈澀而不利陽氣留停不和於陰故陽獨盛也　平按不利靈樞甲乙

作不和陽氣大盛則陰脈不利陰脈不利則氣留之氣留之則陰氣盛矣陰氣大盛則陽氣弗能營也故曰關陰氣和陽故陰氣和利也陽氣盛不和於陰則陰氣澀也陰氣澀而停留則陰氣獨而盛也陰脈別走和陽故陽得通也陰既獨盛不和於陽則陽氣不能營陰故陰脈關閉也　平按陽氣大盛甲乙作邪在藏三字不利甲乙作不和氣留兩氣字靈樞甲乙均作血弗能營甲乙作不得相營陽氣大盛則陰氣弗得營也故曰格陰陽俱盛弗得相營也故曰關格陽氣獨盛不和於陰則陰脈不能營陽以陽拒格故名格　平按自上節故曰關及本節陽氣大盛則陰氣弗得營也甲乙無關格者不得盡期而死矣陰陽脈有關格即以其時與之短期不可極乎天壽者也

五藏氣心主噫肺主欬肝主語脾主吞腎主欠噫乙戒反飽滿出氣也五藏從口中所出之氣皆是人常氣之變也素問腎主嚔不同也　平按五藏氣素問作五氣所病五主字素問均作爲欠下素問有爲嚔二字

六府氣膽爲怒胃爲氣逆爲噦小腸大腸爲泄膀胱

不約爲遺溺下焦溢爲水皆是六府之氣所變之病素問胃爲逆氣爲恐腸爲洩膀胱不利癃遺溺也平按素問無六府氣三字膽爲怒在遺溺下爲嚏下有爲恐二字小腸大腸作大腸小腸爲泄下有下焦溢爲水五字膀胱下有不利爲癃四字遺溺下無下焦溢爲水五字五并精氣并於肝則憂并於心則喜并於肺則悲并於腎則恐并於脾則畏是謂精氣并於藏也精謂命門所藏精也五藏之所生也五精有所不足不足之藏虛而病也五精有餘所并之藏亦實而病也命門通名爲腎肝之母也母實并子故爲憂也心爲火也精爲水也水剋於火遂壞爲喜肺爲金也水子并母故有悲憐精并左腎則腎實生恐脾爲土也水并於土被剋生畏素問精并於脾消食生飢如是相并爲病乃有無窮斯爲陰陽五行之變也　平按素問五并作五精所并心肺肝脾腎以次爲序與此不同是謂精氣并於藏句作是謂五并虛而相并者也注左腎衰刻作於腎五惡肝惡風心惡熱肺惡寒腎惡燥脾惡濕此五藏氣所惡東方生風風生於肝肝之盛即便惡風以子從樹生子生多盛必衰本樹相生之物理皆然也故肝惡風也南方生熱熱從心生故心惡熱也素問曰西方生燥燥生於肺若爾則肺惡於燥今此肺惡寒腎惡燥者燥在於秋寒之始也寒在於冬燥之終也肺

在於秋以肺惡寒之甚故言其終腎在於冬以腎惡燥不甚故言其始也中央生溼溼生於脾以其脾感故惡溼也　平按素問五惡作五藏所惡心肺肝脾腎仍以次爲序此五藏氣所惡句作是謂五惡又新校正節引此注自肺惡燥至言其始也止

五液心主汗肝主淚肺主涕腎主唾脾主涎此五液所生汗者水也遍身腠理之液也心者火也人因熱飲熱食及因時熱蒸於溼氣液出腠理謂之汗也肝通於目目中出液謂之淚也肺通於鼻鼻中之液謂之涕也腎脈足少陰上至頏顙通出口中名之爲唾故腎主唾也脾足太陰脈通於五穀之液上出廉泉故名爲涎　平按素問五液作五藏化液心肺肝脾腎仍以次爲序五主字均作爲此五液所生句作是謂五液

五藏心藏神肺藏魄肝藏魂脾藏意腎藏精志五藏財浪反腎有二枚左箱爲腎藏志也在右爲命門藏精也　平按五藏素問作五藏所藏精志精字素問無新校正云按楊上善云腎有兩枚左爲腎藏志右爲命門藏精與此正合

五主心主脈肺主皮肝主筋脾主肌腎主骨平按五主素問作五藏所主肌素問作肉

黃帝問於岐伯曰余聞方士或以腦髓爲藏或以爲府或以腸胃爲藏或以爲府敢問更相

反皆自謂是不知其道願聞其說方道也異道之士所說藏府不同腦髓骨脈膽及女子胞此六或有說之爲藏或有說之爲府胃大腸小腸三焦膀胱此五或有說之爲藏或有說之爲府所說藏府相反何者爲真　平按素問黃帝問下無於岐伯三字岐伯曰腦髓骨脈膽及女子胞此六者地氣所生也皆藏於陰而象於地故藏而不寫名曰奇恆之府胞豹交反生兒裹也地主苞納收藏腦髓等六法地之氣陰藏不寫故得名藏以其聚故亦名府府聚也此本非是常府乃是奇恆之府奇異恆常　平按六者二字原缺謹依素問補入寫甲乙作瀉下同夫胃大腸小腸三焦膀胱者天氣之所生也其氣象於天故寫而不藏此受五藏濁氣故名曰府天主輸洩風氣雨露故此五者受於五藏糟粕之濁去於天氣輸寫不藏故是恆府唯有五者以膽一種藏而不寫割入奇府是肝之表故得名府也　平按素問膀胱下有此五二字故名曰府作名曰傳化之府甲乙同此不能久留輸寫魄門並精□□之處謂之魄門此五之中三焦亦能輸寫精氣於魄門也　平按輸寫下素問甲乙有者也二字魄門二字屬下節亦爲

蘭陵堂刊

五藏使水穀不得久藏五藏在內爲主六府在外爲使使之行於水穀也所謂五藏者藏精神而不寫者也故滿而不能實精神徧於藏中不離故不寫而滿也雖滿常虛故不實　平按精神素問作精氣新校正云按全元起本及甲乙經太素精氣作精神與此正合六府者實而不能滿所以然者水穀之入口則胃實而腸虛食下則腸實而胃虛故曰實而不滿腸胃更滿故爲實也更虛故不滿也飽食未消腸中未有糟粕即胃實腸虛也食消以下於腸胃中未有食入即腸實胃虛也以其胃虛故氣得上也以其腸虛故氣得下也氣得上下神氣宣通長生久視　平按六府者下素問甲乙均有傳化物而不藏句問曰太陰陽明表裏也脾胃脈也生病異何也足太陰足陽明脾胃二脈諸經之海生病受益以爲根本故別舉爲問也　平按太陰上甲乙有足字表裏上素問甲乙有爲字生病異甲乙作生病異者素問作生病而異者答曰陰陽異位更實更虛更逆更順或從內或從外所從不同故病異名太陰爲陰陽明爲陽即異位也春夏陽明爲實太陰

爲虛，秋冬太陰爲實，陽明爲虛，即更虛實也。春夏太陰爲逆，陽明爲順；秋冬陽明爲逆，太陰爲順也。手三陰從内向外也，手三陽從外向内也；足之三陰從外向内，足之三陽從外向内也。十二經脉陰陽六種不同，生病固亦多也。　平按：更實更虛更逆更順，素問作更虛更實更逆更從。又按：素問新校正所引楊注與此正合。

黄帝曰：願聞其異狀。問其病異。答曰：陽者天氣也，主外；陰者地氣也，主内。故陽道實，陰道虛。陽爲天氣主外，故陽道實也；陰爲地氣主内，故陰道虛也。故犯賊風虛邪者陽受之，食飲不節起居不時者陰受之。風寒暑溼虛邪外入腠理，則六陽之脉受之；飲食男女不節，則六陰受之。　平按：甲乙陽受之下有則入府三字，陰受之下有則入藏三字，本書在下。陽受之則入六府，陰受之則入五藏。六陽受於外，邪傳入六府；六陰受於内，邪傳入五藏也。入六府則身熱不時臥，上爲喘呼。六府陽氣在外，故身熱也。陽盛晝眠，不得至夜，故不時臥也。陽氣盛於上，故上爲喘呼也。　平按：不時臥，甲乙作不得眠。入五藏則䐜滿閉塞，下爲飧泄，久爲腸澼。陰邪在中，實則䐜脹腸滿，閉塞不通；虛則下利腸澼。故喉主天氣咽主地氣肺爲天也喉出肺中之氣呼吸故主天脾爲地咽出脾胃噫氣故主地故陽受風氣陰受溼氣風從上下故陽受之溼從下上故陰受之故陰氣從足上行至頭而下循臂至指端陽氣從手上行至頭而下至足足三陰脈從足至頭走頭下胸橫出腋下循臂至指端爲手三陰脈也變爲手三陽脈從手指端上行至頭下行至足爲足三陽陰陽相注如環無端　平按兩下字下素問甲乙均有行字故曰陽病者上行極而下行陰病者下行極而上行故傷於風者上先受之傷於溼者下先受之陽病者三陰之脈上行至頭極巳爲陽受風熱巳下行陰病者三陽之脈下行至足極巳爲陰受寒溼巳上行故傷風上先受之傷溼下先受之　平按而下行而上行兩行字素問甲乙無注風熱巳巳字袁刻作矣問曰見真藏曰死何也無餘物和雜故名真也五藏之氣皆胃氣和之不得獨用如至剛不得獨用獨用即折和柔用之即固也五藏之氣和於胃氣即得長生若真獨見無和胃氣必死期也欲知五藏真見爲死和胃爲生者於寸口診手太陰即可知之也見者如弦是肝脈也微弦爲平好也微弦謂弦之少也三分有一分爲微二分胃氣與一分弦氣俱動爲微弦也

三分並是弦氣竟無胃氣爲見真藏也見真藏死其理至妙請陳其理故曰何也　平按素問新校正引此注甚詳答曰五藏者皆稟氣於胃胃者五藏之本也五藏不能自致於手太陰必因於胃氣乃能至手太陰胃受水穀變化精氣而資五藏故五藏得至手太陰寸口見於微弦也故五藏各以其時自爲而至手太陰五藏主於五時至其時也其藏有病之甚者胃氣不與之居不因胃氣以呼吸之力獨自至於太陰寸口見於真弦也　平按自字原缺謹依素問補注不與之居別本居作俱故邪氣勝者精氣衰真藏脈弦不微無胃氣者則知肝病勝也肝病邪勝則胃穀精氣衰故病甚者胃氣不能與之俱至於手太陰故真藏之氣獨見獨見者爲病勝藏也故曰死黃帝曰善真見病甚故致死也　平按自問曰見真藏至此新校正謂全元起本在太陰陽明表裏篇中此乃王氏所移今檢素問太陰陽明論篇前後均在此篇惟此一段在玉機真藏論中其爲王氏所移益信問曰脾病而四支不用何也五藏皆連四支何因脾病獨四支不用也　平按脾字原

缺謹依素問補入答曰：四支皆稟氣於胃，而不得徑至，必因脾乃得稟。今脾病不能爲胃行其津液，四支不得稟水穀氣，氣日以衰，脈道不利，筋骨肌肉皆無氣生，故不用焉。土旺四季，四季皆有土也。脾長四藏，四藏皆有脾也。何者？四支百體稟氣於胃，胃以水穀津液資四支，當用資四支之時，胃氣不能徑到四支，要因於脾得水穀津液營衛之氣，營於四支，四支稟承方得用也。若其脾病，脈道不通，則筋骨肌肉無氣以生，故不用也。平按：徑至袁刻誤作俱至，素問作至經，新校正云：太素至經作徑至，楊上善云：胃以水穀資四支，不能徑至四支，要因於脾得水穀津液營衛於四支。與此注合。不利，甲乙作不通。皆無氣生，素問作皆無氣以生，甲乙同。

問曰：脾之不主時何也？答曰：脾者土也，治中央，常以四時長四藏，各十八日寄治，不得獨主時。脾藏有常著土之精也。四藏之本皆爲土也，十八日用，故曰寄也。著，澄略反，在也。脾藏在土之精妙也。平按：治中央，甲乙作土者中央。不得獨主時，甲乙無得字，素問作不得獨主於時也。脾藏有常著，甲乙作脾者土藏常著胃，素問作脾藏者常著胃土者主萬物而法天地故上下至頭足不得主時土爲萬物之質法於天地與萬物爲質故身與頭手足爲體身不別主時　平按主素問甲乙作生天地天字主時二字原缺謹依素問甲乙補　問曰脾脾陰胃陽與胃也以募相逆耳而能爲之行津液何也脾內胃外其位各別故相逆也其別異何能爲胃行津液氣也一曰相連脾胃表裏陰陽募既相假故曰相連也　平按以募相逆素問作以膜相連耳新校正云按太素作以募相逆楊上善云脾陰胃陽脾內胃外其位各異故相逆也又注故相下原鈔缺二字依新校正所引應作逆也二字袁刻相上脫故字逆下脫也字又注陰陽募袁刻募誤作前　答曰足太陰三陰也脈貫胃屬脾絡嗌故太陰爲之行氣於三陰嗌於末反咽也足太陰脈貫胃屬脾上行絡嗌其氣强盛能行三陰之脈故太陰脈得三陰名也　平按脈上素問甲乙有其字　陽明者表也五藏六府之海也亦爲之行氣於三陽藏府各因其經而受氣於陽明故爲胃行其津液四支不得禀水穀之氣日以益衰

陰道不利筋骨脈肉皆毋氣以主故不用焉陽明爲陰陽藏府之海五藏六府各因十二經脈受氣於陽明故經脈得爲胃行津液之氣四支禀承四支得□□經脈不□陽明則陰脈不通筋骨脈肉无氣以主也　平按陽明者表也者表二字原缺謹依素問甲乙補入水穀下素問甲乙無之字日以益衰甲乙作氣日以衰脈肉二字原缺素問甲乙作肌肉依本注應作脈肉

陶子麟仿宋

黄帝内經太素卷第六　藏府之一

黄陂　陳孝啟　蕭貞昌　校字

黄帝内經太素卷第八 經脈之一

通直郎守太子文學臣楊上善奉　敕撰注

黄陂蕭延平北承甫校正

平按此篇自餘則二字以上殘脱篇目亦不可考故自盛有二字上從靈樞卷三第十經脈篇及甲乙經卷二第一上篇補入自餘則二字以下至末見靈樞經脈篇又見甲乙經卷二第一上篇

雷公問於黄帝曰禁脈之言凡刺之理經脈爲始平按靈樞始下有營其所行制其度量内次五藏外別六府四句願聞其道平按靈樞聞上有盡字其道下有黄帝曰人始生先成精精成而腦髓生骨爲幹脈爲營筋爲剛肉爲牆皮膚堅而毛髮長穀入于胃脈道以通血氣乃行雷公曰願卒聞經脈之始生五十七字黄帝荅曰經脈者所以決死生處百病調虚實不可不通也平按靈樞曰上無荅字決上有能字通下無也字肺手太陰之脈起於中焦下絡大

腸還循胃口上膈屬肺從肺系橫出腋下下循臑內行少陰心主之前下肘中循臂內上骨下廉入寸口上魚循魚際出大指之端其支者從腕後直出次指內廉出其端是動則病肺脹滿膨膨然而喘欬缺盆中痛甚則交兩手而瞀此爲臂厥是主肺所生病者欬上氣喘渴煩心胸滿臑臂內前廉痛厥掌中熱氣盛有從靈樞甲乙經補入餘則肩背痛肺氣盛故上衝肩背痛也風寒汗出中風不浹數欠肺脈盛者則大腸脈盛天有風寒之時猶汗出藏中身外汗少故曰不浹祖夾反謂潤洽也有本作汗出中風小便數而欠陰陽之氣上下相引故多欠也　平按不浹數欠靈樞作小便數而欠甲乙同又欠袁刻誤作次注有本袁刻作本有氣虛則肩背痛寒盛氣衝滿肩背痛也肩背元氣虛而痛也陽虛陰并故肩背寒也　平按肩背下原鈔重一背字靈樞甲乙經均不重疑衍少氣

不足以息溺色變肺以主氣故肺虛少氣不足以息也大腸脈虛令膀胱虛熱故溺色黃赤也溺音尿爲此諸病手太陰脈氣爲前諸病也盛則寫之虛則補之八十一難曰東方實西方虛寫南方補北方何謂也然金木水火土當更相平東方木也木欲實金當平之火欲實水當平之土欲實木當平之金欲實火當平之水欲實土當平之東方者肝也肝實則知肺虛寫南方補北方南方火者木之子也北方水者木之母也水以勝火子能令母實母能令子虛故寫火補水欲令金去不得干木也　平按注欲令金去不得干木也句難經無去字干作平滑注云金不得平木不字疑衍復云經曰一藏不平所勝平之東方肝也西方肺也東方實則知西方虛若西方不虛則東方安得過實或寫或補要亦抑其甚而濟其不足損過就中之道越人之意蓋謂東方過於實而西方之氣不足故寫火以抑其木補水以濟其金是乃使金得與木相停故曰欲令金得平木也若曰欲令金不得平木則前後文義窒礙竟說不通使肝不過肺不虛復寫火補水不幾於實實虛虛耶據此則本注去字不字疑衍原鈔干字當係平字傳寫之誤熱則疾之熱盛衝膚閉而不通者刺之搖大其穴寫也寒則留之有寒痺等在分肉間者留鍼經久熱氣當集此爲補也陷下則灸之經絡之中血氣咸少故脈陷下也火氣壯火宜補經絡故宜灸也不盛不虛以經取之八十一難云不盛不虛以經取之是謂正經自病不中他邪當自取其經前盛虛者陰陽

虛實相移相傾而他經爲病有當經自受邪氣爲病不因他經作盛虛若爾當經盛虛即補寫自經故曰以經取之盛者則寸口大三倍於人迎虛者則寸口反小於人迎厥陰少陽其氣最少故寸口陰氣一盛病在手足厥陰人迎陽氣一盛病在手足少陽少陰太陽其氣次多故寸口陰氣二盛病在手足少陰人迎陽氣二盛病在手足太陽太陰陽明其氣最多故寸口陰氣三盛病在手足太陰人迎陽氣三盛病在手足陽明所以厥陰少陽氣盛一倍爲病少陰太陽二倍爲病太陰陽明三倍爲病是以寸口人迎隨陰陽氣而有倍數候此二脈知於陰陽氣之盛也其陰陽虛衰寸口人迎反小準此可知也大腸手陽明之脈手陽明脈起手之指端上行下屬大腸通行大腸血氣故曰大腸手陽明脈也起於大指次指之端手陽明與手太陰合手太陰從中焦至手大指次指之端陰極即變爲陽如此陰極陽起陽極陰起行手頭及足如環無端也　平按甲乙經端下有外側二字循指上廉出合谷兩骨之間掌骨及大指本節表兩骨之間也上入兩筋之中循臂上廉入肘外廉上臑外前廉手三陰行臑內手三陽行臑外陽明行臑外前楞也　平按上臑外前廉甲乙經作上循臑外廉上肩出髃前廉髃音隅角也兩肩端高骨即肩角也又五口反　平按出

髃前廉靈樞甲乙經作出髃骨之前廉 上出於柱骨之會上下入缺盆 柱骨謂缺盆骨上極高處也與諸脉會入缺盆之處名曰會也手陽明脉上至柱骨之上復出柱骨之下入缺盆也 絡肺下鬲屬大腸 府氣通藏故絡藏屬府也平按鬲靈樞作膈下同 其支者從缺盆上頸貫頰入下齒中還出俠口交人中左之右右之左上俠鼻孔 頸項前也交謂相交不相會入也　平按上頸甲乙經作直上至頸俠靈樞均作挾下同 是動則病齒痛䪼腫 齒痛謂下齒痛也䪼謂面顴秀高骨也專劣反　平按䪼靈樞作頸今本甲乙經作頰正統本甲乙經作頸 是主津所生病者 八十一難云邪在血血爲所生病血主濡之也是爲血及津液皆爲濡也津汗也以下所生之病皆是血之津汗所生病也　平按難經云經言脉有是動有所生病是以動者氣也所生病者血也邪在氣氣爲是動邪在血血爲所生病氣主呴之血主濡之氣留而不行者爲氣先病也血壅而不濡者爲血後病也故先爲是動後爲所生也滑注謂此脈字非尺寸之脉乃十二經隧之脉每脉中輒有二病者蓋以有在氣在血之分也平又按靈樞甲乙津下有液字注津汗袁刻作津液 目黃口乾鼽衄喉痺肩前臑痛大指次指痛不用

手陽明經是府陽脈多爲熱痛故循經所生七種病也鼻孔引氣故爲鼽也鼻形爲鼽也有説鼽是鼻病者非也氣盛有餘則當脈所過者熱腫是動所生之病有盛有虚盛者此脈所過之處熱及腫也虚則寒慄不復陽虚陰并故寒慄也不復不得復於平和也爲此諸病盛則寫之虚則補之熱則疾之寒則留之陷下則灸之不盛不虚以經取之盛者則人迎大三倍於寸口虚者則人迎反小於寸口胃足陽明之脈起於鼻交頞中平按頞中下靈樞有旁納太陽之脈六字甲乙經納作約下循鼻外入上齒中還出俠口環脣下交承漿卻循頤後下廉出大迎循頰車上耳前過客主人循髮際至額顱其支者從大迎前下人迎循喉嚨入缺盆下鬲屬胃絡脾足陽明脈起於鼻下行屬胃通行胃之血氣故曰胃足陽明脈也手陽明經從手上俠鼻孔到此而起下行至

於足指名足陽明經十二經脉行處及穴名備在明堂經具釋之也客主人即上開穴也頞阿葛反鼻莖也顱音盧胃府通氣入藏故屬胃絡脾也　平按頞顱靈樞甲乙經頞作額注上開穴本書氣府篇客主人各一楊注云一名上關穴甲乙經卷三第十一謂上關一名客主人在耳前上廉開口有孔手少陽足陽明之會素問氣穴論篇及氣府論王注均同則開字當係關字傳寫之誤

其直者從缺盆下乳內廉下俠齊入氣街中其支者起胃口下循腹裏下至氣街中而合以下髀抵伏菟胃傳食入小腸處名胃下口此脉一道從缺盆下乳內廉膚肉之中下俠齊至氣街中前者一道從缺盆屬胃今從胃口下下行與氣街中者合為一脉而下抵至也丁禮反　平按俠齊靈樞作挾臍靈樞甲乙經髀下均有關字菟均作兔

下膝入臏中膝脛頭也臏膝之端骨也頻忍反下循胻外廉下足跗入中指內閒跗古孟反　平按下循胻外廉袁刻脫此五字胻靈樞作脛

其支者下膝三寸而別以下入中指外閒其支者別跗上入大指閒出其端脉從氣街下行至足指閒凡有三道　平按下膝三寸膝字靈樞作廉

是動則病洒洒振寒洒洒惡寒

見音洗謂如水灑洗寒也　平按洒洒甲乙經作淒淒然三字**善伸數欠顏黑**凡欠及多伸或爲陽上陰下人之將卧陰陽上下相引故數欠顏額陽也黑陰也陰氣見額陽病也　平按伸靈樞作呻**病至則惡人與火聞木音則惕然而驚心欲動**至甚也陽明土也土惡木故病甚惡木音也陽明主肉血盛故惡火也陽明厥喘悶悶故惡人也　平按音靈樞作聲**獨閉户牖而處**陰靜而闇陽動而明今陰氣加陽故欲閉户獨處也　平按牖上靈樞甲乙經有塞字**甚則欲上高而歌棄衣而走**陽盛故也**賁響腹脹是爲骭厥**響音鄉謂陽氣賁聚虚滿爲腹脹也以陽盛於脚故欲登高棄衣而走名爲骭厥也　平按響靈樞甲乙經均作嚮骭靈樞作骭今本甲乙經作臂正統本甲乙經作骭**是主血所生病者狂瘧温淫汗出**陽明主肉血爲肉液故亦主血也淫過也謂傷寒熱病温熱過甚而熱汗出也　平按瘧甲乙經作瘈**鼽衄口喎脣胗頸腫喉痹**衄出血也不言鼻衄而言鼽衄者然鼻以引氣也鼽鼻形也鼻形之中出血也胗脣瘍瘡音緊　平按胗甲乙經作緊**腹外腫膝臏腫痛**陽明一道行於腹外一道行於腹内腹内水穀行通故少爲腫腹外衞氣數壅故腹外多腫也　平按腹外腫靈樞甲乙經作大腹水腫

循膺乳街股伏菟骭外廉足跗上皆痛中指不用上七處並是足陽明脈所過故循上七處痛者是陽明脈病也股髀內陰股也足中指內外間陽明脈支所至故脈病中指不用也　平按街上靈樞有氣字甲乙經同注七處痛處字袁刻誤作虛足中指指字袁刻脫氣盛則身以前皆熱足陽明脈唯行身前故脈盛身前皆熱也其有餘於胃則消穀善飢溺色變脈氣有餘身前故身前皆熱若有餘胃中故善飢溺變也　平按變靈樞甲乙經均作黃氣不足則身以前皆寒慄胃中寒則脹滿有餘身前胃中有熱有飢不足身前胃中寒慄脹滿陽氣有餘陰氣不足陽氣不足陰氣有餘今但舉一邊為例耳為此諸病盛則寫之虛則補之熱則疾之寒則留之陷下則灸之不盛不虛以經取之盛者則人迎大三倍於寸口虛則人迎反小於寸口脾足太陰之脈足太陰脈起於足大指端上行屬脾通行脾之血氣故曰脾足太陰脈者也起於大指之端循指內側白肉際過

覈骨後覈胡革反人足大指本節後骨名爲覈骨也　平按覈靈樞甲乙經作核上内踝前廉十二經脈皆行筋肉骨閒唯此足太陰經上於内踝薄肉之處脈得見者也上腨内循脛骨後交出厥陰之前内踝直上名爲内外踝直上名爲外脛後腓腸名爲腨太陰從内踝上行八寸當脛骨後交出厥陰之前上行之　平按腨靈樞作踹脛甲乙經作胻上循膝股内前廉入股屬脾絡胃膝内之股近膝名膝股近陰處爲陰股也　平按靈樞無循字入股股字作腹甲乙經同上鬲俠咽連舌本散舌下其支者復從胃別上鬲注心中舌下散脈是脾脈也是動則病舌强食則歐胃脘痛脘胃府也脘音管也　平按靈樞甲乙經舌下均有本字歐作嘔腹脹善噫得後出餘氣則快然如衰寒氣客胃厥逆從下上散散已復上出胃故爲噫也穀入胃已其氣上爲營衛及膻中氣後有下行與糟粕俱下者名曰餘氣餘氣不與糟粕俱下壅而爲脹今得之洩之故快然腹減也　平按出餘二字靈樞甲乙經均作與甲乙經如衰作而衰身體皆重身及四支皆是足太陰脈行胃氣營之若脾病脈即不營故皆重也是主脾所生病者舌本

痛脾所生病太陰脈行至舌下故舌本痛也體不能動搖脾不營也食不下煩心心下急痛脾脈注心中故脾生病煩心心急痛也　平按痛甲乙經作寒瘧溏瘕泄溏食消利也瘕食不消瘕而為積病也泄食不消飡泄也水閉脾所生病不營膀胱故小便不利也黃癉不能臥強欠內熱身黃病也脾胃中熱故不得臥也將欠不得欠名曰強欠　平按靈樞甲乙經癉均作疸欠均作立不能臥甲乙經作不能食脣青股膝內腫厥大指不用或痺不仁不能用也　平按內腫厥甲乙經作內腫痛厥大指上靈樞甲乙經均有足字為此諸病盛則寫之虛則補之熱則疾之寒則留之陷下則灸之不盛不虛以經取之盛者則寸口大三倍於人迎虛者則寸口反小於人迎心手少陰之脈起於心中出屬心系下膈絡小腸十二經脈之中餘十一經脈及手太陽經皆起於別處來入藏府此少陰經起自心中何以然者以其心神是五神之主能自生脈不因餘處生脈來入故自出經也肺下懸心之系名曰心系餘經起於餘處來屬藏府此經起自心中還屬心系由是心神最

爲長也問曰九卷心有二經謂手少陰心主手少陰經不得有輸手少陰外經受病亦有療處其内心藏不得受邪受邪即死又九卷本輸之中手少陰經及輸並皆不言今此十二經脈及明堂流注少陰經脈及輸皆有若爲通精答曰經言心者五藏六府之大主精神之舍其藏堅固邪不能客客之則心傷心傷則神去神去即死故諸邪之在於心者皆在心之包絡包絡心主脈也故有脈不得有輸也手少陰外經有病者可療之於手掌兑骨之端又恐經脈受邪傷藏故本輸之中輸并手少陰經亦復去之今此十二經脈手少陰經是動所生皆有諸病俱言盛衰並行補寫及明堂流注具有五輸者以其心藏不得多受外邪其於飲食湯藥内資心藏有損有益不可无也故好食好藥資心心即調適若惡食惡藥資心心即爲病是以心不受邪者不可受邪也言手少陰是動所生致病及明堂有五輸療者據受内資受外邪也言手少陰是受邪故有病也　平按注若爲通精精字原校作釋又注是動所生生字袁刻誤所致及明堂及字袁刻作又

其支者從心系上俠咽繫目系　筋骨血氣四種之精與脈合爲目系心脈係於目系故心病閉目也

其直者復從心系卻上肺上出掖下下循臑内後廉行太陰心主之後下肘内循臂内後廉抵掌後兑骨之端　其小指掌後尖骨謂之兑骨也　平按上出掖下靈樞作下出腋下掖靈樞甲乙經均作腋下同不再舉下肘

內甲乙經作下肘中內廉兌靈樞作鋭下同入掌內廉循小指之內出其端掌外將側名曰外廉次掌內將側名內廉也平按靈樞甲乙經廉上有後字是動則病嗌乾心痛渴而欲飲爲臂厥心經病心而多熱故渴而欲飲其脈循臂故是動爲臂厥之病也　平按靈樞甲乙經爲上有是字是主心所生病者目黄脇痛臑臂內後廉痛厥掌中熱痛也其脈上掖近脇故脇痛也臑臂內後廉脈行之處痛及厥也厥氣失逆也　平按脇痛甲乙經作脇滿痛爲此諸病盛則寫之虛則補之熱則疾之寒則留之陷下則灸之不盛不虛以經取之盛者則寸口大再倍於人迎虛者則寸口反小於人迎小腸手太陽之脈手太陽脈起於手指上行入缺盆下屬小腸通小腸血氣故曰小腸手太陽脈也起於小指之端循手外側上腕出踝中人之垂手大指著身之側名手內側小指之後名手外側足脛骨與足腕骨相屬之處著脛骨端內外高骨名曰內外踝手之臂骨之端內外高骨亦名爲踝

也手太陽脈貫踝也　平按捥靈樞甲乙經作腕考腕與捥通直上循臂下骨下廉臂有二骨垂手之時内箱前骨名爲上骨外箱後骨名爲下骨手太陽脈行下骨下將側之際故曰下廉也　平按靈樞骨上無下字甲乙經同出肘内側兩骨之間上循臑外後廉手陽明上臑外前廉手少陽循臑外此手太陽循臑外後廉手三陰脈行於臑内手三陽脈行於臑外此爲異也　平按靈樞兩骨作兩筋出肩解肩臂二骨相接之處名爲肩解繞肩甲交肩上入缺盆肩兩肩也甲兩甲也兩箱之脈各於兩箱繞肩甲已會於大椎還入缺盆此爲正也有説兩箱脈來交大椎上會大椎穴以爲交者經不言交不可用也　平按甲靈樞作胛甲乙經同缺盆下甲乙經有向腋下三字絡心循咽下鬲抵胃屬小腸其支者從缺盆循頸上頰至目兑眥卻入耳中其支者别頰上䪼抵鼻至目内眥脈絡心循咽而下抵著胃下屬於小腸上至顴䪼傍抵鼻孔至目内眥目眥有三目之内角爲内眥外角爲兑眥崖上爲上眥也　平按兑靈樞甲乙經均作鋭下其支者支字正統甲乙經作直内眥下靈樞甲乙經均有斜絡於顴四字注有三三字袁刻誤作二是動則病嗌痛頷腫不可以顧

肩似拔臑似折臂臑痛若折者也　平按頷靈樞甲乙經均作領是主液所生病者耳聾目黄頰腫頸頷肩臑肘臂外後廉痛兩大骨相接之處有穀精汁補益腦髓皮膚潤澤謂之爲液手太陽主之邪氣病液遂循脉生諸病也爲此諸病盛則寫之虛則補之熱則疾之寒則留之陷下則灸之不盛不虛以經取之盛者則人迎大再倍於寸口虛者則人迎反小於寸口膀胱足太陽之脉足太陽脉起目内眥上頭下項俠脊屬膀胱通膀胱血氣故曰膀胱足太陽脉也起於目内眥上額交顛上其支者從顛至耳上角其直者從顛入絡腦還出別下項循肩髆内俠脊抵腰中入循膂絡腎屬膀胱其支者從腰中下貫臀入膕中顛頂也頂上有骨空太陽入骨空絡腦還出也髆音博臀音屯尻之厚肉也　平按靈樞甲乙經顛均作巔貫臀上靈樞有挾脊二

字甲乙經有會於後陰四字其支者從髆內左右別下貫胂過髀樞胂俠脊肉也似真反髀樞謂髀骨尻骨相抵相入轉動處也　平按支正統本甲乙經作直髆甲乙經作膊胂靈樞甲乙經均作胛甲乙經注云一作髖胂下靈樞甲乙經均有挾脊內三字又注髀骨髀字相抵相字袁刻均脫循髀外後廉下合膕中以下貫腨出外踝之後循京骨至小指外側京骨謂外踝下近前高骨也京高大也　平按後廉上靈樞有從字腨作踹甲乙經同是動則病衝頭痛目似脫項似拔脊痛腰似折髀不可以迴膕如結腨如裂是為踝厥膕腨之病者皆是太陽行踝之後為厥失逆病也結謂束縛也　平按甲乙經脊下無痛字折下無髀字迴靈樞作曲甲乙經同注為上別本有所字是主筋所生病者痔瘧狂顛疾頭亞項痛目黃淚出鼽衄項背腰尻膕腨脚皆痛小指不用足太陽水生木筋也故足太陽脈主筋者也所以邪傷於筋因而飽食筋脈橫解腸澼為痔也　平按顛靈樞作巔亞靈樞作顖注音信頂門也甲乙經作顖音同疑是古囟字之誤項痛甲乙經作項頸間

痛爲此諸病盛則寫之虛則補之熱則疾之寒則留之陷下則灸之不盛不虛以經取之盛者則人迎大再倍於寸口虛者則人迎反小於寸口腎足少陰之脈足少陰脈上行屬腎通行腎之血氣故曰腎足少陰脈也起於小指之下邪趣足心出於然骨之下足太陽府脈至足小指而窮足少陰藏脈從小指而起是相接也然骨在内踝下近前起骨是也　平按趣靈樞作走循内踝之後別入跟中少陰脈行至内踝之後別分一道入足跟中也　平按注足跟二字袁刻誤作骨陷二字以上腨内出膕内廉上股内後廉貫脊屬腎絡膀胱貫脊謂兩箱二脈皆貫脊骨而上各屬一腎共絡膀胱　平按甲乙經膕下有中字其直者從腎上貫肝鬲入肺中循喉嚨俠舌本直貫肝鬲而過稱貫即舌下兩傍脈是也　平按舌本下甲乙經注云一本云從橫骨中挾臍循腹裏上行而入肺其支者從肺出絡心注胸中從肺下行循心系絡

於心洼胸中也是動則病飢不欲食面黑如地色少陰脈病陰氣有餘不能消食故飢不能食也以陰氣盛面黑如地色也　平按面黑如地色靈樞作面如漆柴甲乙經作面黑如炭色欬唾則有血喝喝如喘唾爲腎液少陰入肺故少陰病熱欬而唾血雖唾喉中不盡故呼吸有聲又如喘也喝呼葛反　平按欬甲乙經作咳如喘作而喘坐而欲起起目𥇀𥇀如無所見少陰貫肝肝脈系目今少陰病從坐而起上引於目目精氣散故𥇀𥇀無所見也莫郎反　平按起字靈樞甲乙經不重𥇀𥇀作䀮䀮心如懸病飢狀足少陰病則手少陰之氣不足故心如懸飢狀也　平按病靈樞甲乙經作若氣不足則善恐心惕惕如人將捕之是爲骨厥腎主恐懼足少陰脈氣不足故喜恐心怵惕前之病是骨厥所爲厥謂骨精失逆惕恥㪿反謂懼也　平按氣不足至捕之甲乙經無此十四字是主腎所生病者口熱舌乾咽腫上氣嗌乾及痛煩心心痛黃癉腸澼熱成爲癉謂腎藏内熱發黃故曰黃癉也腎主下焦少陰爲病下焦大腸不和故爲腸澼也　平按癉靈樞甲乙經作疸脊股内後廉痛痿厥嗜臥津液不通則筋弛好臥也　平按痿

靈樞甲乙經均作痠足下熱而痛少陰虛則熱并故足下熱痛也　平按而痛下甲乙經有灸則强食生肉緩帶被髮大杖重履而步十六字本書及靈樞均在後爲此諸病盛則寫之虛則補之熱則疾之寒則留之陷下則灸之不盛不虛以經取之灸則强食生食不盛不虛以經取者亦以經取灸也故療腎所生之病亦有五法自火化以降並食熟肉生肉令人熱中人多不欲食之腎有虛風冷病故强令人生食豕肉温腎補虛脚腰輕健人有患脚風氣食生豬肉得愈者衆故灸腎病須食助之一也緩帶帶若急則腎氣不適故須緩帶令腰腎通暢火氣宣行二也被髮足太陽脈從頂下腰至脚今灸腎病須開頂被髮陽氣上通火氣宣流三也　平按注從頂頂字袁刻作項開頂頂字袁刻脫大杖足太陽脈循於肩髆下絡於腎今療腎病可策大杖而行牽引肩髆火氣通流四也重履而步燃磁石療腎氣重履引腰脚故爲履重者可用磁石分著履中上弛其帶令重履之而行以爲輕者可漸加之令重用助火氣若得病愈宜漸去之此爲古之療腎要法五也盛者則寸口大再倍於人迎虛者則寸口反小於人迎心主手厥陰心包之脈心神爲五藏六府之主故曰心主厥陰之脈行至於足名足厥

陰行至於手名手厥陰以陰氣交盡故曰厥陰心外有脂包裹其心名曰心包脈起胸中入此包中名手厥陰故心有兩經也心中起者名手少陰屬於心包名手厥陰有脈別行無別藏形三焦有氣有脈亦無別形故手厥陰與手少陽以爲表裏也　平按心包下靈樞有絡字甲乙經無心包二字　起於胸中出屬心包下鬲歷絡三焦自有經歷而不絡著手厥陰既是心藏之府三焦府合故屬心包經歷三焦仍絡著也三焦雖復無形有氣故得絡也　其支者循胸出脇下腋三寸上抵腋下下循臑内行太陰少陰之間入肘中下臂行兩筋之間入掌中循中指出其端其支者別掌中循小指次指出其端循胸出脇之處當腋下三寸然後上行抵腋下方下循臂也太陰少陰既在前後故心主厥陰行中間也　平按循中指上甲乙經無入掌中三字　是動則病手熱肘攣腋腫甚則胸中滿心澹澹大動面赤目黃澹徒濫反水搖又動也　平按靈樞甲乙經手熱均作手心熱肘攣均作臂肘攣急胸中滿均作胸脅支滿心澹澹均作心中憺憺目黃下均有喜笑不休四字大動趙府本靈樞作火動　是心主脈所生

病者煩心心痛掌中熱心包既病故令煩心心痛　平按心主心字靈樞甲乙經無爲此諸病盛則寫之虛則補之熱則疾之寒則留之陷下則灸之不盛不虛以經取之盛者則寸口大一倍於人迎虛者則寸口反小於人迎三焦手少陽之脈上焦在心下下膈在胃上口主內而不出其理在膻中中焦在胃中口不上不下主腐熟水穀其理在齊傍下焦在齊下當膀胱上口主分別清濁主出而不內其理在齊下一寸上焦之氣如雲霧在天中焦之氣如漚雨在空下焦之氣如溝瀆流地也手少陽脈是三焦經隧通行三焦之血氣故曰三焦手少陽脈也起於小指次指之端上出兩指之間循手表出臂外兩骨之間上貫肘循臑外上肩而交出足少陽之後入缺盆上肩交足少陽行出足少陽之後方入缺盆也　平按手表下靈樞甲乙經均有腕字布膻中散絡心包下鬲偏屬三焦偏甫見反散布膻中也有本布作交者檢非也三焦是氣血脈是形而言屬者謂脈氣相入也

平按靈樞絡作落徧作循　其支者從膻中上出缺盆上項係耳後直上出耳上角以屈下頰至䪼其支者從耳後入耳中出走耳前過客主人前交頰至目兑眥係古帝反有本作俠也　平按係靈樞作繫甲乙經作俠下頰頰字甲乙經作頷兑靈樞作鋭下同不再舉　是動則病耳聾渾渾淳淳嗌腫喉痺渾渾淳淳耳聾聲也　平按淳淳靈樞甲乙經作焞焞　是主氣所生病者汗出目兑眥痛頰痛耳後肩臑肘臂外皆痛小指次指不用氣謂三焦氣液　平按頰痛痛字甲乙經無不用甲乙經作不爲用　爲此諸病盛則寫之虚則補之熱則疾之寒則留之陷下則灸之不盛不虚以經取之盛者則人迎大一倍於寸口虚者則人迎反小於寸口膽足少陽之脈足少陽脈起目兑眥下行絡肝屬膽下行至足大指三毛通行膽之

血氣故曰膽足少陽脈也　平按注屬膽二字袁刻脱　起於目兑眥上抵角下耳後循頸行手少陽之前至肩上卻交出手少陽之後入缺盆　角謂額角也項前曰頸足少陽脈從耳後下頸向前至缺盆屈迴向肩至肩屈向後復迴向頸至頸始入缺盆是則手少陽上肩向入缺盆肩上自然交足少陽也足少陽從頸前下至缺盆向肩即是行手少陽前也至肩交手少陽已向後迴入缺盆即是行手少陽之後也　平按靈樞甲乙經角上有頭字注至肩交手少陽已已字袁刻誤作也　其支者從耳後入耳中出走耳前至目兑眥後其支者別目兑眥下大迎合手少陽於頔下加頰車下頸合缺盆以下胸中貫鬲絡肝屬膽　大迎在曲頷前一寸二分骨陷者中足少陽至大迎已向頔與手少陽合已卻邪下向頰車加頰車已然後下頸至缺盆與前直者合頰車在大迎上曲頰端有本云別目兑眥迎手少陽於頔無大合二字以義置之二脈雙下不得稱迎也　平按於頔下靈樞甲乙經作抵於頔下　循脇裏出氣街繞毛際橫入髀厭中　街衢道也足陽明脈及足少陽脈氣所行之道故曰氣街股外髀樞名曰髀厭

內經　廿二　蘭陵堂刊

也其直者從缺盆下掖循胸過季脇下合髀厭中脇有前後最近下後者爲季脇有本作肋　平按厭靈樞甲乙經均作厭以下循髀太陽出膝外廉下外輔骨之前直下抵絕骨之端下出外踝之前循足跗上入小指次指之間膀胱足太陽脈從髀外下足因名髀太陽輔骨絕骨窮也外踝上陽輔穴也　平按太陽太字靈樞甲乙經無其支者別跗上入大指之間循大指歧內出其端還貫爪甲出三毛其足少陽脈出大指端還出迴貫甲復出三毛一名藂毛在上節後毛中也　平按歧下靈樞甲乙經有骨字爪上甲乙經有入字是動則病口苦善太息心脇痛不能反側膽熱苦汁循脈入頰故口苦名曰膽癉脈循胸脇喜太息及心脇皆痛也　平按反側靈樞作轉側甚則面塵體無膏澤足少陽反熱是爲陽厥甚謂陽厥熱甚也足少陽起面熱甚則頭顱前熱故面塵色也陽厥少陽厥也　平按面塵靈樞作面微有塵甲乙經作面微塵足少陽反熱靈樞甲乙經作足外反熱是主骨所生病

者頭角顑痛目兑眥痛水以主骨骨生足少陽故足少陽痛病還主骨也額角在髮際也頭角謂頂兩箱額角後高骨角也顑謂牙車骨上抵顱以下者名爲顑骨　平按角靈樞作痛甲乙經作面顑靈樞作頷甲乙經同注牙車骨牙字袁刻作口缺盆中腫痛腋下腫馬刀俠癭汗出振寒瘧脈從缺盆下腋故腋下腫復從頰車下頸故病馬刀俠癭也馬刀謂癧而無膿者是也汗出振寒瘧等皆寒熱病是骨之血氣所生病也　平按馬字上甲乙經有痛字癭靈樞甲乙經均作瘻胸脇肋髀膝外至脛絶骨外踝前及諸節皆痛小指次指不用足少陽脈主骨絡於諸節故病諸節痛也　平按胸下甲乙經有中字至脛袁刻誤作至經爲此諸病盛則寫之虛則補之熱則疾之寒則留之陷下則灸之不盛不虛以經取之盛者則人迎大一倍於寸口虛者則人迎反小於寸口肝足厥陰之脈足厥陰脈從足指上行環陰器絡膽屬肝通行肝之血氣故曰肝足厥陰脈也起於大指藂毛之上循足跗上廉去

内踝一寸上踝八寸交出太陰之後上膕内廉循陰股入毛中環陰器抵少腹俠胃屬肝絡膽上貫鬲布脇肋髀内近陰之股名曰陰股循陰器一周名環也　平按靈樞甲乙經聚作叢上循上均有際字上踝甲乙經作外踝陰股靈樞甲乙經作股陰靈樞環作過少腹作小腹絡膽下正統本甲乙經有其直者從肝五字循喉嚨之後上入頏顙連目糸上出額與督脈會於巔喉嚨上孔名頏顙督脈出兩目上巔故與厥陰相會也其支者從目系下頰裏環唇内其支者復從肝別貫鬲上注肺肺脈手太陰從中焦起以次四藏六府之脈皆相接而起唯足厥陰脈還迴從肝注於肺中不接手太陰脈何也但脈之所生稟於血氣血氣所生起中焦倉廩故手太陰脈從於中焦受血氣已注諸經脈中焦乃是手太陰受血氣處非是脈次相接之處故脈環周至足厥陰注入脈中與手太陰脈相接而行不入中焦也是動則病腰痛不可以俛仰丈夫㿗疝婦人少腹腫腰痛甚則嗌乾面塵肝合足少陽陽盛并陰故面塵色也　平按㿗靈樞作𤸇甲乙

經作癲厥下靈樞甲乙經均有脫色二字是主肝所生病者胸滿歐逆飧洩狐疝遺溺閉癃脈抵少腹俠胃故生飧洩也狐夜不得尿至明始得人病與狐相似因曰狐疝有本作頽疝謂偏頽病也癃篆文麻字此經淋病也音隆　平按甲乙經飧洩作洞泄遺溺作遺精閉癃作癃閉爲此諸病盛則寫之虛則補之熱則疾之寒則留之陷下則灸之不盛不虛以經取之盛者則寸口大一倍於人迎虛者則寸口反小於人迎

經脈病解平按此篇見素問卷十三第四十九脈解篇又按素問新校正云詳此篇所解多甲乙經是動所生之病雖復少有異處大概則不殊矣

太陽所謂腫腰脽痛者正月太陽寅寅太陽也脽尻也音誰也十一月一陽生十二月二陽生正月三陽生三陽生寅之時其陽已大故曰太陽也正月陽氣出在上一陽在地下深

牙初發也二陽在地中淺牙出也三陽在地上出故曰正月陽氣出在上也　平按注二牙字袁刻均誤作少　而陰氣盛陽未得自次也故腫腰脽痛三陰猶在地上未没故陰氣盛也以陰氣盛隔陽氣未得次第專用故發腫於膚肉生痛於腰也　偏虛爲跛者正月陽凍解地氣而出也所謂偏虛者冬寒頗有不足者故偏虛故跛正月巳有三陽故凍解陽氣出於地也先有三陰故猶有冬寒陽氣不足也人身亦爾半陽不足故偏虛跛謂左脚偏跛也　平按素問偏虛爲跛者上有病字凍上有氣字故跛作爲跛也頗有下袁刻脫不足者三字注故凍解三字袁刻在出於地也下　所謂强上者陽氣大上而爭故强上三陽向盛與三陰戰得大得上而陰猶爭也　平按素問所謂强上四字下有引背二字注得上得字袁刻作德　所謂耳鳴者陽氣萬物上而躍故耳鳴正月陽氣令萬物勇躍鳴上故生病氣上衝耳鳴也　平按上而躍素問作盛上而躍　所謂甚則狂癲疾者陽盡在上而陰氣從下下虛上實故癲疾二陽交與三陰爭而二陽俱勝盡在於頭爲上實三陰從下即爲下虛於是發病脫衣登上馳走妄

言即謂之狂僵仆而倒遂謂之顛也 平按素問故癲疾作故狂巔疾也 **所謂浮爲聾者皆在氣也** 診人迎之脈得三陽浮者皆是太陽之氣爲聾也 **所謂人中爲瘖者陽氣已衰故爲瘖** 太陽之氣中傷人者即陽大盛盛已頓衰故爲瘖也瘖不能言也 平按人中素問作入中 **內奪而厥則爲瘖痱此腎虛也** 陽氣外衰故但爲瘖也左腎氣內虛奪而厥者則爲瘖痱音肥風病不能言也謂四支不用瘖不能言心無所知甚者死輕者生可療也 平按痱素問作俳注左腎左字袁刻作有 **少陰不至少陰不至者厥也** 少陰腎脈也足少陰脈不通則血氣不資於腎故厥爲瘖痱也 平按少陰不至四字素問不重 **少陽所謂心脇痛者言少陽戌也戌者心之所表也** 手少陽脈絡心包足少陽脈循脇裏故少陽病心脇痛也戌爲九月九月陽少故曰少陽也戌少陽脈散絡心包故爲心之所表 平按二戌字素問均作盛 **九月陽盡而陰氣盛故心脇痛** 陰氣巳盛陽氣將盡少陽爲病故心脇痛也 平按陽盡素問作陽氣盡 **所謂不可反側者陰氣藏物也物藏則不動故曰不可反側** 九月物藏靜而

不動陰之盛也故病不能反側也所謂甚則躍者九月萬物盡衰草木畢落而墮也則氣去陽而之陰躍勇動也甚謂九月陰氣外盛故萬物之氣極畢墮落則萬物之氣去陽之陰也　平按注九月下袁刻脱陰氣二字而陽之下長也故曰躍陰氣盛於地上陽氣在於地下勇動萬物之根令其内長也　平按而陽上素問有氣盛二字袁刻有氣盛灸三字陽明所謂洒洒振寒者陽明三陽之長也午爲五月陽之盛也在於廣明故曰陽明　平按洒洒素問作灑灑下同不再舉陽明者午也五月盛陽之陰也五月盛陽一陰爻生即是陽中之陰也陽盛而陰氣加之故洒洒振寒一陰始生勁猛加陽故洒洒振寒也所謂脛腫而股不收者五月盛陽之陰也陽者衰於五月而陰氣一下與陽始爭故脛腫而股不收腰已上爲陽腰以下爲陰五月有一陰氣在下始生與陽交爭陽強實於上陰弱虚於下故脛腫股不收也　平按陰氣一下素問作一陰氣上所謂上喘爲水者曰陰氣下下復上

上則邪客於藏府閒故爲水五月陽明一陰爲病謂上喘欬水病者也一陰上下胸腹之中不依常度遂邪隨陰氣客於府藏之閒故爲水病也　平按陰氣下下復上素問作陰氣下而復上注常度度字袁刻作處所謂胸痛少氣者水在藏府也水者陰氣也陰氣在中故少氣火爲陽氣水爲陰氣水在藏府之閒故陽氣少也　平按素問水在藏府作水氣在藏府故少氣作故胸痛少氣也所謂甚則厥惡人與火聞木音惕然而驚者陽與陰氣相薄水火相惡故惕然而驚陽明脉氣與陰氣俱盛水火相惡故惕然驚也木勝土故聞木音惕然驚也所謂志欲獨閉戶牖而處者陰陽相薄也陽盡而陰盛也故欲獨閉戶牖居陰陽相爭更勝陽盛已衰次陰氣盛故好閉戶牖獨居闇處也　平按志欲志字素問無所謂病重至則欲乘高而歌棄衣而走者陰陽復爭而外并於陽也故使之棄衣而走陰陽相爭陰少陽多陰并外陽故欲棄衣走也　平按病重至

重字素問無所謂客孫脈則頭痛鼻鼽腹腫者陽明并於上上者則其孫脈太陰也故頭痛鼻鼽腹腫太陰經脈至於舌下太陰孫絡絡於頭鼻故陽明并於太陰孫絡至鼻鼽腹腫也　平按則其孫脈素問脈作絡太陰所謂病脹者曰太陰者子也十一月萬物氣皆藏於中故曰病脹以十一月陰氣大故曰太陰陰氣內聚陽氣外通十一月陰氣內聚雖有一陽始生氣微未能外通故內病爲脹也所謂上走心爲噫者曰陰氣盛而上走陽陽者陽明絡屬心故曰上走心爲噫十一月有五陰交故陰氣盛也太陰在內所以爲下也陽明居外所以爲上也陽明之正上入腹裏屬胃散之脾上通於心故陽明絡屬心者也寒氣先客胃中復有厥氣從胃上散其厥氣復出胃之中上口胃以連心故曰上走心爲噫也　平按陰氣盛素問無氣字袁刻脫盛字而上走陽陽者素問作而上走於陽明所謂食則歐者曰物盛滿而上溢故歐胃中食滿陽氣消之今十一月一陽力弱未能熟消故胃滿而溢謂之歐此歐吐也　平按注食滿袁刻誤作氣滿一陽一字袁刻脫所謂得

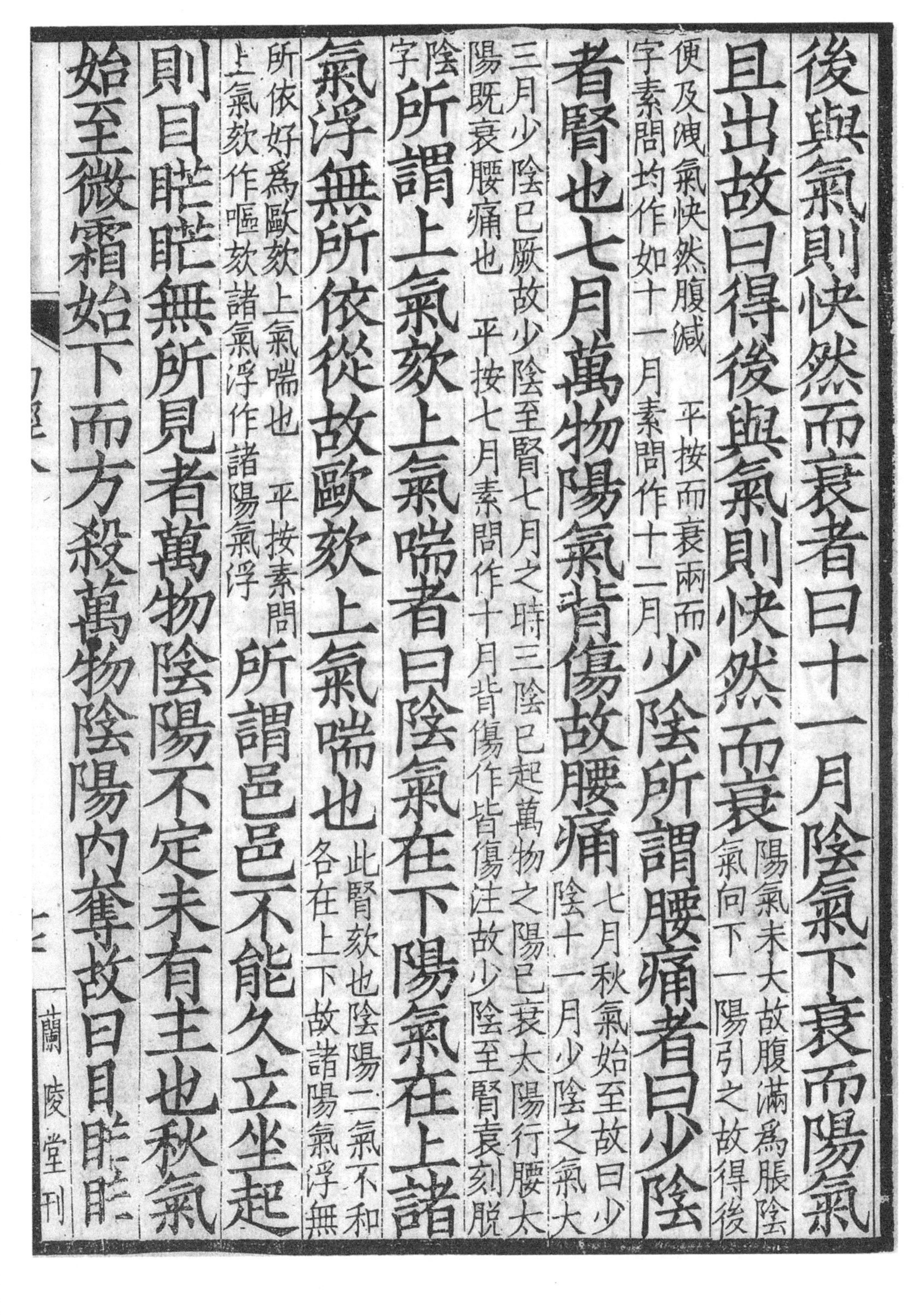
後與氣則快然而衰者曰十一月陰氣下衰而陽氣且出故曰得後與氣則快然而衰陽氣未大故腹滿爲脹陰氣向下一陽引之故得後便及洩氣快然腹減　平按而衰兩而字素問均作如十一月素問作十二月少陰所謂腰痛者曰少陰者腎也七月萬物陽氣皆傷故腰痛七月秋氣始至故曰少陰十一月少陰之氣大三月少陰已厥故少陰至腎七月之時三陰已起萬物之陽已衰太陽行腰太陽既衰腰痛也　平按七月素問作十月皆傷作皆傷注故少陰至腎衰刻脫陰字所謂上氣欬上氣喘者曰陰氣在下陽氣在上諸氣浮無所依從故歐欬上氣喘也此腎欬也陰陽二氣不和各在上下故諸陽氣浮無所依好爲歐欬上氣喘也　平按素問上氣欬作嘔欬諸氣浮作諸陽氣浮所謂邑邑不能久立坐起則目𥆧𥆧無所見者萬物陰陽不定未有主也秋氣始至微霜始下而方殺萬物陰陽內奪故曰目𥆧𥆧

蘭陵堂刊

無所見也　七月陰陽氣均未有定主秋氣始至陽氣初奪故邑然悵望不能久立又陰陽内各不足故從坐起目𥄂無所見也有本作露但白露即霜之微也十月已降甚霜即知有本作十月者非也　平按邑邑素問作色色新校正云色色二字疑誤坐上素問有久字𥄂𥄂作䀮䀮注悵望悵字袁刻誤作脹

所謂少氣喜怒者陽氣熱不治陽氣不得出肝氣當治而未得也故喜怒者名曰前厥　少陰氣用也則陽氣熱而不用故不得出也肝以主怒少陰用時肝氣未得有用故喜怒也喜怒之病名曰前厥者也　平按陽氣熱不治素問無熱字作陽氣不治二句故喜怒者作善怒善怒者前厥作煎厥注肝以主怒肝字袁刻誤作所

所謂恐如人將捕之者秋氣萬物未得畢去陰氣少陽氣入陰陽相薄故恐　七月萬物少衰未至枯落故未得畢去也始涼未寒故陰氣少也其時猶熱故陽氣入也然則二氣相薄不足進退莫定故有恐也　平按陽氣入原鈔脱入字謹依素問及本注補入

所謂惡聞食臭者胃無氣故惡聞食臭也　七月陽衰胃無多氣故惡聞食氣也

所謂面黑地色者秋氣内奪故變於色也　七月三陽已衰

三陰已起然陽去陰來不已則陰强陽弱故奪色而變　平按注而變袁刻誤作而起所謂欬則有血者陽脈傷也陽氣未盛於上腹滿則欬故血見於鼻也七月金主肺也肺主欬也不欬則已欬則傷陽陽傷血脈故腹滿見血於鼻中也　平按腹滿則欬素問作而脈滿滿則欬六字厥陰所謂頹疝婦人少腹腫者曰厥陰者辰也三月陽中之陰也邪在中故曰頹疝少腹腫三月陰氣將盡故曰厥陰三月爲陽厥陰脈在中故曰陽中之陰邪客厥陰之脈遂爲頹疝頹謂丈夫少腹寒氣成積陰器之中而痛也疝謂寒積氣上入少腹而痛也病在少腹痛不得大小便病名曰疝也　平按頹素問作癩注上入小腹袁刻脫上字所謂腰脊痛不可以俛仰者三月一振榮華而萬物一俛而不仰也振動也三月三陽合動而爲春萬物榮華低枝垂葉俛而不仰故邪因客厥陰腰脊痛俛不仰也所謂釘癃膚脹者曰陰一盛而脹陰脹不通故曰頹癃毒熱客於厥陰故爲釘腫邪客於陰器遂爲癃病小便難也客於皮膚中因爲膚脹三月爲陽陰氣一在而盛故陰器腫脹陰

蘭陵堂刊

器腫脹不通故爲頹癃也　平按素問頹作癩膚上有疝字一盛作亦盛而脹陰脹不通作而脈脹不通故曰癩癃作故曰癩癃疝也所謂甚則嗌乾熱中者陰陽相薄而熱則乾故曰嗌乾也甚謂厥陰邪氣盛也厥陰之脈俠胃屬肝絡膽上入頏顙故陰陽相薄熱中而嗌乾也　平按素問無則乾二字

陽明脈解平按此篇見素問卷八第三十陽明脈解篇又見甲乙經卷七第二

黄帝問於岐伯曰陽明之脈病惡人與火聞木音則惕然而驚鐘鼓不爲動聞木音而驚者願聞其故岐伯對曰陽明者胃之脈也胃者土也故聞木音而驚者土惡木也十二經脈而別解陽明者胃受水穀以資藏府其氣強大氣和爲益之大受邪爲病之甚故別解之　平按素問甲乙經黄帝問下無於岐伯三字陽明之脈作足陽明之脈鐘鼓不爲動聞木音而驚者甲乙經作欲獨閉户牖而處黄帝曰善其惡火何也岐伯曰陽明主肉其血盛邪客之則熱熱

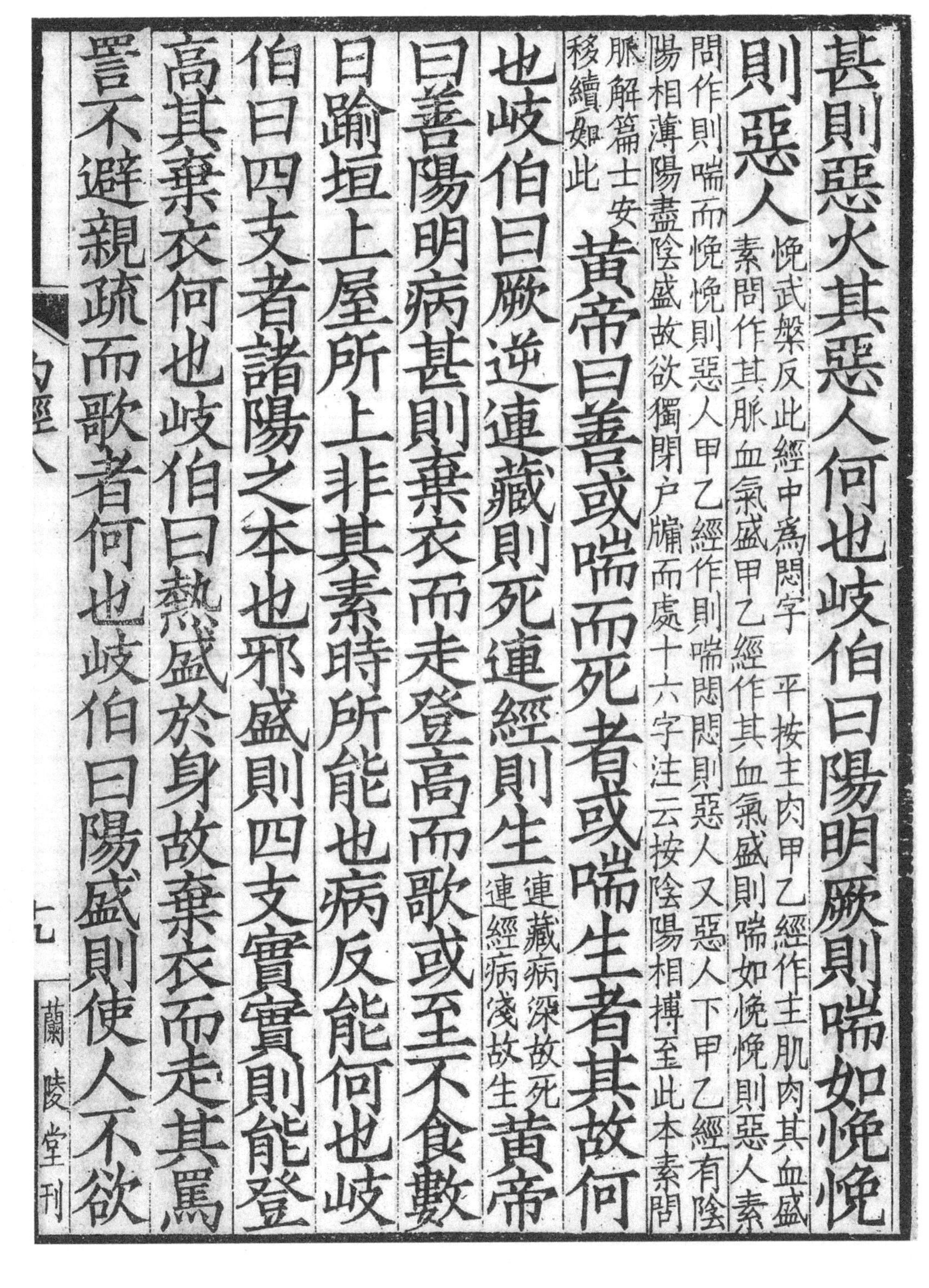

甚則惡火其惡人何也岐伯曰陽明厥則喘如悗悗則惡人悗武槃反此經中爲悶字　平按主肉甲乙經作主肌肉其血盛素問作其脈血氣盛甲乙經作其血氣盛則喘如悗悗則惡人素問作則喘而悗悗則惡人甲乙經作則喘悶悶則惡人又惡人下甲乙經有陰陽相薄陽盡陰盛故欲獨閉戶牖而處十六字注云按陰陽相搏至此本素問脈解篇士安移續如此黃帝曰善或喘而死者或喘生者其故何也岐伯曰厥逆連藏則死連經則生連藏病深故死連經病淺故生黃帝曰善陽明病甚則棄衣而走登高而歌或至不食數日踰垣上屋所上非其素時所能也病反能何也岐伯曰四支者諸陽之本也邪盛則四支實實則能登高其棄衣何也岐伯曰熱盛於身故棄衣而走其罵詈不避親疏而歌者何也岐伯曰陽盛則使人不欲

食故妄言素先也其人非是先有此能因陽明病故也手足陽明之脉盛實好爲登陟以其熱悶所以棄衣也　平按所上素問作所上之處甲乙經無此句病反能何也袁刻作病反何能也罵詈上素問有妄言二字陽盛下素問作則使人妄言罵詈不避親疏而不欲食不欲食故妄走也甲乙經作故妄言罵詈不避親疏

黄帝内經太素卷第八經脉之一　　黄陂蕭貞昌校字

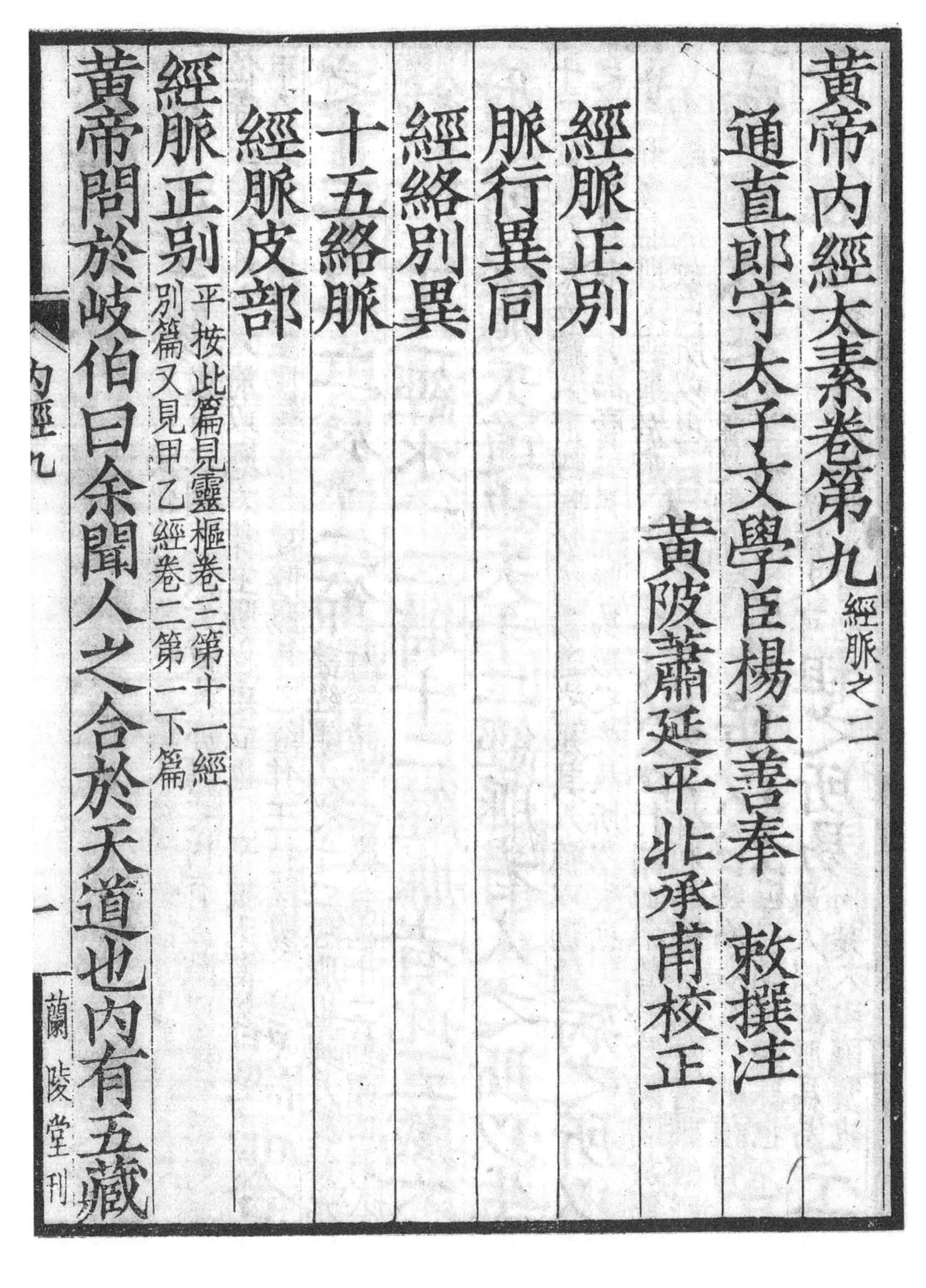

黄帝内經太素卷第九 經脈之二

通直郎守太子文學臣楊上善奉　敕撰注

黄陂蕭延平北承甫校正

經脈正別

脈行異同

經絡別異

十五絡脈

經脈皮部

經脈正別 平按此篇見靈樞卷三第十一經別篇又見甲乙經卷二第一下篇

黄帝問於岐伯曰余聞人之合於天道也内有五藏

以應五音五色五時五味五位外有六府以應六律六律建主陽天地變化之理謂之天道人從天生故人合天道天道大數有二謂五與六故人亦應之内有五藏以應音色時味位等主陰也外有六府以應六律主陽也建立也　平按天道甲乙經作天地建主陽靈樞作建陰陽甲乙經作主持陰陽諸經而合之十二月十二辰十二節諸經謂人之十二經脈也與月辰節水時等諸十二數合也十二節謂四時八節也又十二月各有節也十二經水十二時十二經脈者此五藏六府之所以應天道也夫十二經脈者人之所以生十二經脈乃是五藏六府經隧故徧勸通之舉其八德以勸通之人之受身時一月而膏二月而脈爲形之先故所以生也病之所以成邪客孫脈入經通於府藏成病故曰所以也人之所以治行諸血氣營於陰陽濡於筋骨利諸關節理身者謂經脈病之所以起經脈是動所生故病起也學之所以始將學長生之始須行導引調於經脈也工之所止也欲行十全之道濟人可留心調於經脈止留也粗之所易愚人以經脈爲易同楚人之賤寶也工

之所難也智者以經脈為妙若和璧之難知也　平按工靈樞甲乙經均作上請問其離合出入奈何經脈之別曰離與出復還本經曰合與入也廣陳其理請解其所由故曰奈何也岐伯稽首再拜答曰明乎哉問也此粗之所過工之所息也請卒言之近學淺知謂之粗也深求遠達謂之工也工者宅心經脈之道以十全為意粗者志存名利之弊假媒寄過而已息留也為益之大故請卒言之　平按工靈樞甲乙經作上息卒二字甲乙經均作悉足太陽之正別入於膕中其一道下尻五寸別入於肛屬於膀胱之腎循膂當心入散直者從膂上出於項復屬於太陽此為一經十二大經復有正別正謂六陽大經別行還合府經別謂六陰大經別行合於府經不還本經故名為別足少陰足厥陰雖稱為正生別經不還本經也唯此二陰為正餘陰皆別或以諸陰為正者黃帝以後撰集之人以二本莫定故前後時有稱或有言一曰皆是不定之說足太陽正者謂正經也別者大經下行至足小指外側分出二道一道上行至於膕中一道上行至於尻髎下入於肛肛謂白脏亦名廣腸次屬膀胱上散之腎循膂上行當心入內而散直者謂循膂上行至項屬於太陽此為一正經

之別　平按膀胱下靈樞甲乙經有散字復屬於太陽太陽二字袁刻誤作大陽注唯此二陰別本無唯字黃帝上別本有乃字足少陰之正至膕中別走太陽而合上至腎當十四椎出屬帶脈直者繫舌本復出於項合於太陽此爲一合或以諸陰之別皆爲正足三陽大經從頭至足其正別則從足向頭其別皆從足指大經終處別而上行並至其出處而論屬合也足三陰大經從足至胸其正別則從足上行向頭亦至其出處而言屬合足少陰正上行至膕別走太陽合而上行至腎出屬帶脈起季肋端故少陰當十四椎出屬帶脈也直而不屬帶脈者上行至項復合太陽則此少陰二合太陽此太陽少陰表裏以爲一合也　平按自足少陰至出屬帶脈二十五字又見本書卷十帶脈篇椎靈樞作顀或作成甲乙無或以諸陰之別皆爲正九字注云九墟云或以諸陰之別者皆爲正也又本注上行向頭向字袁刻作項

足少陽之正繞髀入毛際合於厥陰別者入季肋之間循胸裏屬膽散之上肝貫心上俠咽出頤頷中散於面繫目系合少陽於外眥足少陽正上行至髀繞髀入陰毛中厥陰大經環陰器故即與

合也合厥陰外別循胸裏屬膽上肝貫心上行至面還合本經　平按肋靈樞甲乙經作脅上肝甲乙經作肝上

足厥陰之正別跗上上至毛際入合於少陽與別俱行此爲二合足厥陰正與大經並行至跗上上行陰毛少陽行於此故與之合已並行向頭此足少陽厥陰表裏以爲二合　平按跗正統本甲乙經作膝

足陽明之正上至髀入於腹裏屬於胃散之脾上通於心上循咽出於口上頞䪼還繫目系合於陽明足陽明正上行至髀入腹屬胃之脾通心上行至目系還合本經也　平按上至髀髀字正統本甲乙經作踝

足太陰之別上至髀合於陽明與別俱行上絡於咽貫舌本此爲三合足太陰別上行至髀與陽明合並而行上貫於舌中故舌下中脈者足太陰也此足陽明太陰表裏以爲三合也　平按足太陰之別別字靈樞作正甲乙經作正則別三字靈樞上絡作上結舌本作舌中

手太陽之正指地別於肩解入掖走心繫小腸地下也手太陽正從手至肩下行走心繫小腸爲指地也小腸即太陽也手之六經唯此一經下行餘並上行向頭也

手少陰之別，入於泉掖兩筋之間，屬於心，上走喉嚨，出於面，合目内眥，此爲四合。手少陰別上行入於泉掖，入屬心，上行出面，合目内眥。内眥即手太陽也。此手太陽少陰表裏以爲四合。平按：《靈樞》、《甲乙經》「手少陰之別」作「手少陰之正」，「別」，「泉掖」均作「淵腋」，袁刻改作「淵」。查唐人諱淵爲泉，宜仍依原鈔作「泉」以存真相，下同，不再舉。「屬於心」，《甲乙經》作「屬心主」。手少陽之正，指天，別於巔，入於缺盆，下走三焦，散於胸中。天，上也。手少陽之正，提□上巔，爲指天也。下走三焦，即手少陽上散胸中也。手心主之別，下泉掖三寸，入於胸中，別屬三焦，上循喉嚨，出耳後，合少陽完骨之下，此爲五合。手心主別從手上行至掖下，掖三寸至於泉掖，入於胸中，屬三焦，已上行出耳後寬骨下，合手少陽。此手少陽心主表裏以爲五合。平按：《靈樞》、《甲乙經》「手心主之別」作「之正」，「別上循」作「出循」。注「寬骨」，據經文應作「完骨」。手陽明之正，至膺乳，別上於肩髃，入柱骨之下，走大陽，屬於肺，上循喉嚨，出缺盆，合於陽明。手陽明正從手上行

注於膺乳上行至肩髃柱骨之下下走大腸上屬於肺上出缺盆之處合大經也　平按至膺乳靈樞作從手循膺乳甲乙經同

手太陰之別入泉掖少陰之前入走肺散之大腸上出缺盆循喉嚨復合陽明此為六合 手太陰別從手上行至掖下掖至泉掖至手少陰前入走肺之於大腸上出缺盆循喉嚨合於陽明至於大腸以為六合至喉嚨更合故云復也此陽明太陰表裏以為六合此十二經脈正別行處與十二大經大有不同學者多不在意所以診病生處不能細知也　平按靈樞甲乙經之別作之正別散之大腸靈樞作散之太陽正統本甲乙經作散上大腸

脈行同異

平按此篇自篇首至因天之序見靈樞卷十第七十一邪客篇自手太陰之脈至逆數之曲折也見甲乙經卷三第二十四又自心主之脈至內絡心肺見甲乙經卷三第二十五自黃帝曰手少陰至因大之敘見甲乙經卷三第二十六自黃帝曰經脈十二至末見靈樞卷九第六十二動腧篇又見甲乙經卷二第一下篇

黃帝問於岐伯曰脈之屈折出入之處焉至而出焉至而止焉至而徐焉至而疾焉至而入六府之輸於

身者余願盡聞其序舉其五義問五藏脉行處並問身之六府之輸　平按其序靈樞作少序别離之處離而入陰别而行陽皆何道從行願聞其方岐伯對曰窘乎哉問明乎哉道問陰陽二脉離合之處也　平按靈樞别而行陽作别而入陽皆何道從行作此何道而從行窘乎哉問二句作帝之所問鍼道畢矣二句　黃帝曰願卒聞之岐伯曰手太陰之脉出於大指之端内屈循白肉至本節之後大泉留以澹以外屈上於本節手太陰脉從藏行至腕後一支上大指次指之端變爲手陽明脉其本從腕後上魚循魚際出大指之端即指端内屈迴循大指白肉至本節後太泉穴處停留成澹而動然後外出上於本節也澹從濫反　平按内屈甲乙經作内側循白肉靈樞甲乙經均作循白肉際大泉均作大淵唐人諱淵作泉説見前留甲乙經作溜上於本節甲乙作本指以下注一支袁刻誤作一丈本節後袁刻脱後字以下内屈與手少陰心主諸絡會於魚際數脉并注上本節已方從本節以下内屈與手少陰心主諸絡會於魚際然後則與數絡共爲流注也　平按與手少陰心主諸絡靈樞甲乙

經作與諸陰絡又注與手少陰與字袁刻誤作於

其氣滑利伏行壅骨之下外屈出於寸口而行上至於肘内廉入於大筋之下内屈上行臑陰入掖下内屈走肺壅骨謂手魚骨也臑陰謂手三陰脈行於臑中故曰臑陰其脈元出中焦以是肺脈上屬於肺今從外還俱至於肺故手太陰經上下常通是動所主之病療此一經也　平按外屈下甲乙經無出字注云一本下有出字

此順行逆數之屈折也手太陰一經之中上下常行名之爲順數其屈折從手向身故曰逆數也

心主之脈出於中指之端内屈循中指内廉以上留於掌中伏行兩骨之閒外屈其兩筋之閒骨肉之際其氣滑利上行三寸外屈行兩筋之閒上至肘内廉入於小筋之下兩骨之會上入於胸中内絡心肺心主之脈從心包起出於中指之端即中指端内屈迴循中指内廉上入胸中内絡心肺心主一經上下恒通是動所生但療此經舉手太陰心主二經餘之十經順行逆數例皆同也營衞之氣

蘭陵堂刊

一日一夜行二十八脈五十周如環无端與正經異也　平按心主上甲乙經有手字外屈其靈樞其作出甲乙經無其字上行三寸靈樞甲乙經作上二寸外屈行靈樞作外屈出行甲乙經注云一本有出字兩骨之會靈樞作留兩骨之會甲乙經注云一本有留字内絡心肺靈樞作内絡於心脈甲乙經作内絡心包又注與正經異袁刻與作於正作五黃帝曰手少陰之脈獨無輸何也岐伯曰少陰心脈也心者五藏六府之大主也精神之舍也其藏堅固邪弗能客也客之則心傷心傷則神去神去則死矣故諸邪之在於心者皆在於心之包絡包絡者心主之脈也故獨無輸焉黃帝曰少陰獨無輸者不病乎岐伯曰其外經病而藏不病故獨取其經於掌後兑骨之端其藏堅固者如五藏中心有堅脆心脆者則善病消癉以不堅故善病消癉即是受邪故知不受邪者不得多受外邪至於飲食資心以致病者不得無邪所以少陰心之主所生病皆有療也又明堂手少陰亦有五輸主病不得無輸即其信

也兊骨之端手少陰輸也 平按輸靈樞作腧甲乙經作俞大主也下甲乙經有爲帝主三字客靈樞甲乙經作容正統本甲乙經作客少陰獨無輸甲乙經作少陰脉獨無俞不病乎甲乙經作心不病乎兊骨靈樞作鋭骨 其餘脉出入屈折其行之徐疾皆如手太陰心主之脉行也 餘謂十種經脉者也 平按屈折甲乙經作曲折其行之徐疾甲乙經無此句手太陰靈樞作手少陰甲乙經同注云少陰少字宜作太字銅人經作厥字正統本甲乙經亦作厥 故本輸者皆因其氣之實虚疾徐以取之是謂因衝而寫因衰而補如是者邪氣得去真氣堅固是謂因天之序 因衝衝盛也真氣和氣也是謂因天四時之序得邪去真存也 黄帝曰經脉十二而手太陰足少陰陽明獨動不休何也 總問三脉常動之由 平按太陰下甲乙經有之脉二字無足少陰陽明五字 岐伯曰足陽明胃脉也胃者五藏六府之海也 穀入於胃變爲糟粕津液宗氣分爲三隧泌津液注之於脉化而爲血以營四末内注五藏六府以應刻數名爲營氣其出悍氣慓疾先行四末分肉皮膚之間晝夜不休者名爲衛氣營出

中焦衛出上焦也大氣摶而不行名爲宗氣積於胸中命曰氣海出於肺循喉嚨呼則出吸則入也故胃爲五藏六府之海也　平按足陽明靈樞作是明二字　其清氣上注於肺氣從太陰而行之　胃之清氣上注於肺從手太陰一經之脉上下而行　平按肺下靈樞甲乙經重肺字　其行也以息往來　其手太陰脉上下行也要由胸中氣海之氣出肺循喉嚨呼出吸入以息往來故手太陰脉得上下行　故人一呼脉再動一吸脉亦再動呼吸不已故動而不止　脉手太陰脉也人受穀氣積於胸中呼則推於手太陰以爲二動吸則引於手太陰復爲二動命爲氣海呼吸不已故手太陰動不止也　黃帝曰氣之過於寸口也上焉息下焉伏何道從還不知其極　氣謂手太陰脉氣從手寸口上入肺而息從肺下至手指而屈伏屈也肺氣循手太陰脉道下手至手指端還肺之時爲從本脉而還爲別有脉道還也吾不知端極之也　平按上焉息下焉伏靈樞作上十焉息下入焉伏甲乙經作上出焉息下出焉伏　岐伯曰氣之離於藏也卒如弓弩之發如水之下崖上於魚以反衰其餘衰散以逆上故其行

微氣手太陰脈氣也手太陰脈氣從胃中焦上入於肺下腋向手上魚至少商之時以乘藏府盛氣如弓弩之發機比湍流之下岸言其盛也從少商
反廻遡上向肺雖從本脈而還以去藏府漸遠其藏府餘氣衰散故其行遲微
也　平按卒如靈樞甲乙經作卒然如三字袁刻作卒然於三字崖靈樞作岸
甲乙經作如水岸之下其餘衰
散靈樞甲乙經作其餘氣衰散黃帝曰足之陽明何因而動十二
經脈此皆有動餘之九經動有休時唯此三經常動不息太陰常動已具
前章故次問陽明常動之義故曰何因動也　平按何因甲乙經作因何岐
伯曰胃氣上注於肺問曰十二經脈別走皆從藏之陰絡別走之陽亦從府之陽絡別走之陰此之別走乃別胃府
盛氣還走胃脈陽明經者何也答曰胃者水穀之海五藏六府皆悉稟之別起
一道之氣合於陽明故陽明得在經脈中長動在結喉兩箱名曰人迎五藏六
府脈氣並出其中所以別走與
餘不同　平按肺甲乙經作胃其悍氣上衝頭者循咽上走空
竅悍氣衝時循咽上走七竅使七竅通明也悍音汗循眼系入絡腦出頷下客主人
循牙車合陽明復循眼系絡腦兩箱出於頷下頷謂牙車骨屬顱骨之下也　平按頷靈樞作顑并下人
迎此胃氣別走於陽明者也足陽明經及別走氣二脈并下以為人迎也故胃別氣走陽明也

卷九　蘭陵堂刊

平按甲乙經無別字

故陰陽上下其動也若一

陰謂寸口手太陰也陽謂人迎足陽明也上謂人迎下謂寸口有其二義人迎是陽所以居上也寸口是陰所以居下也又人迎在頸所以為上寸口在手所以為下人迎寸口之動上下相應俱來譬之引繩故若一也所論人迎寸口唯出黃帝正經計此之外不可更有異端近相傳者直以兩手左右為人迎寸口是則兩手相望以為上下竟無正經可憑恐誤物深也

故陽病而陽脈小者為逆陰病而陰脈大者為逆

陽大陰小乃是陰陽之性陽病人迎大小俱病而大者為順小者為逆陰病寸口大小俱病而小者為順大者為逆順則易療逆則為難也

故陰陽俱靜與其動若引繩相頓者病也

謂人迎寸口之脈乍靜乍躁若引繩相頓乍動乍靜者病也　平按陰陽俱靜與其動靈樞作陰陽俱靜俱動甲乙經作陰陽俱盛與其俱動又靈樞甲乙經頓均作傾

黃帝曰足少陰何因而動

已言陽明常動於前次論足少陰脈動不休也　平按何因甲乙經作因何

岐伯曰衝脈者十二經之海也與少陰之大絡起於腎下出於氣街循陰股內廉邪入膕中循脛骨內廉並少陰之

經下入内踝之後入足下其別者邪入踝出屬跗上入大指之間注諸絡以溫足脛此脈之常動者也少陰正經從足心上内踝之後上行循脛向腎衝脈起於腎下與少陰大絡下行出氣街循脛入内踝後下入足下按逆順肥瘦少陰獨下中云注少陰大絡若爾則衝脈共少陰常動也若取與少陰大絡俱下則是衝脈常動少陰不能動也　平按甲乙經邪作斜脛骨作胻骨足脛作足跗注少陰正經袁刻經作陰

黃帝曰營衛之行也上下相貫如環之無端今有其卒然遇邪氣及逢大寒手足懈惰其脈陰陽之道相輸之會行相失也氣何由得還營行手太陰下至手大指次指之端迴為手陽明上行至頭下足陽明如此十二經脈陰陽相貫如環無端也卒有邪氣及寒客於四支陰陽相輸之道不通何由還也　平按營衛甲乙經作衞氣懈惰作不隨得還得字靈樞甲乙經均無　岐伯曰夫四末陰陽之會者此氣之大絡也四街者氣之徑也故絡絕則經通四末解則氣從合

相輸如環四末謂四支身之末也四街謂胸腹頭胻脈氣道也邪氣大寒客於四末先客絡脈絡脈雖壅內經尚通故氣相輸如環寒邪解已復得通也　平按氣之徑靈樞作氣之經路甲乙作氣之經注經一作徑正統本甲乙經作徑相輸袁刻作相輔注同　黃帝曰善此所謂如環之毋端莫知其紀終而復始之謂也

述其所解

經絡別異平按此篇見靈樞卷三第十經脈篇又見甲乙經卷二第一下篇

黃帝曰經脈十二經脈者伏行分肉之間深而不見其常見者足太陰過於內踝之上毋所隱故見也諸脈之浮而常見者皆絡脈也十二經脈及諸絡脈其不見者謂十一經也其可見者謂足太陰經上行至於踝上以其皮薄故見也諸餘絡脈皆見者也　平按足太陰下甲乙經有脈字內踝靈樞甲乙經均作外踝正統本甲乙經作內踝查陰脈行內陽脈行外足太陰爲陰脈應行內踝再檢本書脾足太陰之脈上內踝前廉楊注云十二經脈皆行筋肉骨間唯此足太陰經上於內踝薄肉之處得見者也與

此處正相發明作外踝者恐誤六經絡手陽明少陽之大絡也起於五指間上合肘中六陽絡中手陽明絡肺府之絡也手少陽絡三焦之絡也手陽明大腸之經起大指次指之間即大指次指及中指內間手陽明絡起也手少陽經起小指次指間即小指次指及中指外間手少陽脈起也故二脈絡起五指間也　平按少陽甲乙經作少陰注手少陽手字袁刻脫飲酒者衛氣先行皮膚先充絡脈絡脈先盛故衛氣已平營氣乃滿而經脈大盛也酒是熟穀之液入胃先行皮膚故衛氣盛衛氣注入脈中故平營氣滿也營氣滿於所入之經則所入經脈絡大盛動也　平按故衛氣已平甲乙經作則衛氣以平脈之卒然動者皆邪氣居之留於本末十二經脈有卒然動者皆是營衛之氣將邪氣入此脈中故此脈動也本末即是此經本末也絡脈將邪入於衛氣衛氣將邪入於此脈本末之中留而不出故爲動也酒即邪也不動則熱若邪在脈中盛而不動則當邪居處蒸而熱也不堅則陷且空不與衆同是以知其何脈之病當邪居處熱邪盛也必爲堅鞕若寒邪盛多脈陷肉空與平人不同以此候之知十二經中何經之病　平按病靈樞甲乙經作動也二字注必爲

堅鞕鞕字右旁有五孟反三字小注袁刻作必爲堅堅孟鞕反與原鈔不合雷公曰何以知經脈之與絡脈異耶黃帝曰經脈者常不可見其虛實也以氣口知之脈之見者皆絡脈也經脈不見若候其虛實當診寸口可知之也絡脈橫居五色可見即目觀之以知虛實也雷公曰細子無以明其然細子謙稱也經脈診氣口可知虛實猶未明其絡脈見之然也黃帝曰諸絡脈皆不能經大節之間必行絕而道出入復合於皮中其會皆見於外大節謂四支十二大節等也凡絡脈之行至大節閒止緣於絡道出節至外入於皮中與餘絡合見於皮絕止也　平按自雷公曰至黃帝曰甲乙經無此十三字而道靈樞甲乙經作道而故諸刺絡脈者必刺其結上甚血者雖毋結急取之以寫其邪而出其血留之發爲痺此言療絡所在也結謂聚也邪客於絡有血聚處可刺去之雖無聚處觀於絡脈血盛之處即有邪居可刺去之恐其邪氣停留發爲痺病也　平按諸刺道藏本靈樞作刺諸甲乙經雖毋結作雖無血結凡診

絡脈脈色青則寒且痛赤則有熱胃中寒手魚之絡多青矣胃中有熱魚絡亦赤魚黑者留久痹也其有赤有青有黑者寒熱此言診絡虛實法也絡色有三青赤黑也但青有寒但赤有熱但黑有痹三色具者即有寒熱也色之候者青赤二色候胃中也皆候魚絡胃者手陽明脈與太陰合太陰之脈循胃口至魚故候太陰之絡知胃寒熱胃中有痹亦可候魚若邪客處久留成痹即便診之　平按甲乙經胃中寒作胃中有寒魚絡亦赤靈樞作魚際絡赤甲乙經作則魚際之絡赤魚黑者靈樞甲乙經均作其暴黑者寒熱下靈樞有氣也二字其青而小短者少氣也青色主寒而短小者即寒氣少也　平按靈樞無而小二字

凡刺寒熱者皆多血絡必閒日而一取之血盡而止乃調其虛實此言刺絡脈法也寒熱胃中寒熱也以胃氣故青赤絡脈血乃多者也欲爲多日刺之故閒日取得平乃止也其小而短者少氣甚寫之則悗悗甚則仆不能言悗則急坐之陰絡小而短者則陰氣少故甚寫□踣倒坐而屈之即脈滿故醒而能言也亦可陰陽絡皆短小即二氣俱少寫之仆也仆踣

也　平按兩甚字原鈔本均作其謹依靈樞甲乙經作
甚悗靈樞甲乙經均作悶注踣上原缺一字袁刻作則

十五絡脉

平按此篇見靈樞卷三第十經脉篇又見甲乙經卷二第一下篇

手太陰之别名曰列缺

十二正經有八奇經合二十脉名爲之經二十脉中十二經脉督脉及任脉衝脉有十四經各别出一脉有十四脉脾藏復出一脉合有十五脉名爲大絡任衝及脾所出散絡而已餘十三絡從經而出行散絡巳别走餘經以爲交通從十五絡别出小絡名爲孫絡任衝二脉雖别同稱一絡名曰尾翳似不别也别於太陰□經故曰别也餘皆放之此别走絡分别大經所以稱缺此穴列於缺減大經之處故曰列缺也　平按注别於太陰下原缺一字袁刻作一

起於掖下分閒

掖下分閒即手太陰經也　平按掖下靈樞甲乙經均作腕上手金作掖下

並太陰之經直入掌中散入於魚際其病手兑掌熱取之去腕一寸半别走陽明

並薄浪反絡入魚際别走陽明經也陽明與太陰合也餘皆放此　平按之經經字袁刻誤作道手兑掌熱靈樞作實則手銳掌熱虚則欠故小便遺數甲乙經作手兑骨掌熱餘與靈樞同一寸半靈樞作半寸甲乙經作一寸

手少陰之别名曰通里去腕一寸别而

上行循經入于心中，繫舌本，屬目系。其實則支鬲，虛則不能言。取之腕後一寸，別走太陽。里，居處也。此穴乃是手少陰脉氣別通爲絡居處，故曰通里也。支，揞也。少陰脉起心中，故實則揞膈而閒之，虛則不能言也。平按：去腕，去字甲乙經作在。一寸，靈樞、甲乙經均作一寸半。腕後一寸，靈樞作掌後一寸。

手心主之別名曰內關，手心主至此太陰少陰之內，起於別絡，內通心包，入於少陽，故曰內關也。去腕二寸，出於兩筋閒，循經以上繫於心包，絡心系。實則心痛，虛則爲煩。取之兩筋閒。檢明堂經兩筋閒下有別走少陽之言，此經無者，當是脘也。平按：爲煩，靈樞作爲頭强，甲乙經作爲煩心。

手太陽之別名曰支正，正，正經也；支，絡脉也。太陽正經之上支別此絡，走向少陰，故曰支正也。去腕五寸，內注少陰；其別者，上走肘，絡肩髃。實則節施肘廢，虛則生肬，小者如指痂疥。取之所別。施，縱緩也。肬，音尤，痏也，又贅也，皮外小結也。痏，音目。痂，假瑕反，瘡甲也。疥，公薤反。平按：去腕，靈樞、甲乙經作上腕。節施，作節弛。按

施與弛通注痏袁刻誤作腫

手陽明之別名曰偏歷 手陽明經上偏出此絡經歷手臂別走太陰故曰偏歷也 去腕三寸別走太陰其別者上循臂乘肩髃上曲頰偏齒其別者入耳會於宗脈實則齲耳聾虛則齒寒痹鬲取之所別 手陽明絡上於曲頰偏入下齒之中宗總也耳中有手太陽手少陽足少陽足陽明絡四脈總會之處故曰宗脈手陽明絡別入耳中與宗脈會故實則齲而聾也五陽之脈皆貫於膈故陽虛膈中痹熱之病如此也 平按別走靈樞作別入偏齒正統甲乙經作偏齒按集韻偏通作徧會靈樞作合齲耳聾靈樞無耳字甲乙經耳上有齒字痹靈樞甲乙經均作痺注四脈四字原鈔作曰恐誤袁刻作四五陽之脈脈字袁刻作絡

手少陽之別名曰外關 此處少陽之絡別行心主外關故曰外關也 去腕二寸外繞臂注胸中合心主其病實則肘攣虛則不收取之所別 實則肘急故攣虛則緩縱故肘不收也 平按其病其字靈樞無甲乙無其病二字

足太陽之別名曰飛陽 此太陽絡別走向少陰經迅疾如飛故曰飛陽也 去踝七寸別走少陰實

則鼻窒頭背痛，虛則鼽衄，取之所別。窒，塞也，知栗反。太陽走目內眥，絡入鼻中，故實則鼻塞也，虛則無力自守，故鼻衄也。平按：鼻窒，《靈樞》作鼽窒，《甲乙經》作窒鼻。

足少陽之別，名曰光明，光明即眼也，少陽厥陰主眼，故少陽絡得其名也。去踝五寸，別走厥陰，下絡足跗，上實則厥，虛則痿躄，坐不能起，取之所別。少陽之絡，腰以上實，多生厥逆病也；腰以下脈虛，則痿躄跛不能行也。躄，音擘。平按：踝下《甲乙經》有上字，厥陰下《甲乙經》有並經二字，跗下《靈樞》《甲乙經》無上字。

足陽明之別，名曰豐隆，足陽明穀氣隆盛，至此處豐溢，出於大絡，故曰豐隆。去踝八寸，別走太陰；其別者，循脛骨外廉，上絡頭，合諸經之氣，下絡喉嗌。其病氣逆則喉痺卒瘖，實則狂癲疾，虛則足不收，脛枯，取之所別。實并於上，故爲癲疾；虛則下不足，故足不收。平按：《靈樞》《甲乙經》頭下均有項字，卒瘖均作瘁瘖，狂癲疾，《靈樞》作狂顛，《甲乙經》作顛狂，均無疾字。

足太陰之別，名曰公孫，肝木爲公，心火爲子，脾土爲孫，穴在公孫之脈，因名公孫也。

平按注脾土袁刻誤作啤上因誤作囼去本節之後一寸別走陽明其別者入絡腸胃厥氣上逆則霍亂實則腹中切痛虛則鼓脹取之所別陽明絡入腸胃清濁相干厥氣亂於腸胃遂有霍亂食多脈實故腹中痛無食脈虛故邪氣脹滿也　平按腹中靈樞甲乙經作腸中注脹袁刻誤作振足少陽之別名曰大鍾鍾注也此穴是少陰大絡別注之處故曰大鍾　平按大鍾正統本甲乙經作太鍾當踝後繞跟別走太陽其別者並經上走於心包下貫腰脊其病氣逆則煩悶實則閉癃虛則腰痛取之所別大鍾絡走心包故病則煩悶實則膀胱閉淋不足則為腰痛也　平按貫上靈樞有外字閉癃甲乙經作癃閉足厥陰之別名曰蠡溝蠡力洒反瓢勺也胻骨之内上下虛處有似瓢勺渠溝此因名曰蠡溝去内踝五寸別走少陽其別者循脛上睪結於莖其病氣逆則睪腫卒疝實則挺長熱虛則暴癢取之所

別皐囊也此絡上囊聚於陰莖也挺長陰挺出長也虛則陰癢也　平按踝下甲乙經有上字循脛上皐靈樞作經脛上睾甲乙經作循經上睾

督脈之別名曰長强督脈諸陽脈長其氣强盛穴居其處故曰長强也俠膂上項上散頭上下當肩甲左右別走太陽入貫膂實則脊强虛則頭重高搖之俠脊之有過者取之所別俠脊有過則知督脈兩道以爲定也　平按督脈一段靈樞甲乙經均在任脈之後俠膂靈樞作挾膂甲乙經作俠脊肩甲靈樞甲乙經均作肩胛高搖之俠脊之有過者九字甲乙經注九墟無此九字注定字袁刻誤作病

任衝之別名曰尾翳下鳩尾散於腹實則腹皮痛虛則癢搔取之所別尾則鳩尾一名尾翳是心之蔽骨此之絡脈起於尾翳故得其名任衝二經此中合有一絡者以其營處是同故合之也任衝浮絡行腹皮中故實盛痛也虛以不足故邪爲癢搔葉牢反　平按任衝靈樞甲乙經均作任脈癢搔甲乙經作搔癢

脾之大絡脈名曰大包脾爲中土四藏之主包裹處也故曰大包也　平按大絡脈袁刻作大脈絡靈樞甲乙經無脈字注中土袁刻誤作中上出淵腋下三寸布胸脅實

則身盡痛虛則百節皆縱此脈若羅絡之血者皆取之所別脾之盛氣腋下三寸當泉掖而出布於胸脇散於百體故實則徧身皆痛虛則穀氣不足所以百節緩縱此脈乃是人身之上羅絡之血脈也由是有病皆取之也　平按泉掖靈樞甲乙經均作淵腋說見前身上甲乙有一字百節甲乙經作百脈皆取之所別靈樞作皆取之脾之大絡脈也甲乙經無所別二字凡此十五絡者實則必見虛則必下視之不見求之上下人經不同絡脈異所盛則血滿脈中故必見虛則脈中少血故必下脈下難見故上下求之人之稟氣得身百體不可一者豈有經絡而得同乎故須上下求之方得見也　平按異所下靈樞甲乙經均有別也二字注脈下難見袁刻作脈中

經脈皮部平按此篇自篇首至而生大病黃帝曰善見素問卷十五第五十六皮部論篇自夫經絡之見也至末見素問卷十五第五十七經絡論篇又自篇首至末見甲乙經卷二第一下篇

黃帝問岐伯曰余聞皮有分部前說十五大絡循其行處以求其病次說皮部十二絡之以十

二經上之以皮分十二部以取其病故曰皮有部也脈有經紀大絡小絡總以十二大脈以爲皮部經紀筋有結絡十二經筋各有結聚各有包絡骨有度量骨有大小長短度量其所生病各異以其皮脈筋骨各各不同故皮脈筋骨生病異之別其分部左右上下陰陽所在別在皮脈筋骨分部異者有左有右有上有下有陰有陽六種所在病之終始病客前六有初有極也平按終始素問作始終願聞其道岐伯曰欲知皮部以經脈爲紀諸經皆然欲知皮之部別十二經爲綱紀也十二經皮部絡皆以此爲例也平按注部別袁刻作別部陽明之陽名曰害蜚上下同法蜚妖貴反陽明大經爲陽故大小絡爲陽明之陽陽明之脈有手有足手則爲上足則爲下又手陽明在手爲下在頭爲上足陽明在頭爲上在足爲下診色行鍼皆同法也餘皆放此平按蜚下甲乙經有十二經三字視其部中有浮絡者皆陽明之絡也浮謂大小絡見於皮者也其色多青則痛多黑則痺絡脈俱有五色然衆絡以色偏多者候其別病邪客分肉之間廹肉初痛故絡青也久留爲紾爲熱或爲不仁以成於痺故絡青深爲胎黑也多黃赤則熱癉熱在中

氣溢皮膚故絡黃赤也平按素問甲乙經無多字多白則寒壅白寒也故寒氣在中絡白色也五色皆見則寒熱青赤黃等爲陽色也白黑二種爲陰色也今二色俱見當知所病有寒熱也絡盛則入於經盛大小絡盛也大小絡中痛痺熱寒寒熱五邪盛者則循絡入經也 平按入下素問甲乙經有客字陽主外陰主內陽絡主外陰絡主內也在陽絡者主外在陰絡者主內也少陽之陽名曰樞特上下同法視其部中有浮絡脈者皆少陽之絡也絡盛則入經故在陽者主內在陰者主出滲於內也諸經皆然矣少陽絡盛則入於經故主內也經盛外溢故主出也諸陰陽絡主內出者例以此知也滲山蔭反下入也 平按樞特素問作樞持甲乙經作樞杼注云一作持上下同法甲乙經無此四字絡脈脈字素問甲乙經均無主出甲乙經作主外注下入也三字袁刻脫太陽之陽名曰關樞上下同法視其部中有浮絡脈者皆太陽之絡也絡盛則入客於經外盛者則入於大經也少陰之陰名曰樞檽檽而泉反 平按檽素問作

儒新校正云甲乙經作檽今本甲乙經仍作儒正統本甲乙經作檽日本丹波元簡素問識謂檽音輭引倉頡篇爲柱上承斗之曲木宜從甲乙經作檽上下同法視其部中有浮絡者皆少陰之絡也絡盛則入客於經其入於經也從陽部注於經從陽絡部注於陽經也其經出者從陰注於骨也從陰絡部出注陰經內注於骨少陰主骨　平按素問甲乙經無經字陰字下素問有內字甲乙經有部內二字心主之陰名曰害肩上下同法視其部中有浮絡者皆心主之絡也絡盛則入客於經太陰之陰名曰關樞平按關樞素問作關蟄新校正云甲乙蟄作執今本甲乙經仍作蟄正統本甲乙經作執袁刻亦作蟄上下同法視其部中有浮絡者皆太陰之絡也絡盛則入客於經凡十二經脈者皮之部也皮有部者以十二脈分爲部也　平按經脈者素問甲乙經作經絡脈者是故百病之始生也下廣論外邪主於百病次第所由也必先客於

皮毛邪中之則腠理開開則入客於絡脈留而不去傳入於府亶於腸胃外邪氣風寒暑溼邪入身爲病先著皮毛留而不去則腠理孔開因開而入即客於絡脈絡脈傳入陽經陽經傳入六府於是亶承腸胃之氣以爲百病　平按絡脈下素問甲乙經均有留而不去傳入於經八字邪之始入於皮也泝然起豪毛開腠理泝蘇護反流逆上也謂寒邪逆入腠理也外邪入身爲病也初着皮毛能開腠理也　平按泝甲乙經作淅其入於絡也則絡脈盛色變能令絡盛色變也其入客於經也則減虛乃陷下減氣爲虛乃血少脈陷也　平按減素問作感道藏本作盛甲乙經亦作盛其留於筋骨之間寒多則筋攣骨痛熱多則筋施骨消肉爍䐃破毛直而敗矣循經入於筋骨之間留而不去寒邪不去則爲二病筋攣拘急一也骨乃疼痛二也若熱邪不去則以五病筋熱緩施一也骨熱消細二也身肉爍三也爍余藥反淫邪在肉也䐃臑破裂四也毛焦而直五也熱邪如此客於筋骨之間遂至於死也　平按施素問甲乙經作弛䐃甲乙經作䐃注淫邪在肉袁刻肉作内䐃臑䐃字袁刻作䐃黃帝曰夫子言

皮之十二部其生病何如岐伯曰皮者脈之部也邪客於皮則腠理開開則邪入客於絡脈絡脈滿則注於經脈經脈滿則入舍於府藏故皮者有分部不與而生大病前明邪入皮毛乃至䐜於腸胃次言邪入乃至筋骨之閒今言邪入至於藏府皆可以從淺至深以至於大在淺不療遂生大病也與療也　平按不與今本甲乙經作不愈正統本作不與素問新校正云甲乙經不與作不愈全元起本作不與元起云氣不與經脈和調則氣傷於外邪流入於內必生大病也本生與訓療與元起所解亦異黃帝曰善夫絡脈之見也其五色各異青黃赤白黑不同其故何也岐伯曰經有常色而絡無常變常謂五色見者定是絡色也然五藏六府之性定屬五行故藏府大經各有常色陰絡隨於陰經色亦不改陽絡雖屬陽經以是陽脈之陽故隨時變也　平按甲乙經無青黃赤白黑不同七字絡無常變正統本甲乙經作絡脈無常變黃帝曰經之常色何如岐伯曰心赤肺白肝青脾黃腎黑皆亦應

其經脈之色五藏五行之色皆合經脈故經之色常□也　平按注常下原缺一字依經文當作應黃帝曰其絡之陰陽亦應其經乎岐伯曰陰絡之色應其經陽絡之色變無常隨時而行絡有陰陽陰絡是陰之陰故隨經色不變陽絡是陽之陽故隨時變也　平按時上素問甲乙經均有四字寒多則涘泣涘泣則青黑熱多則淖澤淖澤則黃赤此其常色者謂之無病也淖文卓反濡甚也解其陽絡隨時而變也冬月寒甚則經脈涘泣涘泣不通則陽絡壅而青黑夏日熱甚血氣濡甚則陽絡熱而黃赤也陽絡如此隨四時而變者此爲陽絡常色謂之無病之候也不可見而色見者病也　平按涘泣素問甲乙經均作凝泣淖澤今本甲乙經作淖滜正統本甲乙作淖澤此其素問其作皆常色者者字袁刻作也注則經脈則字袁刻作雖色俱見者謂之寒熱黃帝曰善隨一時中五色俱見者此爲寒熱之病也

黃帝内經太素卷第九　經脈之二

黃陂　陳孝啟　蕭貞鳥　校字

黄帝内經太素卷第十 經脉之三

通直郎守太子文學臣楊上善奉　敕撰注

黄陂蕭延平北承甫校正

督脉

帶脉

陰陽蹻脉

任脉

衝脉

陰陽維脉

經脉標本

經脈根結

督脈 平按此卷自卷首督脈帶脈諸目録以下至本篇兩目之下中以上原鈔殘脱平於日本仁和寺宮御殘卷十三紙中檢出證以素問骨空論篇及本書骨空篇甲乙經奇經八脈篇補在經文央字楊注督脈起於少腹之上而脱處復完惟篇中楊注缺蝕過多無由補入不無遺憾謹依缺處計字空格以存真相自經文央字以下見素問卷十六第六十骨空論篇又見甲乙經卷二第二并本書骨空論

岐伯曰督脈起於少腹以下骨中央女子入繫庭孔其孔溺孔之端 此脈起少腹循陰器上至目内眥復上額交顛入腦還出別下項俠脊入循膂絡腎然後別從腎上而還至於腎九卷別於畜門上額循顛下項脊入骶絡陰器入齊中上入缺盆二經相證督脈之逆顯然又按考古本竟于此爲任脈之言而有不識以此督□□□□□□□□□□□□腹八十一難云起下極之輸並脊上行至於風府爲陽脈之聚義亦同也庭孔溺孔之端孔也 平按起於少腹於字本書骨空論無素問端下有也字

其絡循陰器合簒間繞簒後 督脈之絡出庭孔別左右循男女陰器於簒間合復繞於簒後也簒音督此□□□後也 平按簒甲乙經作纂本書骨空篇亦作纂注音督義未詳查骨空論類註云簒交簒之義謂兩便爭行之所前後

二陰之間金鑑云簒者横骨下兩股之前相合共結之凹前後兩陰之間是簒當依甲乙經及本書骨空篇作簒纂爲合説文纂似組而赤蓋兩陰之間有一道縫處其狀如纂組故謂之簒日本醫家丹波元簡已有此説似較篡簒奪之簒於義爲長特採入以備參考又注此下所缺三字平擬作兩陰前三字別繞髀至少陰與巨陽中絡者合少陰上股内後廉貫脊屬腎從簒後復別兩箱繞髀行至足少陰與足太陽中絡者合於少陰行於股復貫脊屬腎也與太陽起於目内眥從腎與足太陽上行起於目内眥也上額交巔上入絡腦還出別下項循肩髆内俠脊抵腰中入循膂絡腎而止其男子循莖下至簒與女子等督脈與太陽兩道上至目内眥上額至巔相交已入腦還出別爲兩箱下項復循左右肩髆之内俠脊抵腰循膂絡於二腎方止男女皆同也舊來相傳爲督脈當脊中唯爲一脈者不可爲正也　平按顛素問甲乙經作巔髆甲乙經作膊素問無而止二字又按入脈考督脈又別自腦下項循肩胛與手足太陽少陰會於大杼第一椎下兩旁去脊中一寸五分陷中内俠脊抵腰中入循膂絡腎足證本注別兩箱循左右肩髆之是舊傳只一脈當脊中者非也其少腹直上者貫齊中央上貫

心入喉上頤環脣上繫兩目之下中央督脈起於少腹以下至額前者從少腹至腎上行還來至腎而止此從少腹直上至兩目之下也貫齊貫心入喉上頤皆爲一道也環脣以上復爲二道各當目下直瞳子故曰中央也　平按少腹甲乙經作小腹齊中央甲乙經作臍中中央兩目之下中央甲乙經作兩目之中此生病從少腹上衝心而痛不得前後爲衝疝從少腹上衝心痛前後之脈爲病不得前後便衝疝病也其女子不字癃痔遺溺嗌乾督脈生病治督脈不字毋子不產病也癃痔遺溺脈從陰器上行至咽故爲此等病也任脈衝脈行處相似故須細別督脈生病療之於督脈勿療任脈也有本無痔字　平按不字素問甲乙經均作不孕又按素問王註謂衝任督三脈異名同體甲乙經注云素問言督脈似謂任衝多聞闕疑故并載以貽後之長者云

帶脈平按此篇自篇首至屬帶脈見靈樞卷三第十一經別篇又見甲乙經卷二第一下篇又見本書卷九經脈正別篇自陽明者至末見素問卷十二第四十四痿論篇又見甲乙經卷十第四

足少陰之正至膕中別走太陽而合上至腎當十

四椎出屬帶脈八十一難云帶脈起於季脅爲迴身一周既言一周亦周腰脊也故帶脈當十四椎束帶腰腹故曰帶脈也平按太陽下靈樞甲乙經均無心字當字上半爲蟲蝕只剩下半田字據靈樞甲乙經及本注應作當椎靈樞作顀注季脅袁刻作季肋原鈔及難經均作脅又束帶腰腹袁刻作束腰帶腹陽明者五藏六府之海也主潤宗筋宗筋者束肉骨而利機關陽明主於水穀故爲藏府之海能潤宗筋約束骨肉利諸機關也　平按束肉骨素問甲乙經均作主束骨衝脈者經脈之海也主滲灌谿谷陽明以爲藏府海衝脈血氣壯盛故爲經脈之海主滲灌骨肉會處益其血氣與陽明合於筋陰總宗筋之會會於氣街而陽明爲之長皆屬於帶脈而絡於督脈衝脈與陽明二脈合於陰器總聚於宗筋宗筋即二核及莖也復會於左右氣街以左右陽明爲主共屬帶脈仍絡於督脈以帶脈爲控帶也　平按筋陰素問甲乙經作宗筋陰陽四字氣街甲乙經作氣衝故陽明虛則宗筋縱帶脈不引故足痿不用陽明穀氣虛少則宗筋之莖施縱帶脈不爲牽引則筋脈施舒故足痿

陰陽喬脈 平按此篇自篇首至其不當數者爲絡見靈樞卷四第十七脈度篇又見甲乙經卷二第二自陰喬陽喬至則瞑目見靈樞卷五第二十一寒熱病篇又見本書二十六卷寒熱雜説又見甲乙經卷十二第四自邪客於足陽喬至末見素問卷十八第六十三繆刺論篇

黃帝問曰：喬脈安起安止何氣營此 喬亦作蹻禁嬌反皆疾健皃人行健疾此脈所能故因名也喬高也此脈從足而出以上於頭故曰喬脈問其終始之處及問此脈何藏之氣也 平按喬靈樞甲乙經均作蹻營此靈樞作滎水甲乙經作營也

岐伯對曰：喬脈者少陰之別起於然骨之後上內踝之上 九卷經云喬脈從足至目各長七尺五寸總二喬當一丈五尺則知陰陽二喬俱起於跟皆至目內眥別少陰於然骨之後行於跟中至於照海上行至目內眥者名爲陰喬起於跟中至於申脈上行至目內眥者名曰陽喬故八十一難曰陰陽二喬皆起跟中上行陰喬至咽交灌衝脈陽喬入於風池皆起跟中上行是同入目內眥至咽中與衝脈交此猶言二脈行處不言二脈終處二脈上行終於目內眥以爲極也然骨之後即跟中也九卷與八十一難左右並具兩喬丈尺義皆同也□□□□□□是足少陰別脈也然骨跟中□下少前大起骨也 平按注皆起跟中跟字袁刻誤作限又注是足少陰上所缺六字平擬作然骨之後跟中六字又跟中下所缺一字平據甲乙經擬作陷袁刻作之 直上循陰股入

陰上循胸裏入缺盆上出人迎之前入鼽屬目内眥合於太陽陽蹻而上行入陰者陰蹻脈入陰器也此是足少陰之別名爲陰蹻入缺盆上行陽蹻從風池腦空至口邊會地倉承泣與陰蹻於目兑眥相交已別出入鼽至目内眥陰蹻與太陽陽蹻三脈合而上行之也　平按上出人迎甲乙經作上循人迎入鼽甲乙經作上入鼽靈樞作入頄正統本甲乙亦作入頄氣并相還則爲濡目氣不營則目不合陰陽二氣相并相還陰盛故目中淚出濡濕也若二氣不相營者是則不和陽盛故目不合也　平按氣并甲乙經作氣相并營靈樞作榮下同

黃帝問曰：氣獨行五藏，不營六府，何也？帝問陰藏少陰別者陰蹻脈所營謂陽氣不營六府故致斯問也

岐伯曰：氣之不得毋行也，陰陽二氣相注如環故不得毋行也如水之流，如日月之行不休，故陰脈營其藏，陽脈營其府，如環之無端，莫知其紀，終而復始。水之東流迴環天地故行不休也日月起於星紀終而復始故行不止也三陰之脈營藏注陽三陽之脈營府注陰陰陽相注如環比水之流日月之行終而復始莫知其紀也　平按注日月起

於星紀日月二字原不全依經文當是日月二字其流溢之氣內溉藏府外濡腠理此謂二蹻之氣黃帝問曰蹻脈陰陽何者當數平按靈樞甲乙經陰陽作有陰陽當數作當數岐伯答曰男子數其陽女子數其陰當數者爲經其不當數者爲絡黃帝曰善男子以陽蹻爲經以陰蹻爲絡女子以陰蹻爲經以陽蹻爲絡也平按當數者上甲乙經重其陰二字陰蹻陽蹻陰陽相交陽入陰出陰陽交於兌眥陽氣盛則瞋目陰氣盛則瞑目二蹻交於目內眥陽蹻之氣從外入內陰蹻之氣從內出外陽蹻脈盛目瞋不合陰蹻脈盛則目瞑不開矣　平按兌眥靈樞作目銳眥邪客於足陽蹻令人目痛從內眥始二蹻交於目兌眥□俱至目內眥故邪客痛從是內眥起也　平按注兌眥下所缺一字據上注陽蹻與陰蹻於目兌眥相交已應作巳字從是內眥起是字恐係目字傳寫之誤

任脈平按此篇自篇首至末見靈樞卷十第六十五五音五味篇自衝脈任脈至故鬚不生見甲乙經卷二第二惟編次前後稍異自黃赤者至末

見甲乙經卷一第十六

黄帝曰：婦人之毋鬚者毋血氣乎？欲明任脈衝脈之故因問以起岐伯曰：任脈衝脈皆起於胞中上循脊裏爲經絡海此經任脈起於胞中紀絡於脣口皇甫謐錄素問經任脈起於中極之下以上毛際循腹裏上關元至咽喉吕廣所注八十一難本言任脈與皇甫謐所錄文同檢素問無此文唯八十一難有前所說又吕廣所注八十一難本云任脈起於胞門子户俠齊上行至胸中九卷又云會厭之脈上經任脈但中極之下即是胞中亦是胞門子户是則任脈起處同也八十一難一至胸中一至咽喉此經所言別絡脣口又云會厭之脈上經任脈是循胸至咽言其行處未爲終處至脈絡脣口滿四尺五寸方爲極也又八十一難任脈亦□□又明堂言目下巨窌承泣左右四穴有陽喬脈任脈之會則知任脈亦有分岐上行者也又任衝二脈上行雖別行處終始其經是同也舊來爲圖任脈唯爲一道衝脈分脈兩箱此亦不可依也此脈上行爲經絡海任維諸脈故曰任脈胞下爲膀胱膀胱包尿是以稱胞即尿脬也胞門與子户相近任衝二脈起於中也脊裏謂不行皮肉中也十二經脈奇經八脈十五絡脈皮部諸絡皆以任衝二脈血氣爲大故爲海　平按：任脈衝脈靈樞甲乙經作衝脈任脈者循脊靈樞作循背海上靈樞甲乙經均有之字又注任脈亦下所缺二字據難經任脈起中極之下上毛際循腹裏上關

元至咽喉擬作上行二字又上經任脈兩經字袁刻均作於分脈兩箱脈字作腋不行皮肉中行字作下皮部諸絡絡字作脈其浮而外者循腹上行會於咽喉別而絡脣口任衝二脈從胞中起分爲二道一道後行內著脊裏而上一道前行浮外循腹上絡脣口也　平按靈樞腹下有右字血氣盛則充膚熱肉血獨盛則澹滲皮膚生毫毛任衝之血獨盛則澹聚滲入皮膚生毫及毛毛即鬚髮及身毛也　平按澹滲甲乙經作滲灌今婦人生有餘於氣不足於血以其數脫血故也任衝之脈不營其口脣故鬚不生焉婦人氣多血少任衝少血故不得營口以生豪毛也　平按今婦人生靈樞生上有之字甲乙經無今生二字數脫上甲乙經有月水下三字脫血下有任衝並傷四字鬚上有髭字黃帝曰士人有其傷於陰陰氣絶而不起陰不用然其鬚不去其故何也宦者之所獨去何也願聞其故也士人或有自傷其陰不能復起然髭鬚不落宦刑之法傷者陰亦不起何因鬚獨去之也　平按陰不用甲乙經作陰不爲用宦靈樞甲乙經均作宧下同按

注宮刑之法尚書呂刑五刑中有宮刑即腐刑宦說文訓仕左傳宦三年矣訓學雖後世有宦官惟聞有自宮而爲宦者未嘗設有宦刑宮刑二字連稱應以宮字爲允岐伯曰宮者去其宗筋傷其衝脈血寫不復肉膚內結口脣不營故鬚不生人有去其陰莖仍有髭鬚去其陰核鬚必去者則知陰核並莖爲宗筋也去其宗筋寫血過多膚肉結澀內不營其口以無其血故鬚不生也　平按寫甲乙經作瀉肉膚靈樞甲乙經作皮膚口脣均作脣口鬚上甲乙經有髭字黃帝曰其病天宮者未嘗被傷不脫於血然其鬚不生其故何也岐伯曰此故天之所不足也其任衝不盛宗筋不成有氣無血口脣不營故鬚不生人有天然形者未嘗被傷其血不脫而鬚不生者此以天然不足於血宗筋不成故鬚不生也　平按其病靈樞作有病注天然形袁刻形作刑黃帝曰善哉乎聖人之通萬物也若日月之光影音聲之鼓響聞其音而知其形其非夫子孰能明萬物之

精見表而知裏覩微而識著瞻日月而見光影聽音聲而解鼓響聞五聲而通萬形察五色而辨血氣者非岐伯至聖通萬物之精孰能若此也是故聖人視其真色黄赤者多熱氣青白者少熱氣黑色者多血少氣表内不誤故曰真色黄赤太陽陽明之色故多熱也青白少陽陽明之色故少熱也黑爲陰色故多血少氣也　平按真色靈樞作顔色美眉者太陽多血通髯極鬚者少陽多血美鬚者陽明多血此其時然也太陽之血營眉故美眉之人即知太陽多血少陽之血營通髯故少陽行處通髯多則知少陽多血也通髯頰上毛也鬚美者則知陽明多血鬚謂頤下毛也乃是其見眉鬚則知血氣多少也　平按通髯極鬚靈樞甲乙經作通髯極髮注乃是其見眉鬚袁刻脱其鬚二字夫人之常數太陽常多血少氣少陽常多氣少血陽明常多血氣厥陰常多氣少血少陰常多血少氣太陰常多血氣此天之常數也手足少陰太陽多血少氣以陰多陽少也手足厥陰少陽多氣少血以陽多陰少也手足太陰陽明多血氣以陰陽俱多穀氣故也此又授人血氣多少之常數也

平按陽明常多血氣靈樞甲乙經作多血多氣袁刻作多血少氣太陰常多血氣靈樞作常多血少氣

衝脈

平按此篇自篇首至孰能道之見靈樞卷六第三十八逆順肥瘦篇又見甲乙經卷二第二自黃帝曰願聞人之五藏至末見素問卷十一第三十九舉痛論篇

黃帝曰：脈行之逆順奈何？血氣相注如環無端未知行身逆順如何也**岐伯曰：手之三陰從藏起手，**夫衝脈亦起於胞中上行循腹而絡脣口故經曰任脈衝脈皆起於胞中上絡脣口是爲衝脈上行與任脈同素問衝脈起於關元隨腹直上呂廣注八十一難本云衝脈起於關元隨腹裏直上至咽喉中皇甫謐錄素問云衝脈起於氣街並陽明之經俠齊上行至胸中而散此是八十一難說檢素問無文或可出於別本氣街近在關元之下衝脈氣街即入關元上行雖不言至咽其義亦同也素問又云衝脈與陽明宗筋會於氣街即衝脈與陽明宗筋會氣街已並陽明之經而上其義不異也九卷經又云衝脈者十二經之海也與少陰之本絡起於腎下出於氣街循陰股內廉邪入膕中循脛骨內廉並少陰之經下入內踝之後入足下其別者邪入踝出屬跗上入大指之間注諸絡以溫足脛此脈之常動者也前云衝脈十二經海黃帝謂跗上動者爲足少陰岐伯別之以爲衝脈常動前云上絡脣口此云上出頏顙此云注少陰大絡出氣街前云起於腎下出氣街此云下至内踝之屬而別前云入内踝之後入足下前云出屬跗上入大指間此云出跗屬下循跗入大指間其義並同也衝壯盛見其脈起於齊下一道下行入足指間一道上行絡於脣口其氣壯盛故曰衝脈也脈從身出向四支爲順從四支上身爲逆也藏謂心肺心肺在内故爲陰也心肺之陰起於三脈向手故曰手之三陰從藏走手此爲從陰之陽終爲陽中之陰也　平按起靈樞甲乙經均作走注上行循腹袁刻脫行字至咽喉中袁刻脫中字注少陰大絡袁刻脫注字出氣街袁刻脫出字衝壯盛見袁刻作則衝壯興盛上身爲逆袁刻身作行

手之三陽從手至頭手之三陰之脈從藏受得血氣流極手指端已變而爲陽名手三陽從手上頭此爲從陽之陽終爲陽中之陽者也　平按至靈樞甲乙經作走

足之三陽從頭走足手之三陽至頭曲屈向足至足指端從陽之陰終爲陰中之陽也　平按頭甲乙經作項

足之三陰從足走腹足之三陽下行至足指極已變而生足之三陰上至胸腹從陰之陰終爲陰中之陰也復從藏走手如環無端

黃帝曰少陰之脈獨下行何也足之三陰從足上行常見跗上動脈謂是足少陰下行動脈故致斯問也　平按注足少陰少字袁刻誤作三

岐伯曰不然齊下腎閒動氣人之生命是十二經脈根本此衝脈血海是五藏六府十二經脈之海也滲於諸陽灌於諸精故五藏六府皆稟而有之則是齊下動氣在於胞也衝脈起於胞中爲經脈海當知衝脈從動氣生上下行者爲衝脈也

其下行者雖注少陰大絡下行然不是少陰脈故曰不然也　平按注根本本字袁刻作者又衝脈起於胞中至從動氣生袁刻脫此十八字夫衝脈者五藏六府之海也五藏六府皆禀焉其上者出於頏顙滲諸陽灌諸精衝脈氣滲諸陽血灌諸精精者目中五藏之精　平按精甲乙經作陰其下者注少陰之大絡出之於氣街循陰股內廉入膕中伏行骭骨內下至內踝之屬而別其下者並於少陰之經滲三陰其前者伏行出跗屬下循跗入大指閒滲諸絡而温肌肉故別絡結則跗上不動不動則厥厥則寒矣脛骨與跗骨相連之處曰屬也至此分爲二道一道後而下者並少陰經循於小絡滲入三陰之中其前而下者至跗屬循跗下入大指閒滲入諸陽絡温於足脛肌肉故衝脈之絡結約不通則跗上衝脈不動不動則衞氣不行失逆名厥故足寒也　平按氣街甲乙經作氣衝入膕中甲乙經作斜入膕中骭靈樞作骭甲乙經作髀內踝之屬靈樞甲乙經屬上有後字並於少陰並甲乙經作至三陰上原脫滲字據本注補入跗

屬甲乙經作屬跗則跗上不動衰刻脫上字又注衞氣衰刻作衝氣黃帝曰何以明之帝謂少陰下行至跗常動岐伯乃言衝脈下行至跗上常動者未知以何明之令人知也岐伯曰以言噵之切而驗之其非必動然後乃可以明逆順之行也欲知衝脈下行常動非少陰者凡有二法一則以言談噵衝脈少陰有動不動二則以手切按上動者爲衝脈不動者爲少陰少陰逆而上行衝脈順而下行則逆順明也　平按以言靈樞作五官二字噵靈樞作導道藏本靈樞作道甲乙經作道黃帝曰窘乎哉聖人之爲道也明於日月徹於豪釐其非夫子孰能噵之窘急也聖人知慧通達之明於日月故能徹照豪釐之微如此非岐伯之鑒誰能言也　平按徹靈樞作微黃帝曰願聞人之五藏卒痛何氣使然或動喘應手者奈何岐伯對曰寒氣客於衝脈衝脈起於關元隨腹直上則脈不通則氣因之故喘動應手矣平按動喘素問作喘動直上二字下素問有寒氣客三字脈不通下素問復有脈不通三字

陰陽維脈 平按此篇見素問卷十一第四十一刺腰痛篇又見甲乙經卷九第八

陽維之脈令人腰痛痛上弗然脈腫刺陽維之脈脈與大陽合腨下間上地一尺所飛陽之脈在内踝上二寸大陰之前與陰維會 八十一難云陽維起於諸脈之會則諸陽脈會也陰維起於諸陰之交則三陰交也陽維維於陽綱維諸陽之脈也陰維維於陰綱維諸陰之脈也陰陽不能相維則悵然失志不能自持陽不維於陽陰不維於陰也陽維陰維綺絡於身溢蓄不能還流溉灌諸經血脈隆盛溢入入脈而不還也腨下間上地一尺所即陽交穴陽維郄也陰維會即築賓穴陰維郄也 平按素問甲乙經弗然脈腫作怫然腫上地作去地素問二寸作五寸素問甲乙經太陰作少陰陰維會作陰維之會

經脈標本 平按此篇見靈樞卷八第五十二衛氣篇又見甲乙經卷二第四

黄帝曰五藏者所以藏精神魂魄也 腎藏精也心藏神也肝藏魂也肺藏魄也脾藏意智爲五藏本所以不論也 六府者所以受水穀而行化物者也 膽之府唯受所

化木精汁三合不能化物也今就多者爲言耳　平按行化甲乙經無行字　其氣內入于五藏而外絡支節　六府穀氣化爲血氣內即入于五藏資其血氣外則行于分肉經絡支節也　平按入于二字靈樞作干甲乙經作循　其浮氣之不循經者爲衛氣其精氣之行於經者爲營氣　六府所受水穀變化爲氣凡有二別起胃上口其悍氣浮而行者不入經脈之中晝從於目行於四支分肉之閒二十五周夜行五藏二十五周一日一夜行五十周以衛于身故曰衛氣其穀之精氣起於中焦亦並胃上口行於脈中一日一夜亦五十周以營於身故曰營氣也　陰陽相隨外內相貫如環之無端混乎孰能窮之　浮氣爲陽爲衛隨陰從外貫內精氣爲陰爲營隨陽從內貫外也陰陽相貫成和莫知終始故如環無端也　平按混乎靈樞甲乙經作亭亭淳淳乎　然其分別陰陽皆有標本虛實所離之處　夫陰陽之氣在於身也即有標有本有虛有實有所歷之處也　能別陰陽十二經者知病之所生　十二經脈有陰有陽能知邪入病生所由也　知候虛實之所在者能得病之高下　十二經脈標本所在則知上實下虛

病在下下實上虛病在其上虛實爲病高下可知也　平按靈樞甲乙經無知字

知六府之氣街者能解經結挈紹於門戶

街六府氣行要道也門戶輸穴也六府陽也能知六府氣行要道即能挈繼輸穴門戶解結者也紹繼也　平按解上靈樞甲乙經有知字經結挈靈樞作結契二字甲乙經作結無經挈二字

能知虛實之堅耎者知補寫之所在

知虛爲耎知實爲堅即能寫堅補耎也耎而免反柔也　平按甲乙經無能字實靈樞作石耎靈樞作軟甲乙經作濡

能知六經標本者可以無惑於天下

三陰三陽故曰六經也標本則根條知六經脈根條則天下皆同所以不惑者也

岐伯曰博哉聖帝之論臣請盡意悉言之

讚帝所知極物之理也盡意欲窮所知也悉言欲極其理也　平按甲乙經無盡意二字

足太陽之本在跟以上五寸中標在兩緩命門命門者目也

血氣所出皆從藏府而起今六經之本皆在四支其標在掖肝輸以上何也然氣生雖從府藏爲根末在四支比天生物流氣從天根成地也跟上五寸當承筋下足跟上是足太陽脈爲根之處也其末行於天柱至二目內眥以爲標末也腎爲命門上通太陽於目故目爲命門緩太也命門爲大故也　平按緩靈樞甲乙經作絡

足少陽之本在竅陰之閒標在窗籠之前窗籠者耳也足少陽脈爲根在竅陰其末上出天窗支入耳中出走耳前即在窗籠之前也以耳爲身窗舍籠音聾故曰窗籠也足陽明之本在厲兑標在人迎頰下上俠頏顙足陽明之爲根厲兑其末上至人迎頰下也平按甲乙經頰下上俠作上頰二字靈樞無下上二字足太陰之本在中封前上四寸之中標在背輸與舌本足太陰脈出足大指端內側行於內踝下微前商邱上於內踝近於中封中封雖是厥陰所行太陰爲根此中封之前四寸之中也末在背第十一椎兩箱一寸半脾輸及連舌本散在舌下也平按甲乙經無上字輸靈樞甲乙經均作腧下同不再舉又按靈樞足陽明足太陰兩段在足厥陰後足少陰之本在內踝下二寸中標在背輸與舌下兩脈足少陰脈起小指下邪起趣足心至內踝下二寸爲根也末在背第四椎兩箱一寸半腎輸及循喉嚨俠舌本也平按二寸靈樞甲乙經作上三寸注第四椎據本書氣穴篇及靈樞背腧篇應作第十四椎一寸半袁刻誤作一尺半又按甲乙經足少陰一段在足少陽前足厥陰之本在行閒上五寸所標在背輸

足厥陰脈起於大指藂毛之上行大指歧內行閒上五寸之中爲根也末在背第九椎兩箱一寸半肝輸也　平按甲乙經足厥陰一段在足太陰前

手太陽之本在外踝之後標在命門之上三寸手太陽脈起於小指之端循手外側上腕出外踝之後爲根也手腕之處當大指者爲內踝當小指者爲外踝也其末在目上三寸也　平按三寸靈樞甲乙經均作一寸

手少陽之本在小指次指之閒上二寸標在耳後上角下外背手少陽脈起於小指次指之端上出兩指閒上二寸之中爲根也末在耳後完骨枕骨下髮際上出耳上角下至外背也　平按二寸甲乙經作三寸注出兩指閒出字袁刻作在

手陽明之本在肘骨中上至別陽標在頰下合於鉗上手陽明脈起大指次指之端循指上廉至肘外廉骨中上至背臑背臑手陽明絡名曰別陽以下至肘骨中爲手陽明本也末在頰下一寸人迎後扶突上名爲鉗鉗頸鐵也當此鐵處名爲鉗上渠廉反　平按頰靈樞作顏甲乙經作腋

手太陰之本在寸口之中標在掖內動脈手太陰脈出大指次指之端上至寸口爲根也末在掖下天府動脈也　平按掖靈樞甲乙經作腋內動脈靈樞脈作也甲乙經內上有下字

手少陰之本在兌骨

之端標在背輸手少陰脈出於手小指之端上至腕後兑骨之端神門穴爲根也末在於背第五椎下兩傍一寸半心輸問曰少陰無輸何以此中有輸答曰少陰無輸謂無五行五輸不言無背輸也故此中有背輸也若依明堂少陰有五輸如別所解也　平按兑靈樞作鋭注末在於背袁刻脱於字答曰少陰無輸袁刻無作天手心主之本在掌後兩筋之閒二寸中標在腋下三寸手心主脈出中指之端上行至於掌後兩筋之閒閒使上下二寸之中爲根也末在掖下三寸天池也　平按甲乙經無二寸中三字靈樞掖下重下字凡候此者下虛則厥下盛則熱痛上虛則眩上盛則熱痛此謂本標也下則本也標即上也諸本陽虛者手足皆冷爲寒厥諸本陽盛則手足熱痛爲熱厥也諸標陰虛則爲眩冒諸標陰盛則頭項熱痛也　平按甲乙經下虛上有主字下盛則熱痛靈樞甲乙均無痛字故實者絶而止之虛者引而起之陰陽盛實絶寫止其盛也陰陽虛者引氣而補起也　平按實靈樞作石請言氣街街道也補寫之法須依血氣之道故請言之也胸氣有街腹氣有街頭氣有街胻氣有街胸腹頭胻四種身之要也四處氣行之道謂之街也　平按胻靈樞作脛甲乙經作骭故氣

在頭者止之於腦腦爲頭氣之街故頭有氣止百會也　平按止甲乙經作上下同氣在胸者止之膺與背輸膺中肺輸爲胸氣之街故胸中有氣取此二輸也　平按甲乙經胸下有中字氣在腹者止之於背輸與衝脈於齊左右之動者脾輸及齊左右衝脈以爲腹氣之街若腹中有氣取此二輸也　平按動下靈樞甲乙經有脈字氣在胻者止之於氣街與承山踝上下三陰氣街並與承山至踝上下以爲胻氣之街若胻有氣取此三處也　平按上下靈樞甲乙經作上以下取此者用豪鍼取此四街之氣宜用第七豪鍼也　平按注四街袁刻誤作四時必先按而在久應於手乃刺而予之刺氣街法也皆須按之良久或手下痛或手下脈動應手知已然後予行補寫之　平按在久二字甲乙經作久存之三字注或手下痛袁刻脫手字或手下脈動袁刻作動脈所治者謂頭痛眩仆腹中痛滿暴脹頭痛眩仆可止之於腦頭氣街也腹中痛等取之於胸及腹氣街也　平按治甲乙經作刺腹中痛滿靈樞甲乙經作腹痛中滿及有新積痛可移者易已也積不痛者難已也胸腹之中

有積病而可移者易已積而不痛不可移者難已也　平按積痛痛字甲乙經無

經脉根結平按此篇見靈樞卷二第五根結篇又見甲乙經卷二第五

岐伯曰天地相感寒煖相移陰陽之道孰少孰多推前後皆有其問此中義例須說岐伯即亦不待於問也二儀之氣交泰故曰相感陰盛移爲陽陽盛移爲陰故陰陽之氣不可偏爲多少也　平按煖靈樞作暖甲乙經作熱注岐伯二字袁刻脱　陰道偶而陽道奇陽爲天道其數奇也陰爲地道其數偶也　發於春夏陰氣少而陽氣多陰陽不調何補何寫有病發於春夏春夏陽多陰少是爲陰陽不調若爲補寫也　發於秋冬陽氣少而陰氣多陰氣盛而陽氣衰則莖葉枯槁溼而下歸陰陽相移何補何寫有病發於秋冬秋冬陰多陽少陽氣衰故莖葉枯槁陰氣盛故津液歸根是亦陰陽相移多少不同若爲補寫也　平按溼而下歸靈樞甲乙經作溼雨下歸考歸與浸同漬也　奇邪離經不可勝數風寒暑溼百端奇異侵經絡爲病萬類千殊故不可勝數也離

歷也不知根結五藏六府折關敗樞開闔而走陰陽大失不可復取根本也結繫也人之不知根結是藏府之要故邪離經脈折太陽骨節關亦敗少陽筋骨維樞及開陽明之闔胃及太陽氣有失洩也良以不知根結令關樞闔不得有守故陰陽失於綱紀病成不可復取也　平按注骨節關關字袁刻誤作開又關樞闔袁刻誤作開樞闔九鍼之要在於終始故知終始一言而畢不知終始鍼道絶滅終始根結也知根結之言即一言也　平按要字上靈樞有玄字故知靈樞作故能知甲乙經作能知絶滅靈樞作咸絶甲乙經作絶矣太陽根于至陰結于命門此太陽根結與標本同唯從至陰上跟上五寸爲本有異耳　平按命門下靈樞甲乙經有命門者目也五字陽明根于厲兑結于顙大顙大者鉗耳也此與標本終始同也　平按顙大甲乙經作頏顙少陽根于竅陰結于窗籠亦與標本同也　平按窗籠下靈樞有窗籠者耳中也六字甲乙經同惟無中字太陽爲關陽明爲闔少陰爲樞三陰三陽之□□身爲門營衛身也門有三種一者門關比之太陽二者門扉比之陽明三者門樞比之少陽也　平按爲關靈樞甲乙經均

作為開說見前陰陽合篇注身上所缺二字謹擬作脈於二字關折則肉節殰而暴疾起矣故暴病者取之太陽視有餘不足殰者肉宛燋而弱太陽主骨氣爲關故骨氣折肉節内敗殰音獨胎生内敗曰殰肉節内敗故暴病起暴病起者則知太陽關折所以調太陽也　平按殰靈樞作瀆甲乙經作潰緩二字肉宛燋靈樞作皮肉宛膲甲乙經作皮肉緩膲注骨氣折下袁刻脱肉節内敗四字闔折則氣無所止息而瘻疾起矣故瘻疾者取之陽明視有餘不足陽明主肉主氣故肉氣折損則正氣不能禁用即身瘻厥瘻而不收則知陽明闔折也　平按疾甲乙經作病無所止息者謂真氣稽留邪氣居之能止氣不洩能行氣滋息者真氣之要也陽明闔折則真氣稽留不用故邪氣居之瘻疾起也　平按注要下別本有用字樞折則骨繇而不安於地故骨繇者取之少陽視有餘不足少陽主筋筋以約束骨節骨節氣弛無所約束故骨摇骨摇則知少陽樞折也　平按甲乙經繇作摇不安作不能安骨繇者節緩而不收所謂骨繇者摇也當覈其本

骨節緩而摇動竅音核診候研竅得其病源然後取之也）平不收下甲乙經有者字無骨繇者及所謂骨繇者摇也十字竅靈樞作窮**太陰根于隱白結于太倉**隱白足大指端太倉在□中管穴與標本不同平按隱白甲乙經作陰白恐誤注中管上所缺一字袁刻作脘按中管穴本書作中管甲乙經作中脘即太倉穴在上脘下一寸居心蔽骨與齊之中乃任脈腹自鳩尾十五穴之一謹擬作腹**少陰根于涌泉結于廉泉**少陰先出涌泉爲根行至踝下二寸中爲本上行至結喉上廉泉爲結上至舌本及腎輸爲標有此不同也　平按涌靈樞甲乙經作湧注上至舌本袁刻上作止**厥陰根于太敦結于玉英終于膻中**厥陰先出太敦爲根行至行間上五寸所爲本行至玉英膻中爲結後至肝輸爲標有此不同也　平按終靈樞甲乙作絡厥陰一段甲乙經在少陰之前**太陰爲關厥陰爲闔少陰爲樞**門有二種有內門外門三陰爲內門三陽爲外門內門關者謂是太陰內門闔者謂是厥陰內門樞者謂是少陰也　平按關靈樞甲乙經作開下同說見前**關折則倉廩無所輸膈洞者取之太陰視有餘不足故關折者氣不足而生病**太陰主水穀以資身肉太陰脈氣關折則水穀無由得行故曰倉無輸也以無所輸膈氣虛弱洞洩無禁故氣

不足而生病也　平按靈樞甲乙經鬲作膈洞下復有膈洞二字闔折則氣施而喜悲悲者取之厥陰視有餘不足厥陰主筋厥陰筋氣緩縱則無禁喜悲　平按施靈樞作絕甲乙經作弛喜甲乙經作善樞折則脈有所結而不通不通者取之少陰視有餘不足有結者皆取之少陰主骨骨氣有損則少陰之脈不流故有所結不通結即少陰絡結也　平按皆取之下靈樞有不足二字足太陽根于至陰流于京骨注于崐崘入于天柱飛陽也輸穴之中言六陽之脈流井滎輸原經合五行次第至身爲極今此手足六陽從根至入流注上行與本輸及明堂流注有所不同此中根者皆當彼所出此中流者皆當彼所過唯手太陽流不在完骨之過移當彼經陽谷之行疑其此經異耳此中注者皆當彼行唯足陽明不當解谿之行移當彼合下陵亦謂此經異耳此中入者並與彼不同六陽之脈皆從手足指端爲根上絡行至其別走大絡稱入入有二處一入大絡一道上行至頭入諸天柱唯手足陽明至頸於前人迎扶突流注以所出爲井此爲根者井爲出水之處故根即井也天柱俠項大筋外廉陷中足太陽之正經也飛陽在足外踝上七寸足太陽之大絡也　平按流靈樞作溜下同不再舉注稱入入三字袁刻空三格足少陽根于竅陰

流于邱虛注于陽輔入于天容光明也天容在耳下曲頰後足少陽正經也光明在外踝上七寸足少陽大絡也　平按竅陰甲乙經作竅陽　足陽明根于厲兌流于衝陽注于下陵入于人迎豐隆也人迎在結喉傍大脈動應手足陽明正經也豐隆在足外踝上八寸骭外廉陷者中足陽明之大絡也　手太陽根于少澤流于陽谷注于少海入天窗支正也天窗在曲頰下扶突後動應手陷者中手太陽之正經也支正在腕後五寸手太陽之大絡也　平按陽谷甲乙經作暘谷　手少陽根于關衝流于陽池注于支溝入天牖外關也天牖在頸缺盆上天容後天柱前完骨下髮際上手少陽正經也外關在腕後三寸空中一寸手少陽之大絡也　手陽明根于商陽流于合谷注于陽谿入扶突偏歷也扶突在曲頰下一寸人迎後手陽明正經也偏歷在腕後三寸手陽明之大絡也　此所謂根十二經者盛絡者皆當取之此根入經唯有六陽具而論者更有六陰之脈言其略耳此謂根者皆是三經循此十二正經傍有絡脈血之盛者

皆當其部内量而取之　平按靈樞甲乙經無根字盛絡甲乙經作絡盛

黄帝内經太素卷第十　經脉之三　黄陂蕭貞昌校正

黄帝内經太素

甲子冬

蕭延平題

黄帝内經太素卷第十一 輸穴

通直郎守太子文學臣楊上善奉　敕撰注

黄陂蕭延平北承甫校正

本輸

變輸

府病合輸

氣穴

氣府

骨空

本輸

平按此篇自篇首至末見靈樞卷一第二本輸篇自肺出少商以下散見於甲乙經卷三第二十四至三十五等篇惟意義多同而編次前後

文法繁簡有異自肺合大腸至所合者也見甲乙經卷一第三

黃帝問於岐伯曰凡刺之道必通十二經脈之所終始手之三陰始之於胸終於手指手之三陽始於手指終之於頭足之三陽始起於頭終之於足足之三陰始起於足終之於腹　平按經脈靈樞作經絡絡脈之所別起十五絡脈皆從藏府正經別走相入　平按別起靈樞作別處五輸之所留止各從井出留止於合　平按靈樞無止字五藏六府之所與合五藏六經爲裏六府六經爲表表裏合也　平按靈樞無五藏二字四時之所出入秋冬陽氣從皮外入至骨髓陰氣出至皮外春夏陰氣從皮外入至骨髓陽氣出至皮外藏府之所流行藏府出於營衛二氣流行於身也　平按靈樞藏府作五藏流行作溜處闔數之度營衛所行闔數度量淺深之狀絡脈爲淺經脈爲深高下所至願聞其解經脈高上於頭下至於足此之九義並請聞之岐伯答曰請言其次次者井滎輸經合等陰陽五行次第也肺出少商少商者手大指内側也爲井肺脈從藏而起出至大指次指之端今至大指之端還入於藏

此依經脉順行從手逆數之法也井者古者以泉源出水之處爲井也掘地得水之後仍以本爲名故曰井也人之血氣出於四支故脉出處以爲井也手足三陰皆以木爲井相生至於水之合也手足三陽皆以金爲井相生至於土之合也所謂陰脉出陽至陰而合陽脉出陰至土而合也　平按指下靈樞甲乙經有端字井下靈樞有木字**溜于魚際魚際者手魚也爲滎**腕前大節之後狀若魚形故曰手魚也脉出少商溢入魚際故爲滎也焉迴反**注于太泉太泉者魚後下陷者之中也爲輸**輸送致聚也八十一難曰五藏輸者三焦行氣之所留止故肺氣與三焦之氣送致聚於此處故名爲輸也　平按太泉靈樞甲乙作太淵說見前下字靈樞作一寸二字輸作腧甲乙作俞下同不再舉**行于經渠經渠者寸口之中也動而不居爲經**寸口之中十二經脉歷於渠溢故曰經渠居停也太陰之脉動於寸口不息故曰不居經者通也肺氣至此常通故曰經也　平按行於經渠上千金有過於列缺爲源六字**入于尺澤尺澤者肘中之動脉也爲合手太陰經也**如水出井以至海爲合脉出指井至此合於本藏之氣故名爲合解餘十輸皆放於此諸輸穴名義已明堂具釋也**心出中衝中衝者手中指之端也爲井**

溜于勞宫勞宫者掌中中指本節之内閒也爲滎明堂一名五星也掌中動脈也　平按心甲乙作心主靈樞井下有木字注于大陵大陵者掌後兩骨之閒方下者也爲輸平按爲輸下千金有過於内關爲源六字兩骨之閒方下者也甲乙作兩筋閒陷者中行于閒使閒使道兩筋之閒三寸之中也有過則至無過則止爲經方下陷中也三寸之中者三寸之際也有虚實之過則氣使至此無過不至故止也明堂此手心主經下有手少陰五輸此經所説心不受邪故手少陰無輸也　平按道上靈樞有之字入于曲澤曲澤者肘内廉下陷者之中也屈而得之爲合手心主經也肝出太敦太敦者足大指之端及三毛之中也爲井足大指端及三毛皆是大敦厥陰脈井也　平按屈而得之甲乙作屈肘得之手心主靈樞作手少陰井下靈樞有木字溜于行閒行閒者大指之閒也爲滎明堂足厥陰脈動應手也平按靈樞大指上有足字注于大

衝大衝者在行間上二寸陷者之中也爲輸明堂本節後二寸或一寸半陷中也　平按靈樞行間上無者在二字行于中封中封者在內踝前一寸半陷者中也使逆則宛使和則通搖足而得之爲經氣行曰使宛不伸也塞也明堂內踝前一寸仰足而取之陷者中伸足乃得之也　平按千金作過於中封爲源行於中郄爲經與此不同入于曲泉曲泉者輔骨之下大筋之上也屈膝而得之爲合足厥陰經也明堂在膝內輔骨下大筋上小筋下陷中也脾出隱白隱白者足大指之端內側也爲井溜于太都太都者本節之後下陷者之中也爲滎注于太白太白者核骨之下也爲輸核骨在大指本節之後然骨之前高骨是也核莖革反　平按靈樞井下有木字太都作大都核袁刻誤作腕注同注核莖革反袁刻無此四字行于商邱商邱者內踝下陷者之中也爲經明堂足內踝下

微前　平按行於商邱上千金有過於公孫爲源六字　入于陰之陵泉陰之陵泉者輔骨之下陷者之中也屈伸而得之爲合足太陰經也　膝下内側輔骨下也　平按靈樞無屈字太陰下無經字

腎出涌泉涌泉者足心也爲井　明堂一名地衝也　平按涌泉靈樞甲乙作湧泉井下靈樞有木字　溜于然谷然谷者然骨之下也爲滎　明堂一名龍泉在足内踝前起大骨下陷中即此大骨爲然骨　注于太谿太谿者内踝之後跟骨之上陷者之中也爲輸　明堂跟骨上動脈也　平按靈樞太谿作大谿陷下無者之二字爲輸下千金有過於水泉爲源六字　行于復留復留者上踝二寸動而不休也爲經　明堂一名昌陽一名伏白足少陰脈動不休也　平按復留甲乙作復溜踝上靈樞甲乙有内字二寸下甲乙有陷者中三字　入于陰谷陰谷者輔骨之後大筋之下小筋之上也按之應手屈膝而得之爲合足少陰經也　明堂在膝内輔骨之後按應手

謂按之手下覺異也膀胱出于至陰至陰者足小指之端也爲井明堂在足小指外側去爪甲角如韭葉也　平按靈樞井下有金字溜于通谷通谷者本節之前爲滎明堂通谷者小指外側本節前陷中也　平按前下靈樞有外側也三字注于束骨束骨者本節之後也爲輸明堂在足小指外側本節後陷中也　平按後下靈樞有限者中三字過于京骨京骨者外踝之下也爲原齊下動氣者人之生命十二經之根本也故名曰原三焦者原氣之別使主行三氣經營五藏六府故原者三焦之尊稱也是以五藏六府皆有原也肺之原出大泉心之原出大陵也肝之原出大衝脾之原出太白腎之原出大谿手少陰經原出神門掌後兌骨之端此皆以輸爲原者以輸是三焦所行之氣留止處也六府原者膽原出邱虛胃原出衝陽大腸原出合骨小腸原出完骨膀胱原出京骨三焦原出陽池六府者陽也三焦行於諸陽故置一輸名原不應五時也所以府有六輸亦與三焦共一氣也　平按外踝靈樞作外側大骨四字原千金作源下同行于崐崘崐崘者在外踝之後跟骨之上也爲經入于委中委中者膕中也爲合委而取之足太陽

經也明堂在膕中央約文中動脈也　平按之上下甲乙有陷中細脈動應手七字靈樞膕中也也作央太陽下無經字膽出于竅陰竅陰者足小指次指之端也爲井明堂足小指次指端去爪甲角如韭葉　平按井下靈樞有金字溜于俠谿俠谿者小指次指之間也爲滎明堂小指次指岐骨間本節前陷中　平按小指上靈樞有足字注于臨泣臨泣者上行一寸半陷者中也爲輸明堂在足小指次指本節皮間陷者中去俠谿一寸半也　平按注皮間甲乙作後間過于邱虛邱虛者外踝之下陷者之中也爲原明堂外踝下如前陷者中去臨泣三寸也　平按虛靈樞甲乙作墟下陷上靈樞有前字注去臨泣三寸甲乙作一寸行于陽輔陽輔者外踝之上輔骨之前及絕骨之端也爲經明堂無及及卽兩處也　平按輔骨上甲乙有四寸二字端下甲乙有如前三分去邱虛七寸九字入于陽之陵泉陽之陵泉者外膝外陷者中也爲合伸足而得之足少陽經也明堂

在膝下外廉也　平按靈樞外膝作在膝伸下無足字胃出于厲兑厲兑者足大指之內次指之端也爲井明堂去爪甲角如韭葉也　平按井下靈樞有金字溜于內庭內庭者次指外閒陷者中也爲滎明堂足大指次指外閒也　平按外閒下靈樞無陷者中三字注于陷谷陷谷者中指內閒上行二寸陷者之中也爲輸明堂足大指次指外閒本節皮陷者中去內庭二寸也　平按陷谷者下靈樞有上字注皮字甲乙作後過于衝陽衝陽者足跗上五寸陷者中也爲原搖足而得之明堂一名會原足跗上五寸骨閒動脈上去陷谷三寸也　平按跗甲乙作趺行于解谿解谿者上衝陽一寸半陷者中也爲經明堂衝陽後一寸半腕上也入于下陵下陵者膝下三寸胻外三里也爲合復下三寸爲巨虛上廉也復下三寸爲巨虛下廉也大腸屬上小腸屬下

足陽明胃脉也大腸小腸皆屬於此足陽明經也人膝如陵陵下三寸一寸爲一里也三里以下三寸之下上下處上際爲上廉下際爲下廉以在胻骨外側故名爲廉足陽明脉行此虛中大腸之氣在上廉中與陽明合小腸之氣在下廉中與陽明合故曰大腸屬上小腸屬下也　平按靈樞胻下有骨字上復下二字下有三里二字下復下二字下有上廉二字皆屬於此作皆屬於胃三焦者上合于手少陽出于關衝關衝者手小指次指之端也爲井溜于掖門掖門者小指之間也爲滎注于中渚中渚者本節之後也爲輸過于陽池陽池者在腕上陷者之中也爲原陽池明堂一名別陽在手表腕上陷中也　平按靈樞井下有金字掖作液甲乙作腋之閒上靈樞有次指二字之後下有陷中者三字行于支溝支溝者腕上三寸兩骨閒陷者中也爲經入于天井天井者在肘外大骨之上陷者中也爲合屈肘而得之明堂在肘外大骨之

後肘後一寸兩筋間陷中也　平按靈樞腕上作上腕而得之作乃得之三焦下輸在於足太陽之前少陽之後出於膕中外廉名曰委陽此太陽之絡也手少陽經也上焦如霧中焦如漚下焦如瀆此三焦之氣上下皆通故上輸在背第十三椎下兩傍各一寸半下輸在此太陽之間出膕外廉足太陽絡三焦下行氣聚之處故曰下輸也　平按靈樞足太陽作足大指足三焦者太陽之所將太陽之別也上踝五寸而別入貫腨腸出於委陽並太陽之正入絡膀胱下焦腨遄免反腓腸也腎間動氣足太陽將原氣別使三焦之氣出足外側大骨下赤白肉際陷中為原上踝五寸別入貫腨腸出委陽並太陽之正入腹絡膀胱下焦即膀胱也原氣太陽絡於膀胱節約膀胱使溲便調也以此三焦原氣行足故名足三焦也　平按靈樞三焦上無足字太陽之所將作少陽太陰之所將注云一本作太陽盛則閉癃虛則遺溺遺溺則補閉癃則寫小腸上合于手太陽出于少澤少澤者小指之端也為井明堂一名少吉去爪甲下一分陷中　平按靈樞盛作實小腸

上有手太陽三字井下有金字溜于前谷前谷者手小指本節之前陷者中也爲滎明堂在手小指外側中也平按小指靈樞作外廉注于後谿後谿者本節之後也爲輸明堂在手小指外側本節後陷中也平按本節上靈樞有在手外側四字過于完骨完骨者在手外側腕骨之前也爲原明堂在手外側腕前起骨下陷中即此起骨爲腕骨此經名完骨胡端反平按完骨靈樞甲乙作腕骨行于陽谷陽谷者在兑骨之下陷者中也爲經明堂在手外側腕中兑骨之下也平按兑靈樞作鋭入于小海小海者在肘内大骨之外去肘端半寸陷者之中也伸臂而得之爲合手太陽經也明堂屈肘乃得之平按靈樞端上無肘字大腸上合于手陽明出于商陽商陽者大指次指之端也爲井明堂一名而明一名絶陽大指次指内側去爪甲角如韭葉也平按靈樞井下有金字溜于二閒二閒在本

節之前爲滎明堂二閒在手大指次指本節前内側陷中也　平按爲滎上靈樞作溜于本節之前二閒八字注于三閒三閒在本節之後爲輸明堂一名少谷在手大指次指本節後内側陷中也　平按此節靈樞作注于本節之後三閒爲輸過于合谷合谷者在大指之閒也爲原明堂一名虎口在大指歧骨閒也　平按大指下靈樞有歧骨二字行于陽谿陽谿者在兩筋之閒陷者中爲經明堂一名中槐在腕中上側兩筋閒也　平按兩筋之閒甲乙作腕中上側兩傍閒七字注中槐甲乙作中魁入于曲池曲池者在肘外輔曲骨之中也屈肘而得之爲合手陽明經也是謂五藏六府之輸五五二十五輸六六三十六輸心不受邪手少陰無輸故五藏各五輸有二十五輸依明堂手少陰有五輸總有三十輸六府有原輸故有三十六輸皆是藏府之氣送致聚於此穴故名爲輸也　平按靈樞無曲池者三字輔曲骨之中作輔骨陷者中甲乙作輔骨肘骨之中屈肘靈樞作屈臂六府皆出足三陽上合於手者也六府足陽明脈上合手陽明足太陽上合

手太陽足少陽上合手少陽也缺盆之中任脈也名曰天突次任脈之側動脈足陽明也名曰人迎二次脈手陽明也名曰扶突二次脈手太陽也名曰天窗二次脈足少陽也名曰天容二次脈手少陽也名曰天牖二次脈足太陽也名曰天柱二次脈項中央之脈督脈名曰風府二掖内動脈手太陰也名曰天府掖下三寸手心主也名曰天池此言脈在胸項頸掖之下次以任脈在陰居於前中督脈在陽處於後中任之左右六陽爲次兩側掖下二陰所行此之十輸脈之要者也　平按靈樞天突下有一字自此以下凡次字上有二三四五六八七等字本書原鈔均有小二字旁注於左項中央靈樞作頸中央風府下原本仍有小二字靈樞無掖靈樞作腋注胸項袁刻作胸項　刺上關者呿不能欠上關開口有空刺之有傷不得開口故不能欠也呿邱庶反張口也刺下關者欠不能呿下關合口有空刺之有傷不得合口故不能呿也刺

犢鼻者屈不能伸犢鼻在膝髕下骭上俠解大筋中刺之傷筋筋病屈不能伸也明堂無禁也刺內關者伸不能屈內關在掌後去腕二寸別走手少陽手心主絡明堂無禁刺之傷骨骨傷伸不能屈也　平按內關靈樞作兩關者字袁刻誤作音手陽明次在其外不至曲頰一寸手陽明從缺盆上頸貫頰入下齒中不至曲頰故去曲頰一寸是也　平按手陽明上靈樞有足陽明挾喉之動脈也其腧在膺中十四字其外靈樞作其腧外手太陽當曲頰手太陽循頸上頰頰曲頰也近牙車是也足少陽在耳下曲頰之後足少陽支從耳後出走耳前至目兌眥後故在耳下曲頰後是手少陽出耳後上加完骨之上手少陽上項俠耳後故直上出耳上角完骨在耳後故上加完骨上是也足太陽俠項大筋之中髮際兩大筋中髮際此太陽輸也陰尺動脈在五里五輸之禁陽爲寸故陰爲尺陰尺之中五藏動脈在肘上五里五輸大脈之上明堂云五里在肘上三寸手陽明脈氣所發行向裏大脈中央禁不可刺灸十壯左取右右取左大脈五藏大脈氣輸也故禁刺不禁灸也肺合大腸大腸傳導之府也傳導糟粕令下也心合小腸

小腸者受盛之府也 胃化糟粕小腸受而盛也 肝合膽膽者中精之府也 膽不同腸胃受傳糟粕唯藏精液於中也 脾合胃胃者五穀之府也 受五穀之味也 腎合膀胱膀胱者津液府也 膀胱盛尿故曰津液之府也 平按府上靈樞有之字 少陰屬腎腎上連肺故將兩藏矣 足少陰脉貫肝入肺中故曰上連也腎受肺氣腎便有二將爲兩藏八十一難曰五藏亦有六者謂腎有兩藏也 平按靈樞少陰作少陽兩藏下無矣字 三焦中瀆之府也水道出屬膀胱是孤之府也 中謂藏府中也下焦如瀆從上焦下氣津液入于下焦下焦津液流入膀胱之中無藏爲合故曰孤府也 平按靈樞出下有焉字 此六府之所與合者也 府之聚也五穀清濁氣味皆聚於中故六皆名府孤府內與六府氣通故曰合也 春取絡脉諸滎大經分肉之閒甚者深取閒者淺取之 春時陽氣始生微弱未能深至經中故取絡脉及取諸滎並大筋分肉之閒也 夏取諸輸孫絡肌肉皮膚之上 陽氣始長熱薰腠理內至於經然猶脉瘦氣弱故取諸輸孫絡之分腠理肌肉

皮膚之上也　平按注然猶猶字袁刻誤作後**秋取諸合餘如春法**陰氣始殺猶未能盛故取於輸及以合也春時陰氣衰少爲弱陽氣初生爲微秋時陽氣衰少爲弱陰氣始生爲微病開故如春法取絡榮大經分閒亦隨病閒甚淺深爲度也　平按注故如春法上原本有病閒二字疑衍**冬取諸井諸輸之分欲深而留之**冬時足少陰氣急緊足太陽伏沈故取諸井以下陰氣取榮以實陽氣皆深爲之者也**此四時之序**依於四時行療次序**氣之所處**隨於四時人氣在處也**病之所舍**隨於四時邪之居所也　平按居所袁刻作所居**藏之所宜也**療五藏病依四時所宜也**轉筋者立而取之可令遂已**人立筋病痛聚故立燔鍼刺之**痿厥者張而刺之可令立快**手足痿厥開張即得其輸然後刺之

變輸平按此篇自篇首至味主合見靈樞卷七第四十四順氣一日分爲四時篇又見甲乙經卷一第二自問曰春取絡脈至末見素問卷十六第六十一水熱穴論篇又見甲乙經卷五第一上篇

黃帝曰余聞刺有五變以主五輸願聞其數岐伯曰

人有五藏藏有五變變有五輸故五五二十五輸以應五時五時謂春夏長夏秋冬也　平按甲乙輸作腧腧下同無余聞刺有以主六字靈樞藏有五變作五藏有五變變有五輸作五變有五輸黄帝曰願聞五變岐伯曰肝爲牡藏其色青其時春其音角其味酸其日甲乙心爲牡藏其色赤其時夏其日丙丁其音徵其味苦脾爲牝藏其色黄其時長夏其日戊巳其音宫其味甘肺爲牝藏其色白其音商其時秋其日庚辛其味辛腎爲牝藏其色黑其時冬其日壬癸其音羽其味鹹是謂五變肝心屬於木火故爲牡藏脾肺腎屬於土金水故爲牝藏牝牡五藏五色五時五音五味故有二十五之變也　平按甲乙無黄帝至岐伯曰十字其日甲乙在其音角之上其音商在其日庚辛之下注二十五之變二十字袁刻誤作其黄帝曰以主五輸奈何岐伯曰藏主

冬冬刺井冬時萬物收藏故五藏主冬也井爲木也木春也春時萬物始生如井中泉水冬時萬物始萌如井水深未出而刺之者刺井微也　平按甲乙無黃帝至岐伯曰十二字靈樞無岐伯曰三字色主春春刺滎春時萬物初生鮮華故五色主春滎火也火夏也夏時萬物榮長如水流溢萬物始生未榮而刺之者亦刺滎微也時主夏夏刺輸夏時萬物榮華時主夏輸土也土長夏也長夏之時萬物盛極如水四時之勝故五致聚夏時萬物榮未盛極而刺之者亦刺輸微也音主長夏長夏刺經長夏萬物榮盛音律和四時之序故五音主於長夏經金也金秋也秋時萬物將衰長夏之時萬物盛而未衰而刺之者亦刺經微也味主秋秋刺合秋時萬物皆熟衆味並盛故五味主秋也合水也水冬也冬時萬物收藏如水之入海秋時萬物收而未藏而刺之者亦刺合微也是謂五變以主五輸是萬物五變主五行輸也黃帝曰諸原安合以致六輸五變合於五輸原之一輸與何物合　平按六輸甲乙作五腧岐伯曰原獨不應五時以經合之以應其數故六六三十六輸六府者陽也人之命門之氣乃是腎閒動氣爲五藏六府十二經脈性命根故名爲原三焦者原氣之別使通行原之三氣經營五藏六府故原者三焦之尊稱也不應

五時與陽經而合以應其數故有六六三十六輸也黃帝曰何謂藏主冬時主夏音主長夏味主秋色主春願聞其故岐伯曰病在藏者取之井井木也井主心下滿是肝爲滿也冬時心下滿病刺其井者遺其本也病變於色者取之滎滎火也滎主身熱是心爲熱也春時身熱之病刺其滎者亦遺其本也　平按甲乙滎作營病時閒時甚者取之輸輸土也輸主體重節痛時閒時甚是脾爲病也夏時體重節痛時閒時甚刺其輸者亦遺其本也病變於音者取之經經滿而血者經金也金主喘欬寒熱經血而滿是肺爲病也長夏喘欬寒熱經血而滿刺其經者亦遺其本也　平按經滿經字甲乙注云亦作絡病在胃及以飲食不節得病者取之於合合水也合主逆氣而洩是腎爲病也秋時飲食不節逆而洩刺其合者亦遺其本也　平按胃甲乙注云亦作胃故命曰味主合故味病主合也是謂五變黃帝曰善以原不應五時故有五變也　平按靈樞無黃帝曰善四字甲乙同問曰春取絡脈分肉何也答曰春者木始治肝

氣生肝氣急其風疾經脈常深其氣少不能深入故取絡脈分肉閒也絡脈浮淺經脈常深春時邪在絡脈分肉閒故取之也　平按肝氣生素問作肝氣始生甲乙同曰夏取盛經分腠何也曰夏者火始治心氣始長脈瘦氣弱陽氣流溢薫熱分腠内至於經故取盛經分腠絶膚而病去者邪居淺也陽氣獨盛故脈瘦氣弱也熱氣内至於經外薫分腠故取盛經分腠淺處也　平按流素問作留新校正云別本一作流薫熱分腠甲乙作血温於腠所謂盛經者陽脈也三陽盛經也夏日其經熱盛故取其盛經部内分腠曰秋取經輸者何也曰秋者金始治肺將初殺金將勝火陽氣在合陰氣初勝溼氣及體陰氣未盛未能深入故取輸以寫陰邪取合以虛陽邪陽氣始衰故取於合經輸者謂經之穴也秋病在輸者故取其輸以寫陰邪陽衰在合故取於合以虛陽

邪也　平按初殺素問甲乙作收殺陰氣初勝甲乙無初字及體甲乙作反體故取於合下甲乙有是謂始秋之治變也素問新校正亦引此文曰冬取井滎何也曰冬者水始治腎方閉陽氣衰少陰氣緊巨陽伏沈陽脈乃去緊盛也巨陽足太陽氣伏沈在骨也　平按緊素問甲乙作堅盛二字故取井以下陰逆取滎以實陽氣故取井滎春不鼽衄此之謂也井爲木也滎爲火也冬合之時取井滎者冬陰氣盛逆取其春井爲陰邪也逆取其夏滎補其陽也故冬無傷寒春不鼽衄也　平按以實陽氣素問新校正云全元起本實作遺甲乙千金作通此之謂也句甲乙作是謂末冬之治變也素問新校正亦引此文

府病合輸　平按此篇見靈樞卷一第四邪氣藏府病形篇自五藏六府之氣至此胃脈也見甲乙經卷四第二下篇自大腸病者至取三里見甲乙經卷九第七自小腸病者至取巨虛上廉見甲乙經卷九第八自三焦病者至取之委中央見甲乙經卷九第九自膽病者至陽陵泉見甲乙經卷九第五自刺此者必中氣穴至末見甲乙經卷五第一下篇惟自大腸以下甲乙經文義雖同編次前後小異

黃帝曰余聞五藏六府之氣滎輸所入爲合今何道

從入入安連過願聞其故問藏府脈之滎輸之合行處至處也平按輸甲乙作俞今靈樞甲乙均作令連過甲乙作從道無願聞其故及下岐伯答七字岐伯答曰此陽脈之別入于內屬于府者也此言合者取三陽之脈別屬府者稱合不取陰脈以陽脈內屬于府邪入先至於府後至于藏故也黃帝曰滎輸與合各有名乎岐伯答曰滎輸治外經合治內府五藏六府滎輸未至於內故但療外經之病此言合者唯取陽經屬內府者以療內府病也平按甲乙外下有藏字黃帝曰治內府奈何岐伯答曰取之於合黃帝曰合各有名乎岐伯答曰胃合入于三里胃氣循足陽明脈合於三里故胃有病取之三里療胃府也平按靈樞無入字大腸合入于巨虛上廉大腸之氣循胃足陽明脈合巨虛上廉故大腸有病療巨虛上廉也小腸合入于巨虛下廉小腸之氣循足陽明脈合巨虛下廉故小腸有病療巨虛下廉也三焦合入于委陽三焦之氣循足太陽合於委陽故三焦有病療於委陽也膀胱合入于委中

膀胱之氣循足太陽脈下合委中故膀胱有病療於委中也　平按中下靈樞甲乙均有央字膽合入于陽陵泉膽氣循足少陽脈下合陽陵泉故膽有病療陽陵泉也黃帝曰取之奈何答曰取之三里者低跗取之巨虛者舉足取之委陽者屈伸而索之委中者屈而取之陽陵泉者正立豎膝予之齊下至委陽之陽取之取諸外經者揄伸而從之以下取六合之輸療內府法也正立則膝豎揄與朱反引也　平按甲乙索作取屈而取之作屈膝而取之靈樞豎上無立字伸作申黃帝曰願聞六府之病六府與六輸而合療內府之病而未知府病之形也岐伯曰面熱者足陽明病以下言手足陽明病面熱陽明脈起面故足陽明病面熱為候也魚絡血者手陽明病手陽明脈行於魚後故魚絡血見手陽明病候也兩跗之上脈堅若陷者足陽明病此胃脈也足陽明下足跗入大指間故跗上脈堅若陷足陽明病候　平按靈樞堅若二字作豎大腸病者腸中切痛

而鳴濯濯冬日重感於寒則洩當齊而痛不能久立與胃同候取巨虛上廉（以下言六府病形並取穴所在當齊痛者迴腸大腸也大腸當齊故病當齊痛也與胃同候者大腸之氣與胃足陽明合巨虛上廉故同候之濯徒角反腸中水聲也　平按則洩靈樞作即泄甲乙無此二字）胃病者腹䐜脹胃管當心而痛上交兩脇鬲咽不通飲食不下取之三里（胃管當心痛者胃脈足陽明之正上至髀入於腹裏屬胃散脾上通於心上循咽其足陽明大絡循脛骨外廉上絡頭故胃管及當心而痛上交於脇鬲中並咽並不得通也　平按胃管靈樞甲乙作胃脘上交靈樞作上肢甲乙作上榰鬲靈樞作膈）小腸病者少腹痛腰脊控尻而痛時窘之後（小腸當少腹附脊左環葉積故少腹腰脊控尻而痛時急之䐜大便之處也　平按少腹靈樞作小腹控尻靈樞甲乙作控睪注左環左字袁刻誤作空）當耳前熱若寒甚若獨眉上熱甚（小腸手太陽上頗至目兌眥卻入耳中故小腸病循此寒及熱也　平按甲乙耳上無當字眉靈樞甲乙作肩）及手小指次指之間熱若脈陷者此其候手太陽也

取巨虛下廉手太陽脉出行之處故此處熱脉陷以爲候也　平按靈樞太陽下有病字三焦病者腹氣滿少腹尤堅不得小便窘急尤甚也　平按甲乙腹下有脹字尤堅作尤甚堅溢則爲水留則爲脹候在足太陽之外大絡絡在太陽少陽之閒亦見于脉取之委陽下焦溢則爲水也大陽少陽之閒三焦下輸委陽也　平按靈樞水上無爲字留則作留即委陽甲乙作委中膀胱病少腹偏腫而痛以手按之則欲小便而不得偏腫者大腹不腫也此府病也　平按則欲靈樞作即欲肩上熱若脉陷及足小指外側及脛踝後皆熱若脉陷取之委中央膀胱足太陽脉起目内眥上額下項循脛踝後至足小指外側故膀胱病循脉行處熱及脉陷以爲候也　平按肩上甲乙作眉上注云一本作肩靈樞外側作外廉取之委中央甲乙經作取委中膽病者善太息膽病則神不暢故好太息也口苦歐宿汁膽熱溢水精故口苦歐宿膽汁　平按汁甲乙作水心下澹澹恐如人將捕之膽病

心動怖畏故如人將捕也　平按甲乙恐上有善字靈樞無如字嗌中吤吤然數唾候在足少陽之本末吤吤謂閡咽嗌之中如有物閡也居薤反足少陽本在竅陰之閒標在窗籠即本末也　平按數唾甲乙作數咳唾靈樞唾下無候字亦視其脈之陷下者灸之其寒熱也取之陽陵泉脈陷下者寒故灸之也寒熱取陽陵泉通行鍼灸也黃帝曰刺之有道乎岐伯曰刺此者必中氣穴毋中肉節中氣穴則鍼遊於巷中肉節則肉膚痛以下行鍼法也中於肉者不著分肉之閒中於節者不鍼骨穴之內皆不遊巷也巷謂街巷空穴之處也　平按遊靈樞作染注云一作遊肉膚靈樞甲乙作皮膚補寫反則病益篤虛而寫之實而補之故曰反也中筋則筋緩中筋不中其痛則筋傷無力故緩也邪氣不出與真氣相薄亂而不去反還內著用鍼不審以順爲逆黃帝曰善若中肉節及中於筋不當空穴邪氣不出與真氣相薄正邪相亂更爲內病也以其用鍼不審乖理故也　平按與真氣相薄靈樞作與其真相搏甲乙作與真相溥注內病

蘭陵堂刊

袁刻誤作内痛

氣穴平按此篇自篇首至天府下五寸見素問卷十五第五十八氣穴論自問曰少陰何以主腎至夫寒則生熱見素問卷十六第六十一水熱穴論自問曰少陰何以主腎至名曰風水見甲乙經卷八第五自黃帝問於岐伯曰願聞五藏之輸至須其火滅也見靈樞卷八第五十一背腧篇自欲知背輸至灸刺之度也見素問卷七第二十四血氣形志篇自黃帝問於岐伯曰余以知氣穴之處至未見素問卷十五第五十八氣穴論又見甲乙經卷三第二

黃帝問岐伯曰余聞氣穴三百六十五以應一歲未知其所謂願卒聞之三百六十五穴十二經脈之氣發會之處故曰氣穴也　平按素問無岐伯二字無謂字岐伯稽首再拜曰窘乎哉問也其非聖帝孰能窮其道焉因請溢意盡言其處黃帝捧手逡循而却曰夫子之開余道也目未見其處耳未聞其數而目以明

耳以聽矣遵循音逡巡窮究尋也溢意縱志也處三百六十五穴也捧手端拱也遵循而卻服應之動也雖未即事見聞因言具知故已聰明也　平按素問拜下有對字固作因遵循作逡巡岐伯曰此所謂聖人易語良馬易御黃帝曰非聖人易語也世言其真數開人意也帝言岐伯以有聖德言其實理雖非聖帝亦可知矣　平按素問非上有余字真上無其字意下無也字今余所方問者此真數也如發蒙解惑未足以論也然余願夫子溢志盡言其處今皆解其意請藏之金匱不敢復出余所問者但可發蒙解惑而未足以為至極之論也唯願夫子縱志言之藏之不敢失墜也　平按素問方作訪今皆二字作令岐伯再拜而起曰臣請言之背與心相控而痛所治天突與十椎及上紀下紀上紀者胃脘也下紀者關元也任脈上於脊裏為經絡海其浮而外者循腹裏當齊上胸至咽喉絡脣口故背胸相控痛者任脈之痛也此等諸穴是任脈所貫所以取之也　平按素問上紀下無下紀二

字邪擊陰陽左右如此其病前後痛濇胸脇而痛不得息不得臥上氣短氣偏痛脈滿起邪出尻脈絡胸支心貫鬲上肩加天突邪下肩交十椎下藏量此脈行處生病皆是督脈所爲下藏者下絡腎藏也　平按素問邪擊上有背胸二字擊作繫而痛作痛而絡胸下有脇字十椎下無藏字藏輸五十穴五藏各有五輸合二十五輸此一箱手足爲言今兩箱合論故有五十穴也府輸七十二穴六府各有六輸此三十六輸此亦一箱手足爲言兩箱合論故有七十二穴也熱輸五十九穴水輸五十七穴頭上五行行五五五二十五穴中侶兩傍傍五凡十穴大杼上兩傍各一凡二穴　平按素問大杼作大椎王注未詳新校正云按大椎上傍無穴大椎下傍穴名大杼目瞳子浮白二穴兩髀厭中二穴　平按素問厭下有分字犢鼻二穴耳中多所聞二穴眉本二穴完骨二穴項中央

一穴枕骨二穴上關二穴大迎二穴下關二穴天柱二穴巨虛上下四穴平按四穴上素問有廉字曲牙二穴天突一穴天府二穴天牖二穴扶突二穴天窗二穴肩解二穴關元一穴委陽二穴肩貞二穴肩髃二穴平按素問肩髃作瘖門齊一穴盲輸二穴平按素問盲輸作胷俞二穴作十二穴背輸二穴膺輸二穴平按素問二穴作十二穴分肉二穴踝上横骨二穴平按素問無骨字陰陽蹻四穴凡三百六十五穴鍼之所由行也以上九十九穴通療諸病也平按素問凡三百六十五穴鍼之所由行也十三字在天府下五寸之下水輸在諸分熱輸在氣穴寒輸在兩骸厭中二穴以上言三種輸穴之所在骸核皆反骨也別本爲骩於靡反骨端曲皃也平按素問寒下有熱字大禁二十五在天府下五寸三百六十五穴中有大禁者五里穴也在臂天府以

下五寸五五二十五俞寫此穴氣氣盡而死故爲大禁也問曰少陰何以主腎腎何以主水問少陰之脉主之所由也答曰腎者至陰也至極也腎者陰之極也陰者盛水也陰氣舍水故曰盛水　平按素問甲乙陰上有至字腎者少陰少陰者冬脉也一曰肺者量爲不然也少陰亦盛也少陰之脉盛屬於冬分也　平按素問甲乙腎者少陰作肺者太陰也故其本在腎其末在肺皆積水也腎脉少陰上入肺中故曰末在肺也所以腎之與肺母子上下俱積水也問曰腎何以能聚水而生病腎爲至陰聚水未知何由生病答曰腎者胃之關閉關閉不利故聚水而從其類上下溢於皮膚故爲胕腫胃主水穀胃氣關閉不利腎因聚水肺氣之應溢於皮膚故爲胕腫胕扶府反與腐同義也　平按素問甲乙胃之關閉作胃之關也關閉不利作關門不利胕腫下有胕腫者聚水而生病也九字問曰諸水皆生於腎乎答曰腎者牝藏也地氣上者屬於腎而生水液故曰至牝陰也地氣陰氣也陰氣盛水上屬

於腎生於津液也故以腎爲極陰也　平按素問甲乙至下有陰字勇而勞甚則腎汗出汗出逢風內不得入其藏而外不得越於皮膚客於六府行於皮膚傳爲胕腫本之於腎名曰風水勇者腰脊用力勞甚腎上腠開汗出邪風因入其風往來內不得入府之餘藏外不得洩府之皮膚聚水客於六府之中行於皮傳爲胕腫其本腎風所爲名曰風水也　平按素問逢風作逢於風入其藏作入於藏府六府作玄府行於皮膚作行於皮裏風水下有所謂玄府者汗空也八字問曰水輸五十七處者是何所主也答曰腎輸五十七穴積陰之所聚也水所從出入也以下言水輸也腎爲積陰故津液出入也皆腎爲主也　平按素問是何所主也作是何主也尻上五行行五者此皆腎輸也尻上五行合二十五輸者有非腎脉所發皆言腎輸以其近腎並在腎部之內腎氣所及故皆稱腎輸也　平按素問此皆腎輸也作此腎輸故水病下爲胕腫大腹而上爲喘呼不得臥者標本俱病也故肺爲喘呼腎爲

水腫標爲肺也本爲腎也肺爲喘呼腎爲水腫二藏共爲水病故曰俱病也　平按素問胕腫作胻腫注共爲水病袁刻共誤作其肺爲逆故不得臥肺以主氣肺病氣逆故曰水病不得臥也　平按素問無故字分之相輸受者水氣之所留也腎以主水肺以主氣故曰分之二氣通聚故曰相輸受也相輸受者水之與氣並留止也　平按素問分之相輸受者作分爲相輸俱受者伏菟上各二行五者此腎之所衝也伏菟以上各二行者左右四行合有二十輸者皆是腎氣足少陰傍衝脈所衝之輸也　平按素問所衝二字作衝袁刻二行上脫各字所衝二字誤作所腫三陰之所交結於脚者也踝上各一行行六者足三陰脈交結脚者從踝以上左右各有一行行六輸合有十二輸故聰有五十七穴也此腎脈之下行者也名曰太衝衝脈上出於頏顙下者注足少陰大絡以下伏行出跗循跗故曰腎脈下行名曰大衝也　平按素問太作大凡五十七穴者皆藏陰之終也水之所客也是等諸穴皆腎之陰[illegible]所終之輸水客之舍也　平按皆藏陰之終也素問作皆藏之陰絡黃帝問於岐伯曰夫子言治熱病五

十九輸余論其意未能別其處也願聞其處因聞其意岐伯曰頭上五行行五以越諸陽之熱逆者以下言熱輸也人頭爲陽故頭上二十五輸以起諸陽熱者也　平按素問別上有領字大杼膺輸缺盆背輸此八者以寫胸中之熱杼除呂反膺輸膺中輸也背輸肺輸此八前後近胸故寫胸中熱也氣街三里巨虛上下廉此八者以寫胃中之熱此八皆是胃脉足陽明所貫之輸故寫胃中熱氣也雲門髃骨委中髓空此八者以寫四支之熱雲門近肩髃骨在肩並向手臂也委中在膕髓空在腰一名腰輸皆生於脚故寫四支之熱也五藏輸傍五此十者以寫五藏之熱皆太陽五藏之輸左右各有五輸故有十輸以寫五藏之熱也凡此五十九穴者皆熱之左右也皆熱病左右之輸也問曰人傷於寒而傳爲熱何也答曰夫寒甚則生熱夫陽極則降陰極則昇是以寒極生熱熱極生寒斯乃物理之常也故熱病號曰傷寒就本爲

名耳黃帝問於岐伯曰：願聞五藏之輸出於背。背者五藏之輸者有在手足，今者欲聞背之五輸也。平按：輸，靈樞作腧，素問作俞，上下均同。岐伯對曰：胸中大輸在杼骨之端，杼骨一名大杼，在於五藏六府輸上，故是胸之膻中氣之大輸者也。肺輸在三椎之間，心輸在五椎之間，鬲輸在七椎之間，肝輸在九椎之間，脾輸在十一椎之間，腎輸在十四椎之間，皆俠脊相去三寸所，輸，尸句反，送致也。此五藏輸俠脊即椎間相去遠近，皆與明堂同法也。平按：靈樞鬲作膈，椎均作焦，俠作挾。即欲而驗之，按其處，應中而痛解，乃其輸也。以下言取輸法也。纖微有不應寸數，按之痛者爲正。平按：即欲而驗之，靈樞作則欲得而驗之。灸之則可，刺之則可。氣盛則寫之，虛則補之。以火補者，勿吹其火，須自滅也；以火寫者，疾吹其火，傳其艾，須其火滅也。鍼之補寫，前後數言，故於此中言灸補寫。火燒其處，正氣聚，故日補也吹令熱入以攻其病故曰寫也傅音付以手擁傅其艾吹之使火氣不散也　平按刺之則可靈樞作刺之則不可　欲知背輸先度其兩乳閒中折之更以他草度去其半已即以兩禺相柱也乃舉以度其背令其一禺居上齊脊大椎兩禺在下當其下禺者肺之輸也復下一度心輸也復下一度右角肝輸也左角脾輸也復下一度腎輸也是謂五藏之輸灸刺之度也　以上言量背輸法也經不同者但人七尺五寸之軀雖小法於天地無一經不盡也故天地造化數乃無窮人之輸穴之分何可同哉昔神農氏錄天地閒金石草木三百六十五種法三百六十五日濟時所用其不錄者或有人識用或無人識者蓋亦多矣次黃帝取人身體三百六十五穴亦法三百六十五日身體之上移於分寸左右差異取病之輸實亦不少至於扁鵲灸經取穴及名字即大有不同近代秦承祖明堂曹子氏灸經等所承別本處所及名亦皆有異而除痾遣疾又復不少正可以智量之適病爲用不可全言非也而并爲非者不知大方之論所以此之量法聖人設教有異未足怪之也　平按其半其字素問無禺均作隅柱作拄右角肝作左角肝左角脾

作右角脾注草木袁刻誤作草本秦承祖袁刻秦誤作奏差異袁刻作著異日本醫心方亦作差黃帝問於岐伯曰：余以知氣穴之處游鍼之居，願聞孫絡谿谷亦有所應乎？岐伯曰：孫絡三百六十五穴會以應一歲，以下言孫絡之會也。十五絡脉從經脉生，謂之子也。小絡從十五絡生，乃是經脉孫也。孫絡與三百六十五穴氣會，以法一歲之氣也。　平按素問余以作余已以溢奇邪，以通營衛。溢謂溝溢，水行處也。孫絡行於奇邪營衛之氣，故曰溢。火逼反。　平按溢素問作溢，甲乙作洒。營素問甲乙作榮，下同。稽留營溢，氣濁血著，外爲發熱，內爲少氣。若稽留營血溢中不行，遂令血濁，血著皮膚發熱，營衛不行，故曰少氣也。　平按稽留營溢，素問作榮衛稽留，衛散營溢八字。氣濁，素問作氣竭。甲乙無稽留至岐伯曰四十五字。疾寫毋怠，以通營衛，見而寫之，毋問所會。如此孫絡血氣溢道不通，有血之處即疾寫之，以通營衛，不須求其輸會而生疑慮。黃帝曰：善。願聞谿谷之會。岐伯曰：分肉之大會爲谷，肉之小會爲谿，肉分之間，谿谷之會以行營衛以會大氣以下言分肉相合之閒自有大小大者稱谷小者名谿更復小者以爲溝洫皆行營衛以舍邪之大氣也　平按分肉之大會素問甲乙均無分字以會大氣甲乙會作舍邪溢氣壅脈熱肉敗營衛不行必將爲膿以下言氣壅成熱以爲癰疽邪氣客此谿谷溝洫之閒滿溢留止營衛氣壅脈熱肉腐稱爲癰膿也內消骨髓外破大䐃留於節腠必將爲敗氣壅爲熱消骨破䐃留於骨節聚於腠理以爲癰疽遂至敗亡也　平按素問䐃作膕腠作湊積寒留舍營衛不居塞肉縮筋肋時不得伸內爲骨痺外爲不仁以下言寒氣留積谿谷溝洫爲痺不仁也　平按塞肉素問作卷肉新校正云全元起本作寒肉袁刻誤作寒內時不得伸時字素問作肋肘二字命曰不足大寒留於谿谷寒氣留積爲痺不仁者命曰陽氣不足大寒留於谿谷溝洫故也谿谷三百六十五會亦應一歲人之大小分肉之閒有三百六十五會也　平按素問會上有穴字其小痺淫溢循脈往來微鍼所及與法相思寒溼之氣入於腠理以爲微痺淫溢流於脈中循脈上下往來爲痛可用小鍼相司

爲當　平按相思依本注應作相司素問作相同注寒溼袁刻作寒熱　黃帝曰善乃辟左右再拜而起曰今日發蒙解惑藏之金匱不敢復出乃藏之金蘭之室署之曰氣穴所在　帝以道尊德貴屈敬故也金蘭之室藏書府也　岐伯曰孫絡之脈別經者其血盛而當寫者亦三百六十五脈並注於絡傳注十二絡脈非獨十四絡脈也　舉可寫孫絡注大絡之數也並注於十二皮部絡也十二別走絡脈並任督二脈爲十四絡也脾之大絡從脾而出不從脈起故不入數言諸孫絡傳注十二之絡非獨注於十四絡也　平按注並注於十二皮部絡也袁刻作並注皮部十二絡也　內解寫於中者十脈　解別也其諸絡脈別者內寫十脈也十脈謂五藏脈兩箱合論故有十也

氣府　平按此篇見素問卷十五第五十九氣府論篇又見甲乙經卷三第一至第二十二惟文法編次與此不同

足太陽脈氣所發者七十三穴兩眉頭各一　攢竹穴二也　平按

七十三穴素問作七十八穴王注云兼氣浮薄相通者言之當言九十三穴非七十八穴正經脈會發者七十八穴浮薄相通者一十五穴則其數也與本書經文及楊注均異

入髮項二寸間半寸額上入髮一寸後從項入髮一寸故曰入髮項二寸間亦有一寸半處故曰半寸也　平按素問項上有至字二寸作三寸半

傍五相去三寸其浮氣在皮中者凡五行明堂傍相去一寸半有此不同也其浮氣足太陽浮氣在此五行穴之下也　平按二寸素問作三寸王注謂大杼風門二穴所在新校正謂是說下文浮氣之在皮中五行行五之穴況大杼在第一椎下兩傍風門又在第二椎下上去髮際非止三寸半其誤甚明據此則本書楊注爲得素問王注爲失矣

行五五五二十五二十五穴者面上五脈上頭並入髮一寸以上周通高處當前橫數於五脈上凡有五處處各五穴當前謂亞會前頂百會後頂強閒五也督脈兩傍足太陽脈五處承光通天絡郤玉枕左右十也足太陽兩傍足少陽脈臨泣目窗正營承靈腦空左右也太陽爲二陽之總故皆爲太陽所營二十七也　平按注亞會素問甲乙作顖會亞字當是古囟字之誤

項中大筋兩傍各一兩傍天柱二穴二十九也

風府兩傍各一天牖二穴三十一也　平按注天牖二穴素問王注作風池二穴新校正云按甲乙經風池足少陽陽維之會非太陽之所發此注於九十三數外更剩前大杼風門及此風池六穴

俠脊以

下至尻二十一節十五閒各有一太椎以下至尻尾二十一節十五閒兩傍各有一輸爲三十輸六十一也　平按素問俠脊作俠背尻下有尾字各有一作各一王注云十五閒各一者今中誥孔穴圖經所存者十三穴左右共二十六穴謂附分魄戶神堂譩譆鬲關魂門陽綱意舍胃倉肓門志室胞肓秩邊十三也甲乙經所載背自第二椎兩傍俠脊各三寸行至二十一椎下兩傍俠脊凡二十六穴其穴名自附分以下與王注同惟甲乙經云自第二椎兩傍本書楊注云自大椎以下不能無異且經云十五閒各一楊注云十五閒兩傍各有一輸與經文正合惜未詳析穴名耳委中以下至足小指傍六輸從足小指上至委中有井滎輸原經合等左右十二輸等七十三也　平按素問委中上有五藏之俞各五六府之俞各六十二字六輸上有各字足少陽脈氣所發者五十二穴兩角上各二兩角上等天衝曲鬢左右四穴也　平按五十素問作六十耳前角上各一頷厭左右二穴六也　平按素問耳前上有直目上髮際內各五八字頷厭袁刻誤作頷厭客主人各一一名上關二穴八也　平按客主人上素問有耳前角下各一銳髮下各一十一字下關各一下關耳前動脈二穴十也　平按下關上素問有耳後陷中各一六字耳下牙車之後各一大迎一名髓空二穴十二也

平按注大迎二穴素問王注作頰車二穴 缺盆各一 缺盆一名天蓋二穴十四 掖下三寸脇下下至胠八間各一 掖下左右三寸閒泉液輙筋天池三穴脇下至胠章門維道日月三穴正經氣發也腹哀大横此二穴正經雖不言發近此三正經氣也帶脈五樞此二穴少陽脈絡別至也左右二十二三十六穴也是則掖下三寸爲脇脇下八間之外爲胠則胠脇之言可別矣 平按素問下字不重本注左右共二十二穴素問王注左右共十八穴無腹哀大横左右四穴上窌作居髎 髀樞中傍各一 環跳居髎左右四穴四十也 平按注居髎素問王注無 膝以下至足小指次指各六輸 足少陽井等六輸左右十二五十二也 足陽明脈氣所發者六十二穴 頟顱髮際傍各三 頭維本神曲差左右六穴也 平按六十二素問作六十八注本神曲差二穴素問王注作懸顱陽白二穴 面鼽骨空各一 鼽渠留反鼻表也有云鼻塞病非也顴窌二穴八也明堂雖不言氣發之陽明正別上䪼係目系故至顴窌也 平按注顴窌素問王注作四白 大迎之骨穴各一 左右二十穴也 平按素問骨穴作骨空各一下素問有人迎各一四字 缺盆外骨各一 天窌左右二穴十二也天窌足陽明大絡至此穴也 平按素問骨下有空字注天

窌素問作天髎 膺中骨間各一 膺中膺窗也左右二穴十四也 平按注膺窗左右二穴素問王注作膺窗等六穴蓋謂氣户庫房屋翳乳中乳根并膺窗而六也 俠鳩尾之外當乳下三寸俠胃脘各五 太乙乳根不容承滿梁門關門左右十穴二十四也 平按素問腕作脘王注無乳根穴有太乙穴 俠齊廣三寸各三 滑肉天樞左右六穴三十也 平按素問王注無太乙穴有外陵穴滑肉作滑肉門甲乙同 下齊二寸俠之各六 外陵太巨水道歸來府舍衝門左右十二穴四十二也太陰脈穴更無別數所以亦入陽明也 平按素問各六作各三王注只水道太巨歸來三穴無外陵府舍衝門三穴查府舍衝門均屬太陰故本注云云 氣街動脈各一 氣街左右二穴四十四 平按氣街甲乙作氣衝

伏菟上各一 髀關二穴四十六 三里以下至足中指各八輸分上所在穴空 井滎等六輸及巨虛上下廉左右十六穴六十二也巨虛上廉足陽明與大腸合巨虛下廉足陽明與小腸合故左右合有十六也 平按分上素問作分之 手太陽脈氣所發者三十六穴 三十錯爲二十字也 平按二十素問作三十 目內眥各一 睛明左右二穴 巨骨下骨穴各一 巨骨左右二穴

四也　平按巨骨上素問有目外各一鼽骨下各一耳郭上各一耳中各一十八字巨骨下素問無下骨二字曲掖上骨穴各一曲垣左右二穴六也　平按注曲垣素問王注作臑俞柱骨出陷者各一肩井二穴八也　平按出陷素問作上陷上天容四寸各一足太陽近天容手太陽脈未至天容謂天容字錯未詳所發左右八穴十六　平按天容素問作天窗王注謂天窗窻陰四穴本注疑天容字錯考甲乙經天窗手太陽脈氣所發據此則天容乃天窗之誤肩解各一秉風左右二穴十八肩解下三寸各一天宗臑輸肩貞左右六穴二十四　平按素問無者字王注有天宗二穴無臑輸肩貞四穴肘以下至手小指本各六輸六輸左右十二穴三十六也　平按素問無于字

手陽明脈氣所發者二十二穴鼻穴外廉項上各一迎香天窗左右四穴天窗去手陽明絡近故得其氣也　平按素問鼻穴作鼻空各一作各二素問王注有扶突二穴無天窗二穴大迎骨空各一大迎左右二穴六也柱骨之會各一柱骨左右二穴八也上出柱骨之會上下入缺盆中過此二穴故得其氣也　平按注柱骨二穴素問王注作天鼎二穴禺骨之會各一肩髃二穴十也　平按素問禺作髃肘

以下至手大指次指本各六輸肘下六輸左右十二穴二十二也　平按素問王注有三里而遺曲池新校正已辨其誤手少陽脈氣所發者三十三穴鼽骨下各一顴窌二穴　平按三十三素問作三十二注窌作髎眉本各一絲竹空左右二穴四也　平按素問眉本作眉後角上各一頷厭左右二穴六也　平按注頷厭袁刻誤作頷厭素問王注作懸釐下完骨後各一天容左右二穴八也　平按天容素問王注作天牖項中足太陽之前各一大椎大杼左右及中三穴十一　平按注大椎大杼左右及中三穴素問王注作風池二穴扶突各一扶突左右二穴十三也扶突近手少陽經也　平按扶上素問有俠字注扶突左右二穴王注謂天窗二穴肩貞各一肩貞左右二穴十五肩貞下三寸分間各一肩窌臑會消濼左右六穴二十一也肩窌臑會近手少陽也　平按注肩窌素問王注作肩髎消濼袁刻作消鑠肘以下至手小指次指本各六輸六輸左右十二穴三十三也一曰二十八者數不同也疑其錯督脈氣所發者二十六穴項中央三項中央者項内也非唯當中也故項内下行瘖門一天柱二爲

三也上行風府一風池二爲三總有六穴也督脉上入風池即爲信也　平按二十六素問作二十八中央三作中央二下有髮際後中八面中三八字

大椎以下至尻二十節閒各一骶下凡二十一節脊椎法骶竹戸反此經音低尾窮骨從骨爲正大椎至骶二十一節有二十閒閒有一穴則二十六穴也明堂從兑端上項下至瘖門有十三穴大椎以下至骶骨長强二十一節有十一穴凡二十四穴督脉氣所發與此不同未詳也　平按素問至尻下無二十節閒各一六字有尾及傍十五穴至七字

任脉之氣所發者十八穴喉中央二廉泉天突二穴也　平按素問十八作二十八中央二下有膺中骨限中各一七字鳩尾下三寸胃脘五寸胃脘以下至横骨八寸一腹脉法鳩尾以下至横骨一尺六寸寸有一穴有十六穴并已前有一十八穴也明堂中央任脉氣所發穴合有二十六此經從旋機以下至庭中□穴合□六此經從旋機以下至横骨雖發□下分寸復與明堂不同亦未詳也　平按素問胃脘作胃脘八寸作六寸一一作半一

五藏之輸各五凡五十穴足少陰舌下厥陰毛中急脉各一、五藏之輸有二十五兩箱合論故有五十足少陰至舌下一穴亦不與明堂同厥陰毛中急脈當是同骨故有五□□　平按素問無五藏之輸各五凡五十穴十字有下陰别一目下各一下脣一齗交一衝脈氣所發者二十二穴俠鳩尾外各半寸至齊寸一俠齊下傍各五分至横骨寸一腹脈法也五十一字在足少陰上**手少陰各一陰陽蹻各一手足諸魚際氣所發者凡三百六十五穴**手少陰左右二穴陰蹻所生照海陽蹻所起申脈左右四穴手魚際足魚際足太陰脈大白二□□十穴總二十六脈有三百八十四穴此言三百六十五穴者舉大數爲言過與不及不爲非也三百八十四穴乃是諸脈發穴之義若準明堂取穴不盡仍有重取以此

骨空平按此篇自篇首至末見素問卷十六第六十骨空論篇自督脈起少腹至治督脈見甲乙經卷二第二又見本書督脈篇

黃帝問於岐伯曰余聞風者百病之始也以鍼治之奈何岐伯曰風從外入令人振寒汗出頭痛身重惡風寒治在風府調其陰陽不足則補有餘則寫風爲百病之源風初入身凡有五種一者振寒二者汗出三者頭痛四者身重五者惡風寒□觀虛實取之風府風府受風要處也　平按素問無於岐伯三字惡風寒作惡

寒注觀上所缺一字謹擬作須大風頸項痛刺風府風府在上椎大風謂眉鬢落大風病也在上椎者大椎上入腦户而至風府大風汗出灸譩譆譩譆在背下俠脊傍三寸所厭之令病者呼譩譆譩譆應手從風增風刺眉頭上譩一之反下譆火之反謂病聲也風起則風病發故曰從風皆取於攢竹也　平按增風素問作憎風失枕在肩上之横骨間失枕爲病可取肩上横骨間謂柱骨間　平按素問無之字折使揄臂齊肘正灸脊中除眇絡季脇引少腹而痛折使中也謂使引臂當肘灸脊中除眇絡季脇與少腹相引痛病也　平按素問眇上無除字脹刺譩譆譩譆在足太陽故大腸脹刺譩譆也腰痛不可以轉揺急引陰卵刺九窌與痛上九窌在腰尻分間八窌與腰輸爲九窌此經窌字音聊空穴也　平按素問九窌均作八髎鼠瘻寒熱還刺寒府寒府在膝外解營寒熱府在膝外解之營穴也名曰髖關也瘻音漏也　平按膝上素問有附字取膝上外者使

之拜取足心者使之跪凡取膝上外解使拜者屈膝伏也取涌泉者屈膝至地身不伏爲跪也 平按使之跪下素問有任脉者起於中極之下以上毛際循腹裏上關元至咽喉上頤循面入目衝脉者起於氣街並少陰之經俠齊上行至胸中而散任脉爲病男子内結七疝女子帶下瘕聚衝脉爲病逆氣裏急督脉爲病脊强反折凡八十一字督脉起少腹以下骨中央女子入繫庭孔其孔溺孔之端骨中尻下大骨空中也下入骨空中女子繫尾穴端男子循陰莖也 平按素問督脉下有者字起下有於字其絡循陰器合簒閒繞簒後別繞臀至少陰與巨陽中絡者合少陰上股内後廉貫脊屬腎與太陽起於目内眥督脉絡也繞陰器合於簒閒繞簒後復合然後亦分爲二道繞臀至足少陰及足太陽二絡合足少陰之經上陰股後廉至脊屬腎尋足太陽脉從頏顙上至目内眥而出也上額交巔上入絡腦還出別下項循肩髆内俠脊抵腰中入循膂絡腎而止其男子循莖下至簒與女子等從目内眥出已兩道上額至頂上相

交巳左右入腦中還出兩箱別下項各循肩髆之内俠脊下至腰中各循脊膂還復絡腎從頏顙出兌端上鼻上下項下至骶骨氣發於穴餘行之處並不發之穴也　平按素問顛作巔絡腎下無而止二字纂作篡說見前注上額至項頁袁刻作項頏顙袁刻誤作頑額其少腹直上者貫齊中央上貫心入喉上頤環脣上繫兩目之下中央有人見此少腹直上者不細思審謂此督脈以爲任脈殊爲未當也此生病從少腹上衝心而痛不得前後爲衝疝其女子不字癃痔遺溺嗌乾督脈生病治督脈此八種病循督脈而生故療督脈之穴也　平按素問不字作不孕治在骨上甚者在齊下營以下言療督脈穴骨上量是骶骨骨上督脈標也齊下營者督脈本也營亦穴處也其上氣有音者治其喉中央在缺盆中者有音上氣喘鳴聲也喉中央廉泉也缺盆中央天突穴也其病上衝喉者治漸漸者上俠頤上俠頤者是大迎穴道也　平按素問治下有其字蹇膝伸不屈治其楗伸不得屈骨病蹇紀偃反在髀輔骨以上横骨以下名楗也坐而

膝痛治其機 俠髖骨相接之處爲機 立而暑解治其厭關 人立支節解處熱治其厭關厭關骸關也□膝骨相屬屈伸之處也 平按厭關素問作骸關注骸關上袁刻脫關字□膝骨相屬袁刻作痛引膝骨查原鈔本膝骨上缺一字膝骨下不缺袁刻將膝骨上所缺一字作痛引二字又將膝骨下相字遺落與原本不合平擬將膝骨上所缺一字作與於文義較順 膝痛痛及母指治其膕 母指小母指也足少陰足太陽皆行膕中至足小指故療其膕也 平按母指素問作拇指 坐而膝痛如物隱者治其關 膕上髀樞爲關也 膝痛不可屈伸治其背内 背内謂足太陽背輸内也 連骱若折治陽明中輸窌 膝痛不得屈伸連脚骱其痛若折者療足陽明中輸謂是巨虛上廉也窌輸穴也 平按素問骱作胻輸窌作俞髎 若别治巨陽少陽滎 若骱痛若别可治足大陽足少陽二脈滎穴也 平按陽滎素問作陰滎 淫濼不能久立治少陽之維在外踝上四寸 濼羅各反淫濼膝胻痹痛無力也外踝上五寸足少陽光明穴也少陽維者在四寸中也 平按素問淫濼下有脛痠二字外踝上四寸作外上五寸 輔骨上横骨下爲楗俠髖爲機膝解爲

骸關俠膝之骨爲患骸骸下爲輔輔上爲膕膕上爲關項橫骨爲枕 膝輔骨上橫骨下爲楗當膝解處爲骸也項橫骨項上頭後玉枕也髖孔昆反又音完 平按素問患骸作連骸項作頭 水輸五十七穴者尻上五行行五伏菟上兩行行五左右各一行行六穴 前巳言水輸今復重言者此言水骨空水輸主骨故重言也 平按素問一行下有行五踝上各一行行七字 髓空腦後三分在顱際兑骨之下一在新纂下一在項中復骨下 平按三分趙府本素問作五分腦上有在字兑作鋭新纂作齗基項下有後字 一在脊骨上空在風府上脊骨下空在尻骨下空數髓空在面俠鼻或骨空在口下當兩肩兩髆骨空在髆中之陽臂骨空在陽去踝四寸兩骨之閒 平按素問在陽作在背陽兩骨下有空字 股骨上空在股陽出上膝四寸胻骨空在

輔骨之上端股際骨空在毛中動脉下尻骨空在髀骨之後相去四寸遍骨有滲理毋髓空易髓無空言骨上有空五穀津液入此骨空資腦髓也此骨空種數所在難分此皆爲知者不可知者故置而不數也兩有有本爲脣也 平按素問動下無脉字遍骨作扁骨滲理下有腠字毋髓空空字作孔

黃帝內經太素卷第十一 輸穴

黃陂蕭貞昌校字

黃帝內經太素卷第十二 營衛氣

通直郎守太子文學臣楊上善奉　敕撰注

黃陂蕭延平北承甫校正

平按此篇自溢於中以上殘脫不完篇目亦不可考其自黃帝曰營氣之道至肺流凡二十字從靈樞甲乙營氣篇補入自溢於中以下至逆順之常也見靈樞卷四第十六營氣篇又見甲乙經卷一第十營氣篇自黃帝曰願聞營衛之所行至末見靈樞卷四第十八營衛生會篇又見甲乙經卷一第十一營衛三焦篇

黃帝曰營氣之道內穀爲寶穀入于胃乃傳之肺流以上從靈樞甲乙經營氣篇補入平按甲乙經無黃帝曰三字溢於中布散於外穀入胃已精濁下流清精注肺肺得其氣流溢五藏布散六府也精專者行於經隧常營毋已終而復始是謂天地之紀精專血氣常營無已名曰營氣也故氣從太陰出注於陽明上

行至面注足陽明下行至跗注大指間與太陰合以下言營行十二經脈也氣營氣也營氣起於中焦並胃口出上焦之後注手太陰手陽明乃之足陽明也　平按出下甲乙有循臂内上廉五字注於陽明靈樞甲乙作注手陽明靈樞無至面二字上行抵髀從髀注心中循手少陰出腋下臂注小指之端合手太陽上行乘腋出䪼内注目内眥上顛下項合足太陽循脊下尻行注小指之端足太陰脈注心中從心中循手少陰脈行也合者合手小指端也上顛下項者十二經中手太陽脈支者别頰上䪼抵鼻至目内眥手太陽脈起目内眥此言上顛者循手太陽氣至目内眥合足太陽之氣與之共行上項下項然後稱合理亦无違也　平按抵髀靈樞作抵脾掖靈樞甲乙均作腋下同不再舉下臂注小指之端靈樞無之端二字尻下靈樞甲乙有下字循足心注足少陰上行注臀從臀注心外散於胸中循心注平按注靈樞甲乙作主脈出腋下臂入兩筋之間入掌中出中指之端平按甲乙作手中指還注小指次指之

端合手少陽上行注膻中散於三焦從三焦注膽平按膽甲乙作膻出脇注足少陽下行至跗上復從跗注大指間合足厥陰上行至肝從肝上注肺上循喉嚨入頏顙之竅究於畜門其別者平按靈樞甲乙作其支別者上額循顛下項中循脊入骶是督脈也絡陰器上過毛中入臍中上循腹裏入缺盆下注肺中復出太陰此營氣之行逆順之常也問曰肝脈足厥陰上貫膈布脇肋循喉嚨之後上入頏顙連目系上出額與督脈會於顛此言足厥陰脈循喉嚨究於畜門循顛入骶等是督脈者未知督脈與足厥陰脈同異何如答曰足厥陰脈從肝上注肺上循喉嚨上至於顛與督脈會督脈自從畜門上額至顛下項入骶與厥陰不同此言別者上額循顛之言乃是營氣行足厥陰至畜門別於厥陰之脈循督脈上額至顛下項入骶絡陰器上循腹裏入缺盆復別於督脈注於肺中復出手太陰之脈此是營氣循列度數常行之道與足厥陰及督脈各異也頏顙當會厭上雙孔畜門鼻孔也逆順者在手循陰而出循陽而入在足循陰而入循陽而出此

為營氣行逆順常也　平按此營氣之行甲乙作此營氣之所行也**黄帝曰願聞營衛之所行皆何道從行岐伯答曰營出於中焦衛出於上焦**夫三焦者上焦在胃上口主內而不出其理在膻中中焦在胃中口不上不下主腐熟水穀其理在臍旁下焦在臍下當膀胱上口主分別清濁主出而不內其理在臍下一寸故營出中焦者出胃中口也衛出上焦者出胃上口也　平按從行靈樞作從來甲乙作從始無岐伯答三字**黄帝曰願聞三焦之所出**前問營衛二氣所出出於三焦未知上焦衛氣出在何處故致斯問　平按甲乙無黄帝曰願聞及下岐伯曰十三字**岐伯曰上焦出於胃上口並咽以上貫膈布胸中走掖循太陰之分而行還注陽明上至舌**咽胃之際名胃上口胃之上口出氣即循咽上布於胸中從胸中之掖循肺脈手太陰行至大指次指之端注手陽明脈循指上廉上至下齒中氣到於舌故曰上至舌也此則上焦所出與衛氣同所行之道與營共行也　平按布上靈樞甲乙有而字還注陽明靈樞作還至陽明甲乙作還至手陽明注從胸中從字袁刻作循**下足陽明**其脈還出俠口交人中左之右右之左上俠鼻孔與足陽明合足陽明下行至足太陰等與營氣俱行也　平按下足陽明甲乙作下注足陽明注交

人中六文字袁刻誤作夾常與營俱行於陽二十五度行於陰亦二十五度一周也故五十周而復大會於手太陰營氣行晝故即行陽也行夜故即行陰也其氣循二十八脈十六丈二尺晝行二十五周夜行二十五周故一日一夜行五十周平旦會手太陰脈也一度有一周五十周爲日夜一大周矣上焦衛氣循營氣行終而復始常行無已也　平按行於陽二句甲乙作行於陰陽各二十五度一周也作爲一周故下有日夜二字復下有始字

黃帝曰：人有熱飲食下胃，其氣未定，汗則出，或出於面，或出於背，或出於身半，其不循營衛氣之道而出何也？岐伯曰：此外傷於風，內開腠理，毛蒸理洩，衛氣走之，固不得循其道，此氣慓悍滑疾，見開而出，故不得從其道，故命曰漏洩。蒸之冰反火氣上行也衛氣在於脈外分肉之間腠理傷風因熱飲食毛蒸理洩腠理內開慓芳昭反急也悍胡旦反勇也言衛氣勇急遂不循其道即出其汗謂之漏洩風也　平按營衛氣靈樞甲乙無營字命曰甲乙作名曰袁刻脫命字洩靈樞甲乙均作泄黃帝曰：願聞其中焦之所出。岐伯曰：中焦亦並胃口，出上焦之後，此所謂受氣者，泌糟粕，承津液，化其精微，上注於肺脈，乃化而爲血，以奉生身，泌音必。中焦在胃中口，中焦之氣從胃中口出，已並胃上口出上焦之後，□五穀之氣也，泌去糟粕，承津液之汁，化其精微者，注入手太陰脈中，變赤稱血，以奉生身。平按：甲乙無黃帝曰至岐伯曰十四字。靈樞胃口作胃中。靈樞、甲乙承津液承字均作蒸。注五穀上原缺一字，依經文擬作受。莫貴於此，故獨得行於經隧，命曰營氣。人眼受血所以能視，手之受血所以能握，足之受血所以能步，身之所貴莫先於血，故得行於十二經絡之道，以營於身，故曰營氣也。隧，道也。故中焦□□營氣也。平按：命曰營氣，甲乙無氣字。注中焦下原缺二字，因上節問中焦之所出，故此處擬作所出二字。黃帝曰：夫血之與氣，異名同類，何也？岐伯曰：營衛者，精氣也；血者，神氣也。故血之與氣，異名同類焉。故奪血者毋汗，奪氣者毋血，故人生有兩死而毋兩生營衛者人之至精之氣然精非氣也血者神明之氣而神非血也故比之口水氣無異也毋血亦死毋氣亦死故有兩死也有血亦生有氣亦生隨有二即生故毋兩生也黃帝曰：願聞下焦之所出。岐伯答曰：下焦者，別廻腸，注於膀胱而滲入焉。故水穀者，常并居於胃中，成糟粕而俱下於大腸，而成下焦，滲而俱下，濟泌別汁，循下焦而滲入膀胱焉。廻腸大腸也下焦在臍下當膀胱上口主分別清濁而不内此下焦處也濟泌別汁循下焦滲入膀胱此下焦氣液也膀胱尿脬也　平按甲乙無黃帝曰至岐伯答曰十四字而成作而爲濟泌作滲泄

黃帝曰：人飲酒亦入胃，穀未熟而小便獨先下，何也？岐伯答曰：酒者熟穀之液也，其氣悍以滑，故後穀入而先穀出焉。其氣悍者酒爲熟穀之氣又熱故氣悍□□□　平按注又熱袁刻脫又字悍下原缺三字依經文擬作以滑也三字

黃帝曰：善。余聞上焦如霧，中焦如漚，下焦如瀆，此之謂

也上焦之氣如霧在天霧含水氣謂如雪霧也漚屋豆反久漬也中焦血氣在脉中潤一頭謂之漚也下焦之氣溲液等如溝瀆流在地也 平按注雪字恐係雲字傳寫之誤

營衛氣行平按此篇自篇首至三歛而已見靈樞卷十第七十一邪客篇又見甲乙經卷十二第三自黄帝曰余聞十二經脉至以數調之見靈樞卷六第四十陰陽清濁篇自黄帝曰願聞人之清濁至以數調之又見甲乙經卷一第十二自黄帝曰經脉十二者至末見靈樞卷六第三十四五亂篇又見甲乙經卷六第四陰陽清濁順治逆亂大論

黄帝問伯高曰夫邪氣之客於人也或令人目不瞑不卧出者何氣使然厥邪客人爲病目開不得合卧起□□起也 平按目不瞑至使然十一字甲乙作目不得眠者何也七字伯高答曰五穀入於胃也其糟粕精液宗氣分爲三隧宗總也隧道也糟粕津液總氣分爲三隧故宗氣積於胸中出於喉嚨以貫心肺而行呼吸焉糟粕津液濁穢下流以爲溲便其清者宗氣積於膻中名曰氣海其氣貫於心肺出

入喉嚨之中而行呼吸一也平按心肺靈樞作心脈營氣者泌其津液注之於脈化而為血以營四末內注五藏六府以應刻數焉營氣起於中焦泌五穀津液注於肺脈手太陰中化而為血循脈營於手足迴五藏六府之中旋還以應刻數二也衛氣者出其悍氣之慓疾而先行四末分肉皮膚之間而不休者也晝日行於陽夜行於陰其入於陰也常從足少陰之分間行於五藏六府衛氣起於上焦上行至目行手足三陽已夜從足少陰分上行五藏至晝還行三陽如是行五藏行六府者夜行五藏之時藏脈絡府故兼行也以府在內故三也　平按四末上靈樞甲乙有於字不休者也甲乙作不休息也晝下甲乙無日字靈樞無其入於陰也句今厥氣客於藏府則衛氣獨衛其外則陽氣瞋瞋則陰氣益少陽喬滿是以陽盛故目不得瞋厥氣邪氣也邪氣客於內藏府中則衛氣不得入於藏府衛氣唯得衛外則為盛陽瞋張盛也藏府內氣不行則內氣益少陽喬之脈在外營目今

陽蹻盛溢故目不得合也瞑音眠　平按藏府靈樞作五藏六府甲乙作五藏獨衛其外甲乙作獨營其外衛其外則陽氣瞋至目不得瞑二十五字靈樞作行於陽則陽氣盛陽氣盛則陽蹻陷不得入於陰陰虛故目不瞑二十五字甲乙同惟甲乙陽蹻陷作陽蹻滿陰虛作陰氣虛故目不瞑作故目不得眠與靈樞小異

黃帝曰善治之奈何伯高曰補其不足寫其有餘調其虛實以通其道而去其邪不足陰氣也有餘外陽氣飲以半夏湯一齊陰陽以通其臥立至以下言半夏湯方以療厥氣厥氣既消内外氣通則目合得臥　平按齊靈樞甲乙作劑

黃帝曰善此所謂決瀆壅塞經絡大通陰陽和得者也願聞其方溝瀆水壅決之則通陰陽氣塞鍼液導之故曰決瀆所以請聞其方也伯高曰其湯方以流水千里以外者八升揚之萬遍取其清五升煮之炊以葦薪大沸量秫米一升治半夏五合徐炊令竭爲一升半去其滓飲汁一小杯日三稍

益以知爲度故其病新發者覆杯則卧汗出則已矣久者三飲而已［飲湯覆杯即卧汗出病已者言病愈速也三飲者一升半爲一齊久病三服即差不至一齊新病一服即愈也　平按大沸大字靈樞甲乙均作火］黄帝曰余聞十二經脈以應十二經水十二經水者其五色各異清濁不同人之血氣若一應之奈何［十二水謂涇渭海湖汝沔淮漯江河濟漳此十二水十二經所法以應五行故色各異也江清河濁即清濁不同也若如也人血脈如一若爲彼十二經水也　平按十二經水四字靈樞不重］岐伯曰人之血氣苟能若一則天下爲一矣惡有亂者乎［人之血氣苟能一種無差者不可得應於十二經水正以血脈十二經不同故得應於十二經水所以有相亂也］黄帝曰余問一人非問天下之衆岐伯曰夫一人者亦有亂氣天下之衆亦有亂氣其□爲一耳［非直天下衆人血脈有亂一人自有十二經脈故有亂也　平按其下原鈌一字靈樞作合袁刻作理］黄帝曰願

聞人氣之清濁岐伯曰受穀者濁受氣者清受穀之濁胃氣也受氣之清肺氣也清者注陰陰肺也濁者注陽陽胃也濁而清者上出於咽穀氣濁而清者上出咽口以爲噫氣也清而濁者則下行穀氣清而濁者下行經脈之中以爲營氣 平按則下行甲乙作下行於胃清濁相干命曰亂氣清者爲陰濁者爲陽清濁相干則陰陽氣亂也 平按命甲乙作名黄帝曰夫陰清而陽濁濁者有清清者有濁別之奈何問清濁之狀也 平按別上靈樞有清濁二字岐伯曰氣之大別氣之細別多種今言其大畧耳清者上注於肺穀之清氣上注於肺濁者下流於胃穀之濁者下流於胃胃之清氣上出於口胃中穀氣濁而清者上咽出口以爲噫氣肺之濁氣下注於經內積於海注肺清而濁氣下注十二經并積膻中以爲氣海而成呼吸也黄帝曰諸陽皆濁何陽獨甚乎諸陰皆清諸陽皆濁諸陽之脈皆濁未知何經獨受中之濁也岐伯曰手太陽獨受陽之

濁胃者腐熟水穀傳與小腸小腸受盛然後傳與大腸大腸傳過是爲小腸受穢濁最多故小腸經受陽之濁也手太陰獨受陰之清其清者上走空竅肺脈手太陰受於清氣其有二別有清清之氣行於三百六十五絡皆上於面精陽之氣上行目而爲精其別氣走耳而爲聽其宗氣上出於鼻而爲臭其濁氣出於胃口爲味皆是手太陰清氣行之故也　平按空竅甲乙作孔竅注精陽二字袁刻作清其濁者下行諸經手太陰清而濁者下入於脈行十二經中也諸陰皆清足太陰獨受其濁六陰之脈皆清足太陰以是脾脈脾主水穀濁氣故足太陰受陰之濁也　平按注脾主主字上半蟲傷不全下半剩土字當是主字剩文袁刻作上黃帝曰治之奈何岐伯曰清者其氣滑濁者其氣濇此氣之常也故刺陽者深而留之刺陰者淺而疾之清濁相干者以數調之諸經多以清者爲陽濁者爲陰此經皆以穀之悍氣爲濁爲陽穀之精氣爲清爲陰有此不同也故人氣清而滑利者刺淺而疾之其氣濁而濇者刺深而留之陰陽清濁氣并亂以理調之理數然也　平按靈樞刺陽作刺陰刺陰作刺陽甲乙同疾之甲乙作疾取之黃帝曰經脈十二者

別爲五行分爲四時何失而亂何得而治岐伯曰五行有序四時有分相順則治相逆則亂相順者十二經脉皆有五行四時之分諸攝生者攝之當分則爲和爲順乖常失理則爲逆爲亂也黃帝曰何謂相順平按甲乙有而治二字岐伯曰經脉十二者以應十二月十二月者分爲四時四時者春夏秋冬其氣各異營衛相隨陰陽已和清濁不相干如是則順而治營在脉中衛在脉外内外相順故曰相隨非相隨行相隨和也黃帝曰何謂逆而亂岐伯曰清氣在陰濁氣在陽清氣在於脉内爲營爲陰也濁氣在於脉外爲衛爲陽也營氣順行脉衛氣逆行營衛氣順逆十二經而行也衛之悍氣上至於目循足太陽至足指爲順行其悍氣散者復從目循手太陽向手指是爲逆行也此其常也　平按靈樞甲乙脉上無行字清濁相干亂於胸中是謂大悗悗音悶陽氣入陰陰氣入陽即清濁亂也營氣逆行衛氣順行即逆順亂也故氣

亂於心則煩心密嘿俛首靜伏密嘿煩心不欲言也俛首低頭靜伏也　平按嘿甲乙作默亂於肺則俛仰喘喝接手以呼肺手太陰脉行臂故肺氣亂肺及臂手悶所以接手以呼也　平按接甲乙作按亂於腸胃則爲霍亂腸胃之中營衛之氣相雜爲亂故爲霍亂霍亂卒吐利也亂於臂脛則爲四厥四厥謂四支冷或四支熱也亂於頭則爲厥逆頭重眩仆厥逆頭重謂頭寒或熱重而眩仆也　平按頭重甲乙作頭痛注一作頭重黄帝曰：五亂者刺之有道乎？岐伯曰：有道以來，有道以去，審知其道，是謂身寶。有道者理其亂使從其道黄帝曰：善。願聞其□。岐伯曰：氣在於心者，取之手少陰經心主輸。氣在於心取手少陰經者上經云心不受邪今氣在心若爲不受邪也若言邪在心之包絡即應唯療手心主之經何爲心病二經俱療故知心者亦受邪也輸謂手少陰手心主二經各第三輸也　平按其下原缺一字靈樞作道袁刻作旨少陰經心主輸靈樞甲乙作少陰心主之輸氣在於肺，取之手太陰滎、足少陰輸手太陰滎肺之本輸足少陰輸乃是腎脈以其腎脈上入於肺上下氣通故上取太陰滎下取足少陰輸氣在於腸胃取之足太陰陽明下者取三里足太陰脾脈也脾胃府藏陰陽氣通故陽胃氣亂取足太陰也陽明之脉是胃本經胃之上輸在背下輸在三里也　平按下者靈樞甲乙作不下者氣在於頭取之天柱大杼足太陽脈行頭天柱大杼並是足太陽脈氣所發故取之也不知取足太陽滎輸取前二穴不覺愈者可取足太陽第二滎穴及第三輸也氣在於臂足先去於血脈後取陽明少陽之滎輸手足四厥可先刺去手足盛絡之血然後取於手足陽明滎之與輸及手足少陽滎及輸也　平按靈樞足下有取之二字血上無於字黄帝曰補寫若何岐伯曰徐入徐出謂之導氣補者徐入疾出寫者疾入徐出是謂通導營衛之氣使之和也補寫無形所以謂之同精是非有餘不足也亂氣之相逆也補寫雖復無形無狀所以同欲精於氣之是非有餘不足及亂氣之逆也故精者補寫之妙意使之和也黄帝曰光乎哉道明乎哉論請著之玉板

命曰治亂黃帝讚岐伯之言有二一則所言光揚大道二則所論開道巧便故請傳之不朽也　平按自黃帝曰光乎哉至末甲乙無

營五十周平按此篇自黃帝曰余願聞五十營至末見靈樞卷四第十五五十營篇又見甲乙經卷一第九氣息周身五十營四時十分漏刻篇

黃帝曰：余願聞五十營。岐伯答曰：天周二十八宿，宿三十六分此據大率言耳其實弱三十六分　平按甲乙無余願聞三字靈樞營下有奈何二字，人氣行一周謂晝夜周一千八分其實千分耳據三十六全數賸之故賸八分也宿各三十五分七分分之五則千分也知必然者下云氣行一周日行二十分氣行再周日行三十分人晝夜五十周故知一千分也　平按千上靈樞甲乙無一字注日行三十分當係四十分之誤玩下經文自明，日行二十八分，人經脈上下左右前後二十八脈，周身十六丈二尺日行二十分人經脈一周言八分者誤也以上下文會之可知也　平按日行二十八分分字靈樞作宿甲乙無此句，以應二十八宿，漏水下百刻，以分晝夜以二十八脈氣之周身上應二十八

宿漏水之數晝夜之分俱周遍故人一呼脈再動氣行三寸一吸脈亦再
動氣行三寸呼吸定息氣行六寸一息之間日行未一分故不言日行之數十
息氣行六尺日行二分一息六寸十息故六尺也二分謂二十七分分之四分也人氣十息行亦未一分也
十三息半則一分矣　平按注四分据下注十息得二十七分之二十此四字恐係二十之誤二百七十息氣行十
六丈二尺氣行交通於中一周於身下水二刻日行
二十分十息六尺故二百七十息氣行一百六十二尺又日行二十分者十息得二十七分之二十百息得二百二百息得四百二百七十息得
五百四十分以二十七除之則爲二十分矣　平按二十分靈樞作二十五分甲乙作二十分有奇五百四十息氣行
再周於身下水四刻日行四十分倍一周身之數　平按四十分甲乙作四十分有奇二
千七百息氣行十周於身下水二十刻日行五宿二
十分十倍一周故日行二百分也宿各三十六分故當五宿二十分也由此言之故知五十周以一千分爲實也　平按二分甲乙作二百十分有

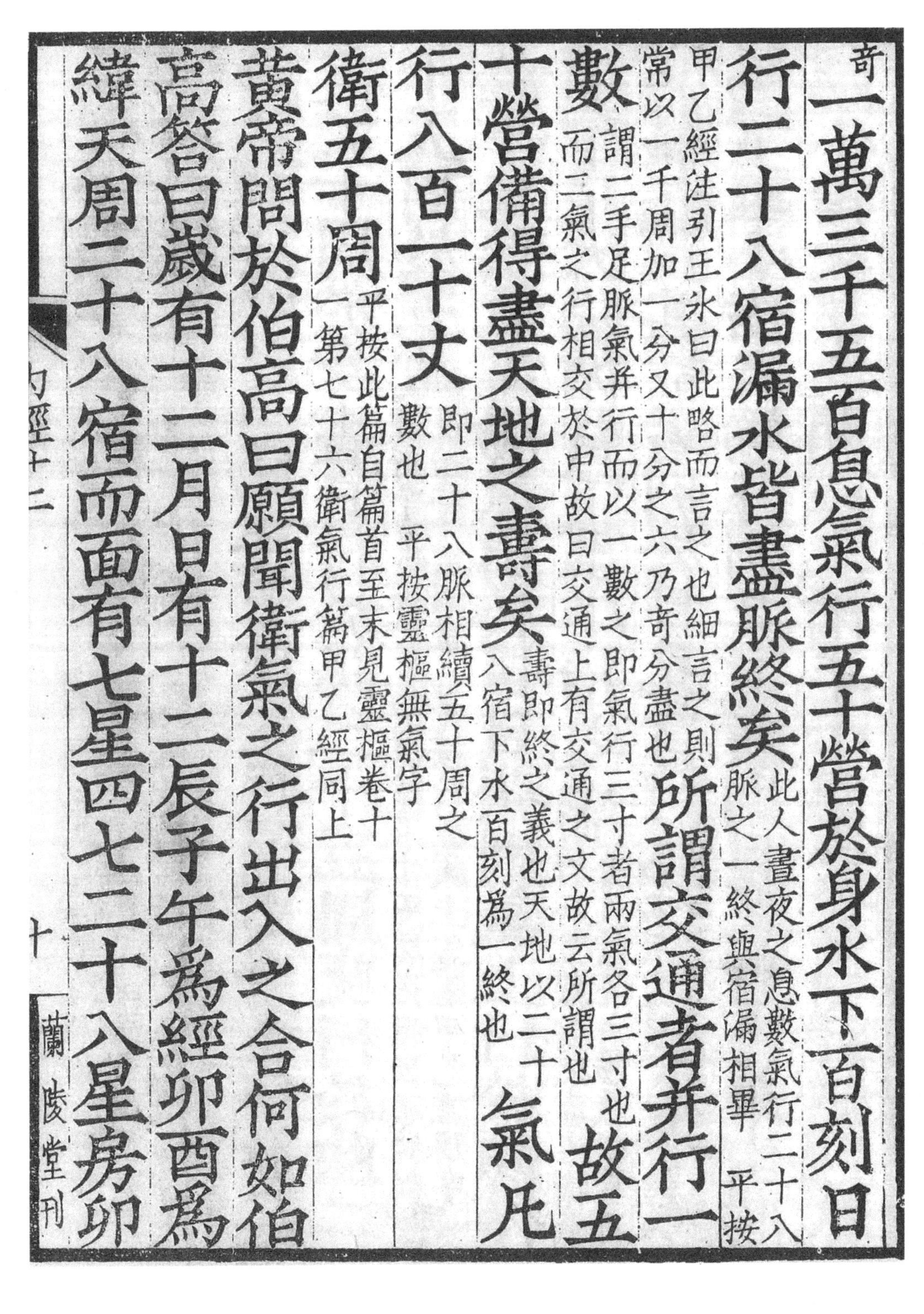

奇一萬三千五百息氣行五十營於身水下一百刻日行二十八宿漏水皆盡脈終矣此人晝夜之息數氣行二十八脈之一終與宿漏相畢　平按甲乙經注引王冰曰此略而言之也細言之則常以一千周加一分又十分之六乃奇分盡也所謂交通者并行一數謂二手足脈氣并行而以一數之即氣行三寸者兩氣各三寸也而二氣之行相交於中故曰交通上有交通之文故云所謂也故五十營備得盡天地之壽矣壽即終之義也天地以二十八宿下水百刻為一終也氣凡行八百一十丈即二十八脈相續五十周之數也　平按靈樞無氣字衛五十周平按此篇自篇首至末見靈樞卷十一第七十六衛氣行篇甲乙經同上

黃帝問於伯高曰願聞衛氣之行出入之合何如伯高答曰歲有十二月日有十二辰子午為經卯酉為緯天周二十八宿而面有七星四七二十八星房卯

內經十二　十

蘭陵堂刊

爲緯虛張爲經經云虛張爲經者錯矣南方七宿星爲中也　平按甲乙天周二十八宿而面有七星作天一面七宿周天七字面有靈樞作一面房卯卯字靈樞甲乙均作昴是故房至畢爲陽昴至尾爲陰經云昴至尾爲陰便漏心宿也　平按尾靈樞甲乙均作心陽主晝陰主夜故衛氣之行一日一夜五十周於身晝日行於陽二十五周夜行於陰二十五周於五藏晝行手足三陽終而復始二十五周夜行五藏終而復始二十五周也　平按於五藏上靈樞甲乙亘周字是故平旦陰氣盡陽氣出於目目張則氣上行於頭循項下足大陽循背下至小指之端行於五藏陰氣盡也衛氣出目循足大陽氣出於目也小指之端足小指外側端也其散者別於目兌眥平按別於目兌眥甲乙作分於目別下手太陽下至小指之端外側其散者別目兌眥下足少陽注小指次指之間以上循手少陽之分平按分下靈樞甲乙有側字下

至小指次指之間平按靈樞甲乙無次指二字別者以上至耳前合於頷脈注足陽明下行至跗上入五指之間其散者從耳下下手陽明大指之間入掌中眥才詣反目崖一曰目眶散者衛之悍氣循足太陰脈而有餘別故曰散者別目兑眥目外決眥也目之兑眥有手太陽無足太陽今言別者足太陽脈係於目系其氣至於兑眥故衛氣別目兑眥下手太陽至小指之端外側也行此手足太陽一刻時也衛之悍氣別者循足少陽至小指次指之間別者循手少陽至於小指次指之間二刻時也衛之悍氣別者合於頷脈謂足陽明也入五指間者謂足陽明絡散入十指間故刺瘧者先刺足陽明十指間也手陽明偏歷大絡斜肩髃上曲頰偏齒其別者從齒入耳故衛別於耳下下手陽明至大指間入掌中者手陽明脈不入掌中而言入者手陽明脈氣雖不至掌中衛之悍氣循手陽明絡至掌中三刻時也　平按頷靈樞甲乙作頷說文頷頤也唐韻音頷亦通其至於足也入足心出內踝下行陰分復合於目爲一周衛之悍氣晝日行手足三陽已從於足心循足少陰脈上復合於目以爲行陽一周如是晝日行二十五周也　平按此一段二十二字袁刻混入注中查靈樞甲乙均有此文應作大字爲經餘小字爲注是故日行一舍人氣行一

周於身與十分身之八以下倶言行陽二十五周人氣行身一周復行第二周内十分之中八分卽日行之一舍也日行二舍人氣行三周於身與十分身之六日行三舍人氣行於身五周與十分身之四日行四舍人氣行於身七周與十分身之二日行五舍人氣行於身九周日行六舍人氣行於身十周與十分身之八日行七舍人氣行於身十二周於身與十分身之六日行十四舍人氣行二十五周於身有奇分十分身之四人氣晝日行陽二十五周於身有奇分十分身之二言四誤也平按身之四靈樞作二楊注言四誤也按上文日行七舍人氣行身十二周與十分身之六此十四合倍七舍則十二周與十分身之六亦復倍之當爲二十五周與十分身之二陽盡而陰受氣矣其始入於陰常從足少陰注於腎腎注於心衛之陽氣晝日

行三陽二十五周已至夜行於五藏二十五周腎脈支者從肺出絡心故心注衛氣循之注心者也衛氣夜行五藏皆從能剋注於所剋之藏以爲次也於肺心脈直者手少陰復從心系卻上肺故衛氣循心注肺者也肺注於肝肝脈支者復從肝別貫鬲上注肺故衛氣循肺注肝者也肝注於脾肝脈俠胃胃脈絡脾故得肝脈注於脾也脾復注於腎爲一周脾脈足太陰從下入少腹氣生於腎故衛氣循之注腎者也是故夜行一舍人氣行於陰藏一周與十分藏之八亦如陽之行二十五周而復合於目前行陽中日行一舍人氣行身一周復行後周十分身之八分此夜行一舍人氣行陰藏一周復行後周十分藏之八與前行陽二十五周數同亦有二十五周合五十周復合於目終而復始也　平按陰藏甲乙作身注一云陰藏合於目甲乙作會於目陰陽一日一夜合有奇分十分身之二與十分藏之二行陽奇分十分身之二行陰奇分亦有十分藏之二其數同也　平按兩二字甲乙均作四注云亦作二是故人之所以臥起之時有早晏者奇分不盡故也黃帝曰衛氣之在於身也上下往來

不以期候氣而刺之奈何 平按不以期甲乙作無已其 伯高曰分有多少日有長短春秋冬夏各有分理然後常以平旦爲紀以夜盡爲始是故一日一夜水下百刻二十五刻者半日之度也常如是毋已日入而止隨日之長短各以爲紀而刺之謹候其時病可與期失時反候百病不治故曰刺實者刺其來也刺虛者刺其去也此言氣存亡之時以候實虛而刺之 刺實等衛氣來而實者可刺而寫之衛氣去而虛者可刺而補之 平按自謹候其時至以候實虛而刺之數句甲乙編次在後 是故謹候氣之所在而刺之是謂逢時 補寫之道必須候於邪氣所在刺之 病在三陽必候其氣之加在於陽分而刺之病在於三陰必候其氣之加在於陰

分而刺之病在手足三陽刺之可以用療陽病之道也病在三陰刺之可以取療陰病之道也　平按加在於陽分與加在於陰分靈樞無兩加字兩分字甲乙刺之下有謹候其時病可與期失時反候百病不除十六字水下一刻人氣在太陽在太陽者在手足太陽也水下二刻人氣在少陽在少陽者謂是手足少陽水下三刻人氣在陽明在陽明謂是手足陽明也水下四刻人氣在陰分水下五刻人氣在太陽水下六刻人氣在少陽水下七刻人氣在陽明水下八刻人氣在陰分水下九刻人氣在太陽水下十刻人氣在少陽水下十一刻人氣在陽明水下十二刻人氣在陰分水下十三刻人氣在太陽水下十四刻人氣在少陽水下十五刻人氣在陽明水下十六刻人氣在陰分水下十七刻人氣在

大陽水下十八刻人氣在少陽水下十九刻人氣在陽明水下二十刻人氣在陰分水下二十一刻人氣在大陽水下二十二刻人氣在少陽水下二十三刻人氣在陽明水下二十四刻人氣在陰分水下二十五刻人氣在大陽此半日之度也從房至畢十四舍水下五十刻日行半度迴行一舍水下三刻與七分刻之二迴行一舍水下三刻與七分刻之四言七分刻之二者錯矣置五十刻以十四舍除之得三刻十四分之八法實俱半之得七分之四也平按甲乙日行半度迴行一舍八字作從昴至心亦十四度水下五十刻終日之度也日行一舍者二十三字七分刻之二作十分刻之四注云素問十作七又靈樞刻之二作刻之四大要曰常以日之加於宿上也人氣在大陽衛氣行三陽上於目者從足心循足少陰脈上至目以爲一刻若至於夜便入腎常從腎注於肺晝夜行藏二十五周明至於目合五十周終而復

始以此爲准不須注解也　平按甲乙無日字之加作加之氣上有則知二字注上至目及至於目兩目字原本均作日平按上注衛氣循少陰脈上復合於目以爲行陽一周又本篇經文人氣行於陰藏亦如陽之行二十五周而復合於目據此則日字當係目字傳寫之誤　是故日行一舍人氣行三陽與陰分常如是無已與天地同紀紛紛盼盼終而復始一日一夜下水百刻而盡矣紛字云反亂也盼普崽反謂衛氣行身不息紛紛盼盼無有窮期也　平按盼盼原鈔作盼盼查盼方文切日光也盼普巴切謂雜亂紛紜也與注無有窮期之義近靈樞甲乙均作盼盼注均云普巴切擬作盼盼又甲乙盡矣下有故曰刺實者刺其來刺虛者刺其去此言氣之存亡之時以候虛實而刺之也三十字

黄帝内經太素卷第十二 營衛氣

黄陂蕭貞昌校字

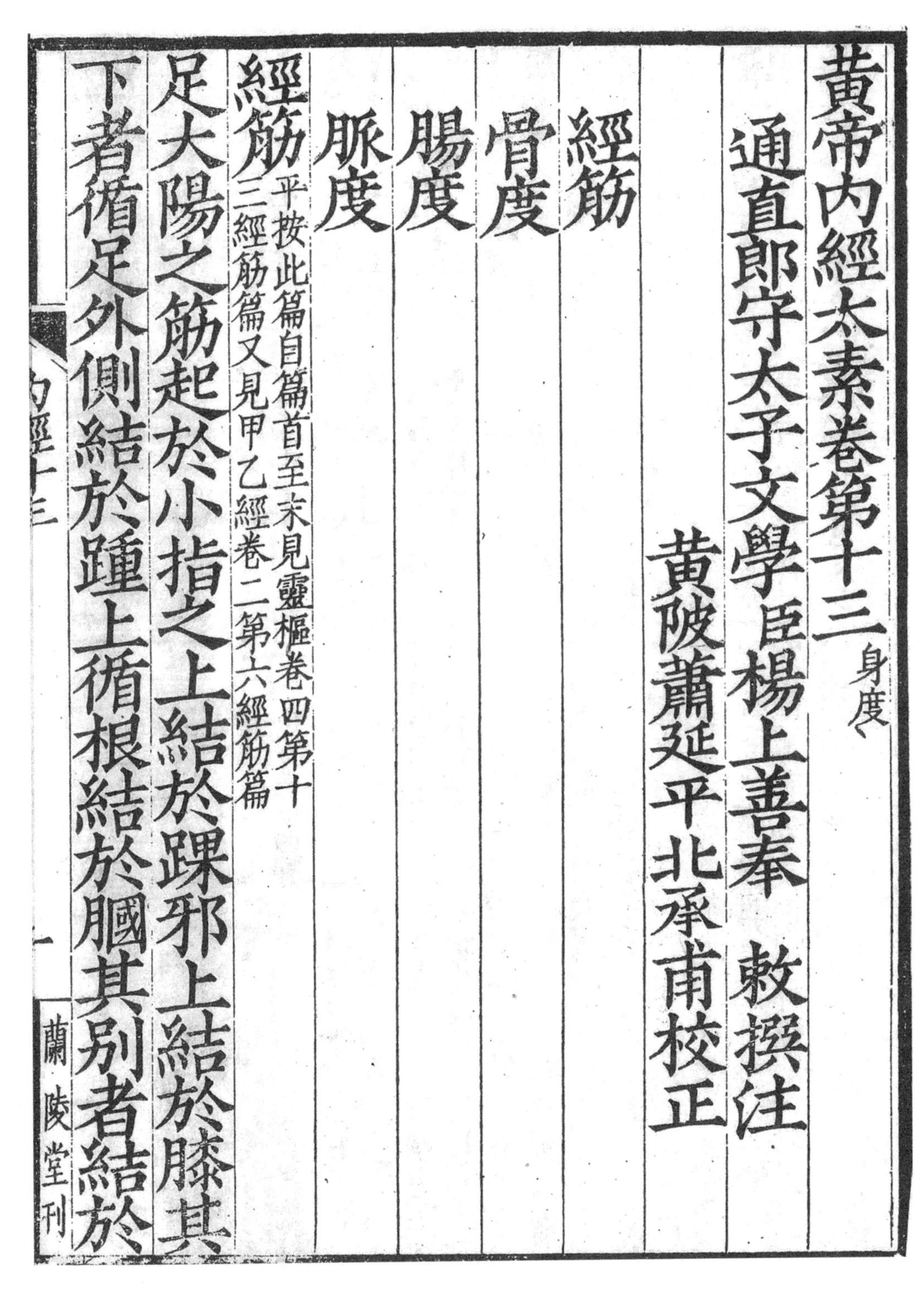

黄帝内經太素卷第十三 身度

通直郎守太子文學臣楊上善奉　敕撰注

黄陂蕭延平北承甫校正

經筋

骨度

腸度

脈度

經筋 平按此篇自篇首至末見靈樞卷四第十三經筋篇又見甲乙經卷二第六經筋篇

足太陽之筋起於小指之上結於踝邪上結於膝其下者循足外側結於踵上循根結於膕其別者結於

腨外上膕中內廉與膕中并上結於臀上俠脊上項其支者別入結於舌本其直者結於枕骨上頭下顔結於鼻其支者為目上綱下結於鼽其下支者從腋後外廉結於肩髃其支者入腋下上出缺盆上結於完骨其支者出缺盆邪上出於鼽十二經筋與十二經脈俱稟三陰三陽行於手足故分為十二但十二經脈主於血氣內營五藏六府外營頭身四支十二經筋內行胸腹郭中不入五藏六府脈有經脈絡脈筋有大筋小筋膜筋十二經筋起處與十二經脈流注並起於四末然所起處有同有別其有起維筋緩筋等皆是大筋別名凡十二筋起處結處及循結之處皆撰為圖畫示人上具如別傳小指上謂足指表上也結曲也筋行迴曲之處謂之結□結經脈有郤筋有結也顔眉上也下結於鼽鼽中出氣之孔謂之鼻也鼻形謂之鼽也　平按小指上靈樞甲乙有足字邪甲乙作斜俠靈樞作挾顔甲乙作頟鼽靈樞作頄出於鼽甲乙作入於鼽注俱稟袁刻誤作同稟膜筋袁刻誤作膜筋其病小指支跟踵痛膕攣脊反折項筋急肩不舉腋支缺盆

紉痛不可左右搖紉女巾反謂轉展痛也　平按攣下甲乙有急字紉靈樞甲乙均作紐治在燔鍼刼刺病脈言鍼灸之言筋病但言燔鍼者但鍼灸湯藥之道多通療百病然所便非無偏用之要也以知為數所以惟知病差為鍼度數如病筋痛一度刼刺不差可三四度量其病差為數也以痛為輸輸謂孔穴也言筋但以筋之所痛之處即為孔穴不必要須依諸輸也以筋為陰陽氣之所資中無有空不得通於陰陽之氣上下往來然邪入腠襲筋為病不能移輸遂以病居痛處為輸故曰筋者無陰無陽無左無右以候痛也明堂依穴療筋病者此乃依脈引筋氣也名曰仲春痺聖人南面而立上覆於天下載於地總法於道造化萬物故人法四大而生所以人身俱應四大故正月即是少陽以陽始起故曰少陽六月少陽以陽衰少故曰少陽二月大陽以其陽大故曰大陽五月大陽以陽正大故曰大陽三月四月陽明二陽相合故曰陽明十二經筋感寒溼風三種之氣所生諸病皆曰筋痺筋痺燔鍼為當故偏用之餘脈肉皮筋等痺所宜各異也

足少陽之筋起於小指次指之上上結外踝上循胻外廉結於膝外廉其支者起於外輔骨上走髀前者結於伏菟之上後者結於尻其支者起外輔骨凡有二支也故前支上結伏菟後支上走髀結於

尻前也　平按灸指下靈樞無之上二字胻作脛伏菟下甲乙無之上二字其直者上眇乘季脇上走掖前廉繫於膺乳結於缺盆眇季脇下也以沼反　平按眇乘靈樞甲乙作乘眇其直者上出掖貫缺盆出太陽之前循耳後上額角交巔上下走頷上結於鼽其支者結目外眥為外維其病足小指次指支轉筋引膝外轉筋膝不可屈伸膕中筋急前引髀後引尻上乘眇季脇痛上引缺盆膺乳頸外維大陽為目上綱陽明為目下綱少陽為目外維　平按靈樞鼽作頄結目外眥作結於外眥小指上無足字甲乙同膕中靈樞甲乙無中字維筋急從左之右右目不可開此筋本起於足至項上而交至左右目故左箱有病引右箱目不得開右箱有病引左箱目不得開也上過右角並蹻脈而行左絡於右故傷左角右足不用命曰維筋相交治在燔鍼劫刺以知為數以痛為

輸名曰孟春痺（喬脈至於目眥故此筋交顛左右下於目眥與之並行也筋既交於左右故傷左額角右足不用傷右額角左足不用以此維筋相交故也）足陽明之筋起於中三指結於跗上邪外上加於輔骨上結於膝外廉直上結於髀樞上循脅屬脊（刺瘧者刺足陽明十指間是知足陽明脈入於中指內閒外閒脈氣三指俱有故筋起於中指并中指左右二指故曰中三指也有本無三字髖骨如臼髀骨如樞髀轉於中故曰髀樞也）其直者上循䯒結於膝其支者結於外輔骨合於少陽直者上循伏菟上結於髀聚於陰器上腹而布至缺盆結（布謂分布也　平按䯒靈樞甲乙作骭結至缺盆結靈樞甲乙作至缺盆而結）上頸上俠口合於鼽下結於鼻上合於大陽為目上綱陽明則為目下綱其支者從頰結於耳前（大陽為目上綱故得上背動也陽明為目下綱故得下背動也）其病足中指支䯒轉筋腳跳堅伏菟轉筋

髀前腫𩕳疝腹筋急引缺盆頰口卒噼急者目不合熱則筋施縱目不開寒則目綱上下拘急故開不得合也熱則上下緩縱故合不得開噼音僻　平按骱靈樞作脛甲乙同頹靈樞作㿗腹筋急甲乙作腹筋乃急頰口靈樞甲乙作及頄頰卒噼作卒口僻靈樞縱上無施字噼袁刻作僻下同據原本更正頰筋有寒則急引頰移口有熱則筋施縱緩不勝故噼足陽明筋俠口過頰故曰頰筋移謂引口離常處也不勝謂熱不勝其寒所以緩口移去故喎噼也　平按緩不勝靈樞甲乙作不勝收治之以馬膏其急者以白酒和桂以塗其緩者馬為金畜剋木筋也故馬膏療筋急病也桂酒泄熱故可療緩筋也以桑鉤鉤之即以生桑炭置之坎中高下與坐等以膏熨急頰且飲美酒噉美炙不飲酒者自强也為之三拊而已治在燔鍼刼刺以知為數以痛為輸名曰季春痺以新桑木麤細如指以繩繫之拘其緩頰挽急頰仍於壁上為坎令與坐等坎中生桑炭火以馬膏塗其急頰猶

須飲酒噉炙和其氣盈如此摩拊飲噉為之至三自得中平噉徒敢反拊摩也音撫　平按炙靈樞甲乙作灸噉甲乙作啖美炙靈樞作美灸肉甲乙作炙肉注麄袁刻作剉

足太陰之筋起於大指之端内側上結於内踝其直者上結於膝内輔骨膝内下小骨輔大骨者長三寸半名為内輔骨也　平按上結於膝靈樞甲乙作上絡於膝上循陰股結於髀聚於陰器陰器宗筋所聚也上腹結於齊循腹裏結於脇散於胸中其内者著於脊循腹裏即别著脊也　平按脇靈樞作肋其病足大指支内踝痛轉筋痛膝内輔痛陰股引髀而痛陰器紐痛上引齊與兩脇痛引膺中與脊内痛治在燔鍼刼刺以知為數以痛為輸名曰仲秋痺七月足之少陰始起故曰少陰十二月手之少陰以其陰衰故曰少陰入月足之大陰以其陰大故曰大陰十一月手之大陰以其陰正大故曰大陰九月足之厥陰十月手之厥陰交盡故曰厥陰八月之筋感三氣之病名曰筋痺有本以足大陰為孟春足少陰為仲秋誤耳　平按内輔下靈樞甲

乙有骨字紉均作紐上引齊與兩脇痛甲乙作上臍兩筋痛仲秋靈樞作孟秋甲乙同本注孟春恐係孟秋傳寫之誤

足少陰之筋起於小指之下並大陰之筋邪走内踝之下結於踝與足大陰之筋合而上結於内輔之下平按並上甲乙有入足心三字並下靈樞有足字結於踝靈樞甲乙踝作踵足大陰均作大陽並大陰之筋而上循陰股結於陰器循脊内俠膂上至項結於枕骨與足大陽之筋合其病足下轉筋及所過而結者皆痛及轉筋病在此者主癇瘛及痓在外者不能俛在内者不能仰故陽病者腰反折不能俛陰病者不能仰瘛充曳反痓擊井反身强急也在此謂在足少陰也在小兒稱癇在大人多稱癲背為外為陽也腹為内為陰也故病在背筋筋急故不得低頭也病在腹筋筋急不得仰身也平按循脊内俠膂甲乙作循膂内俠脊瘛醫統靈樞作瘲道藏本靈樞作瘈甲乙同痓靈樞作痙

治在燔鍼刼刺以知為數以

痛爲輸在内者熨引飲藥痛在皮膚筋骨外者可療以燔鍼病在腹胸内者宜用熨法及道引並飲湯液藥等此筋折紐發數甚者死不治名曰孟秋痺其筋轉痛輕而可爲也燔鍼若折曲紐發之甚死而不療也　平按靈樞甲乙紐均作紐紐二字孟秋均作仲秋發袁刻誤作緩足厥陰之筋起於大指之上上結於内踝之前上循脛上結於内輔之下上循陰股結於陰器結絡諸筋足三陰及足陽明筋皆聚陰器足厥陰屈絡諸陰故陰器名曰宗筋也　平按上循脛甲乙作上衝胻結絡諸筋靈樞無絡字筋甲乙作經　其病足大指支内踝之前痛内輔痛陰股痛轉筋陰器不用傷於内則不起傷於寒則陰縮入傷於熱則縱挺不收治在行水清陰氣其病轉筋者燔鍼刼刺以知爲數以痛爲輸名曰季秋痺婦人挺長爲病丈夫挺不收爲病陰氣即丈夫陰氣謂陽氣虚也陽氣虚故縮或不收得陰即愈也　平按陰氣甲乙作陰器其病

筋者靈樞甲乙病下有轉字燔上均有治則二字

手太陽之筋起於小指之上上結於腕上循臂內廉結於肘內兌骨之後彈之應於小指之上上入結於掖下手小指表名上肘兌謂肘內箱尖骨名曰兌骨應引也其支者後走掖後廉上繞肩甲循頸出足太陽之筋前結於耳後完骨其支者入耳中其直者出耳上下結於顑含感反上屬目外眥其病手小指支痛肘內兌骨後廉痛循臂陰入掖下掖下痛掖後廉痛繞肩甲引頸而痛應耳中鳴痛引頷目瞑良久乃能視臂臑內爲臂陰也瞑目閉也音眠平按後走掖後廉甲乙作從掖走後廉上繞肩甲作上繞臑外廉上肩胛顑靈樞甲乙均作頷平按支痛二字甲乙作及頸筋急則爲筋瘻頸腫寒熱在頸者治在燔鍼刼刺以知爲數以痛

爲輸其爲腫者傷而兑之其支者上曲耳循耳前屬目外眥上額結於角其病當所過者支轉筋治在燔鍼刼刺以知爲數以痛爲輸名曰仲夏痺筋瘻此之謂也筋瘻頸腫者皆是寒熱之氣也故療寒熱筋瘻頸腫者可以鍼傷於兑骨後彈應小指之處兑之令盡兑尖銳盡端也或爲傷復也六月手之少陽正月足之少陽五月手之太陽二月足之太陽四月手之陽明三月足之陽明筋於此時感氣爲病故曰仲夏等痺也　平按頸筋急頸腫頸字袁刻作頭靈樞甲乙均作頸傷均作復上曲耳耳字靈樞作牙甲乙注同又注筋瘻袁刻瘻誤作瘻

手少陽之筋起於小指次指之端結於腕上循臂結於肘上繞臑外廉上肩走頸合手太陽其支者當曲頰入繫舌本其支者上曲耳循耳前屬目外眥上乘頷結於角其病當所過者支轉筋舌卷治在燔鍼刼刺以知爲數以痛爲輸名曰季

夏痺曲頰在頰曲骨端足少陽筋循頸向曲頰後當曲頰入繫舌本謂當風府下舌根後故風府一名舌本也　平按腕上趙府本靈樞作腕中曲耳靈樞甲乙作曲牙頷均作領其病袁刻誤作是病手陽明之筋起於大指次指之端結於捥上循臂上結於肘外上臑結於髃其支者繞肩甲俠脊直者從肩髃上頸其支者上頰結於鼽肩髃肩角也音隅又音偶也　平按肘外甲乙無外字上臑作上繞臑肩甲靈樞甲乙均作肩胛鼽靈樞作頄其直者上出手大陽之前上左角絡頭下右顑其病當所過者支痛及轉筋肩不舉頸不可左右視治在燔鍼刦刺以知為數以痛為輸名曰孟夏痺其筋左右交絡故不得左右顧視今經不言上右角絡頭下左顑或可但言一邊也　平按顑靈樞甲乙均作領支下甲乙無痛及二字手太陰之筋起於大指之上循指上行結於魚後大指表名為上循手向胸為上行也　平按魚下甲乙有際字行寸口外側上

循臂結於肘中上臑内廉入掖下出缺盆結肩前髃上結缺盆並大陰脈行故在臑也肩端之骨名肩髃是則在後骨之前即肩前髃也下絡胸裏散貫賁合賁下抵季肋賁謂膈也筋雖不入藏府仍散於膈也　平按合賁下甲乙作合脇下下抵季肋靈樞作抵季脇其病當所過者支轉筋痛其成息賁者脇急吐血治在燔鍼刼刺以知爲數以痛爲輸息謂喘息肺之積名息賁在右脇下大如杯久不愈令人洒淅振寒熱喘欬發肺癰也　平按其成息賁者靈樞甲乙作甚成息賁名曰仲冬痺十二月手之少陰七月足之少陰十一月手之大陰八月足之大陰十月手心主厥陰九月足厥陰筋於此時感氣爲病名爲仲冬痺也十二經脈足之三陰三陽配十二月手之三陰三陽配甲乙等數與此十二經筋不同良以陰陽之氣成物無方故耳

手心主之筋起於中指與大陰之筋並行結於肘内廉上臂陰結掖下下散前後俠脇其支者入掖下散胸中結於賁結於膈也　平按與大陰之筋並行甲乙作與大陽

之經並行賁靈樞甲乙均作臂其病當所過者支轉筋及胸痛息賁治在燔鍼刼刺以知爲數以痛爲輸名曰孟冬痹當此筋所過之處爲痺即是所行之筋爲病也　平按轉筋下靈樞有前字甲乙有痛手心主前五字

手少陰之筋起於小指之内側結於兌骨上結肘内廉上入腋交太陰伏乳裏結於胸中循賁兌骨謂掌後當小指下尖骨也交手太陰已伏於乳房之裏然後結於胸也　平按靈樞甲乙伏乳作挾乳循賁作循臂下繫於臍其病内急心承伏梁下爲肘綱其病當所過者則支轉筋筋痛治在燔鍼刼刺以知爲數以痛爲輸其成伏梁唾膿血者死不治心之積名曰伏梁起臍上如臂上至心下其筋循膈下臍在此痛下故曰承也人肘屈伸以此筋爲綱維故曰肘綱也　平按唾甲乙作吐

經筋之病寒則筋急熱則施縱不收陰萎不用也凡十二經筋寒則急熱則縱不用之也　平按寒則下靈樞有反折二字甲乙

同陽急則反折，陰急則俛不伸。人背爲陽，腹爲陰，故在陽之筋急者反折也，在陰之筋急則俛而不伸也。焠刺者，刺寒急，熱則筋縱，毋用燔鍼。焠，十內反，謂燒鍼刺之也。問曰：熱病皆有行灸，筋熱爲病，何以不用火鍼？答曰：皮肉受於熱病，脈通而易，故須行灸；筋自受病，通之爲難，寒熱自在於筋，病以痛爲輸，不依餘輸也。平按：縱下靈樞、甲乙有不收二字，鍼下甲乙有急刺二字。名曰季冬痺。經筋之病下總論十二經筋，此之一句屬手少陰筋也。足之陽明、手之大陽筋急則口目爲辟，目眥急不能卒視，治皆如右方。撿手太陽有耳中鳴引頷目瞑之言，無口目辟，亦可引頷即口目辟也，皆用前方寒急焠刺也。平按：辟靈樞作噼，甲乙作僻，眥上靈樞無目字。

骨度平按：此篇自篇首至末見靈樞卷四第十四骨度篇，又見甲乙經卷二第七骨度腸度腸胃所受篇。

黄帝問伯高曰：脈度言脈之長短，何以立之也？脈度謂三陰三陽之脈所起之度，但不知長短也。平按：言脈之長短，靈樞、甲乙作言經脈之長短。伯高曰：先度其骨節之小

大廣狹長短而脉度定矣人之皮肉可肥瘦增減骨節之度不可延縮故欲定脉之長短先言骨度也
黃帝問曰願聞衆人之度人長七尺五寸者其骨節
之大小長短各幾何聖人賢人及無別與分者之外衆人之骨度量多同故請衆人之度及請中度之人大小長短
也　平按甲乙無願聞衆人之度六字各上有知字伯高荅曰頭之大骨圍二尺六寸衆人
之中又爲三等七尺六寸以上名爲大人七尺四寸以下名爲小人七尺五寸名爲中人今以中人爲法則大人小人皆以爲定何者取一合七尺五寸人身
量之合有七十五分則七尺六寸以上大人亦准爲七十五分七尺四寸以下乃至嬰兒亦准七十五分以此爲定分立經脉長短並取空穴自頸項骨以上
爲頭顱骨以爲頭大骨也當其顱顱處以繩圍也胸圍四尺五寸缺盆以下髑骬以上爲胸當中圍也　平按注髑原作髑當係
髑字傳寫之誤查蔽心者爲髑骬亦曰鳩尾臆前蔽骨也謹作髑別本作髑腰圍四尺二寸當二十一椎腰輸之中圍也
髮所覆者顱至項長尺二寸頭顱骨取髮所覆之處前後量也　平按所覆所字袁刻誤作至髮
以下至頤長一尺君子參折髮際以下至頤端量之一尺一尺面分中分爲三三分謂天地人君子三

分齊等與衆人不同也參三也　平按參折靈樞作終折甲乙作參注云又作三又作終結喉以下至缺盆中長四寸頤端横當結喉端也結喉端至缺盆中不取上下量缺盆以下至髑骬長九寸從缺盆中至髑骬皮際量也　平按髑骬說見前靈樞注云音曷于肩骨也恐未安注皮字别鈔本亦作岐過則肺大不滿則肺小心肺俱在胸中心在肺間故不言大小也髑骬以下至天樞長八寸天樞俠齊故量髑骬下但八寸過則胃大不滿則胃小八寸之中亦有脾藏以其胃大故但言胃大小也天樞以下至横骨長六寸半過則迴腸廣長不滿則短横骨在陰上横骨迴腸大腸也大腸當齊小腸在後附脊齊上故不言之也　平按靈樞甲乙則短作則狹短横骨長六寸半横量非數下至内輔之上廉長一尺八寸内輔膝下内箱骨輔脛也　平按下至内輔之上廉靈樞甲乙作横骨上廉以下至内輔之上廉注脛袁刻誤作頸内輔之上廉以下至下廉長三寸半内輔骨長三寸半也内輔之下廉以下至内踝長尺三寸内踝以下至地

長三寸內踝端至地也膝膕以下至跗屬長尺六寸跗屬以下至地長三寸從膝以下當膝後曲處量也故骨圍大則太過小則不及故頭骨圍大則過於身骨頭骨圍小不及身骨也角以下至柱骨長一尺缺盆左右箱上下高骨名曰柱骨後頷角至此柱骨端合有一尺與頭端齊也計柱骨上下長四寸經不言也行腋中不見者長四寸排手而行取腋下不見處以上至柱骨四寸也腋以下至季脇長尺二寸季肋曰季脇季脇以下至髀樞長六寸尻髀二骨相接之處名曰髀樞髀樞以下至膝中長尺九寸當膝中側膝以下至外踝長尺六寸至外踝之中也外踝以下至京骨長三寸京骨以下至地長一寸外踝下如前高骨名曰京骨耳後當完骨者廣九寸耳前當耳門者廣尺三寸頭顱圍有二尺六寸此完骨相去九寸耳門相去尺三寸合有二尺二寸小四寸者各取完骨之前至耳二寸兩箱合有四寸並前即有二尺六寸經不言之也平按廣尺三寸甲乙作廣一尺二寸注云一作三寸兩顴

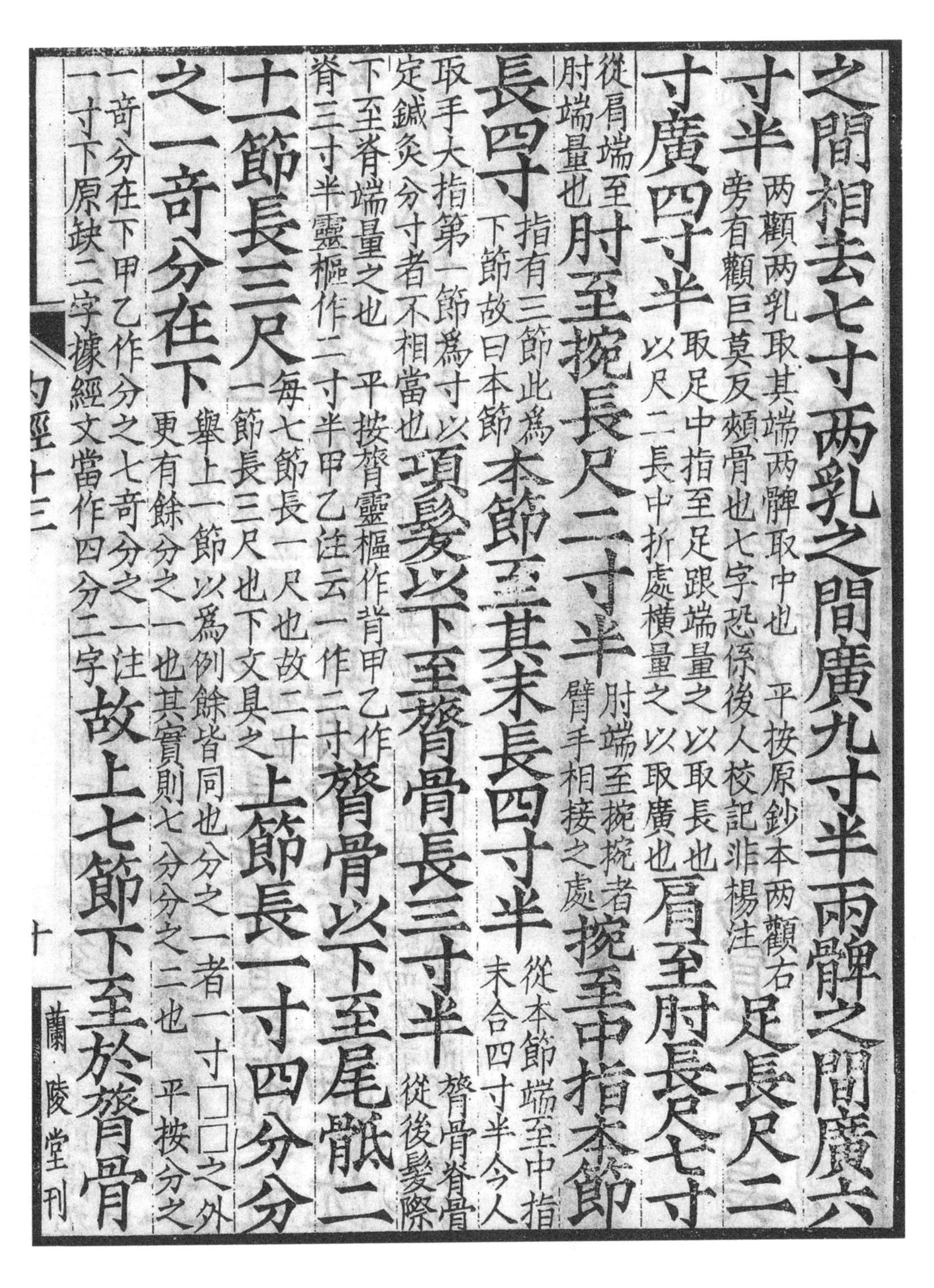
之間相去七寸兩乳之間廣九寸半兩髀之間廣六寸半兩顴兩乳取其端兩髀取中也　平按原鈔本兩顴右旁有顴巨莫反頰骨也七字恐係後人校記非楊注足長尺二寸廣四寸半取足中指至足跟端量之以取長也以尺二長中折處橫量之以取廣也肩至肘長尺七寸從肩端至肘端量也肘至捥長尺二寸半肘端至捥捥者臂手相接之處捥至中指本節長四寸指有三節此爲下節故曰本節本節至其末長四寸半從本節端至中指末合四寸半令人取手大指第一節爲寸以定鍼灸分寸者不相當也項髮以下至膂骨長三寸半膂骨脊骨從後髮際下至脊端量之也　平按膂靈樞作背甲乙作脊三寸半靈樞作二寸半甲乙注云一作二寸膂骨以下至尾骶二十一節長三尺每七節長一尺也故二十一節長三尺也下文具之上節長一寸四分分之一奇分在下舉上一節以爲例餘皆同也分之一者一寸□□之外更有餘分之一也其實則七分分之二也　平按分之一奇分在下甲乙作分之七奇分之一注一寸下原缺二字據經文當作四分二字故上七節下至於膂骨

內經十三　十

蘭陵堂刊

九寸八分分之七此七節之數也每節一寸四分分之一故七節得九寸八分分之七其實一尺全也何者每節餘分七分分之二七節有餘分十四以七除十四得二分二分并九寸八分故爲一尺也此衆人之骨度也所以立經脈之長短也此爲衆人骨度多同者爲准以立經脈長短也是故視其經絡之在於身也其見浮而堅者其見明而大者多血細而沉者少氣也見而浮堅者絡脈也見而明大者血盛也細而沉者少氣少血或作多氣也　平按少氣靈樞甲乙作多氣注見而明大袁刻誤作其見明而大

腸度平按此篇自篇首至三十二曲見靈樞卷六第三十一腸胃篇自黃帝曰願聞人之不食至末見靈樞卷六第三十二平人絕穀篇甲乙同上篇

黃帝問伯高曰余願聞六府傳穀者腸胃之大小長短受穀之多少奈何三焦府傳於穀氣膽府受於骨精三腸及胃傳穀糟粕傳糟粕者行穀之要故腸胃有六種之

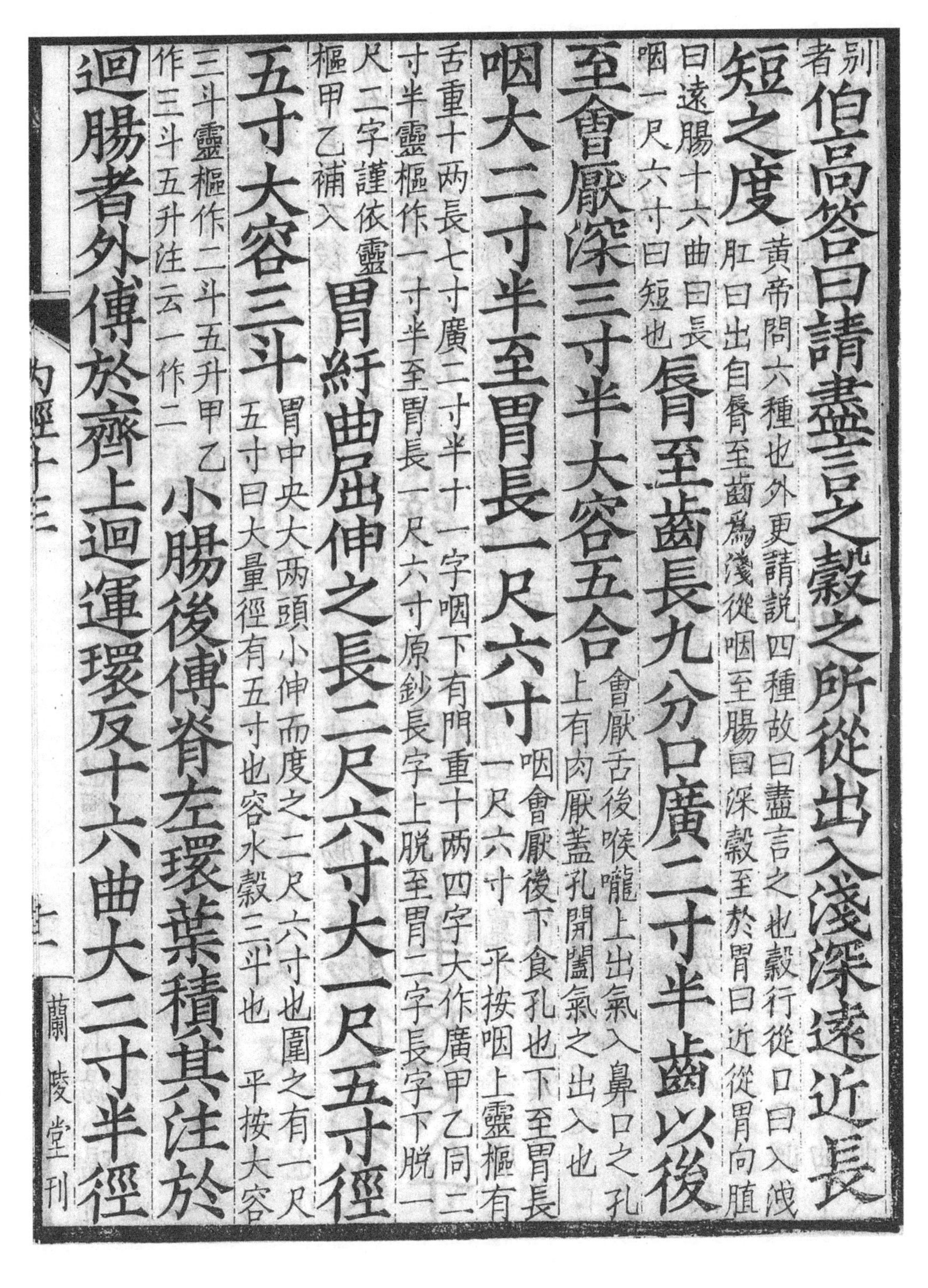

別者伯高答曰請盡言之穀之所從出入淺深遠近長短之度黄帝問六種也外更請説四種故曰盡言之也穀行從口曰入淺肛曰出自脣至齒爲淺從咽至腸曰深穀至於胃曰近從胃向䐈曰遠腸十六曲曰長咽一尺六寸曰短也脣至齒長九分口廣二寸半齒以後至會厭深三寸半大容五合會厭舌後喉嚨上出氣入鼻口之孔上有肉厭蓋孔開闔氣之出入也咽大二寸半至胃長一尺六寸咽會厭後下食孔也下至胃長一尺六寸　平按咽上靈樞有舌重十兩長七寸廣二寸半十一字咽下有門重十兩四字大作廣甲乙同二寸半靈樞作一寸半至胃長一尺六寸原鈔長字上脱至胃二字長字下脱一尺二字謹依靈樞甲乙補入胃紆曲屈伸之長二尺六寸大一尺五寸徑五寸大容三斗胃中央大兩頭小伸而度之二尺六寸也圍之有一尺五寸曰大量徑有五寸也容水穀三斗也　平按大容三斗靈樞作二斗五升甲乙作三斗五升注云一作二小腸後傅脊左環葉積其注於迴腸者外傅於齊上迴運環反十六曲大二寸半徑

內經十三　廿二

蘭陵堂刊

八分分之少半長三丈二尺傳附也糟粕從胃傳入小腸小腸附脊外注迴腸於齊上也　平按傳靈樞甲乙均作附葉積靈樞作迴周疊積甲乙作迴周葉積迴腸當齊左環迴周葉積而下迴運環反十六曲大四寸徑一寸少半長二丈一尺迴腸大腸也小腸附脊而在後大腸近齊而在前故大腸輸在上小腸輸在其下也　平按少半上靈樞甲乙有寸之二字廣腸傅脊以受迴腸左環葉積上下辟大八寸徑二寸大半長二尺八寸廣腸白脜也附脊以受大腸糟粕辟着脊也謂白脜當中寬八寸上受大腸之處下出滅處皆徑有二寸半總長二尺八寸也　平按葉積靈樞作葉脊大半上靈樞甲乙有寸之二字腸胃所入至所出長六丈四寸四分咽之上口爲所入廣腸之下以爲所出脣齒相去九分齒與會厭相去三寸半會厭至胃咽長一尺六寸胃之終始長二尺六寸小腸終始長二丈一尺廣腸終始長二尺八寸故有六丈四寸四分也　平按注小腸終始下原鈔作長二丈一尺檢上文經云小腸長三丈二尺迴腸長二丈一尺應於小腸終始下補注長三丈二尺迴腸終始九字方與經文六丈四寸四分之數合當係傳鈔脱此九字也其迴曲環反三十二曲胃有一曲小腸十六曲大

腸十六曲合而言之計有三十三曲其胃大曲短不入其數故有三十二曲皆以七尺五寸中度之人爲准也　黄帝曰願聞人之不食七日而死其故何也　七日不食而死餘時之言既聞腸胃大小未知所盛水穀多少而盡至七日而死之也　伯高曰臣請言其故胃大尺五寸徑五寸長二尺六寸横屈受三斗其中之穀常留者二斗水一斗而滿　故事所由水穀合有三斗滿於胃中也　平按横屈受三斗靈樞甲乙作横屈受水穀三斗五升水一斗而滿均作水一斗五升而滿　上焦泄氣出其精微慓悍滑疾　上焦之氣從胃上口而出其氣精微慓悍滑疾晝夜行身五十周即衛氣也　平按上焦下原缺一字依靈樞甲乙補作泄袁刻作中焦二字又注上焦袁刻作二焦均與原鈔不合　下焦下溉諸腸　下焦别迴腸注膀胱譬之溝瀆下溉諸腸膀胱爲罴腸及廣腸等也　平按諸腸甲乙作泄諸小腸　小腸大二寸半徑八分分之少半長三丈二尺受一斗三合合之大半穀四升水六升三合合之大半　一二爲三則二爲大半一爲少半也　平按受一斗三合

合之大半穀四升十二字靈樞甲乙作受穀二斗四升六字迴腸大四寸徑一寸平按靈樞甲乙有寸之二字少半長二丈一尺受一斗七升升之半穀一斗水七升升之半升之半半升也　平按受一斗七升升之半穀一斗水七升升之半十七字靈樞甲乙作受穀一斗水七升半八字廣腸大八寸徑二寸大半長二尺八寸受九升三合八分合之一廣腸受水穀之數也　平按靈樞大半上有寸之二字受下有穀字甲乙同腸胃之長凡長六丈四寸四分受水穀六斗六升六合八分合之一此腸胃所受水穀之數計腸胃所受之數垂升之半合之大半也　平按六丈四寸四分靈樞甲乙作五丈八尺四寸受水穀六斗六升六合八分合之一作受水穀九斗二升一合合之大半十三字注垂袁刻作乘其義均未詳平人則不然胃滿則腸虛腸滿則胃虛更滿更虛故氣得上下前之所論乃據腸胃之量□受數若言生平之人則腸胃之中盈虛更起不得一時則有前數也食滿胃中則胃實腸虛也腸虛故氣得下也糟入腸中則胃虛腸實也

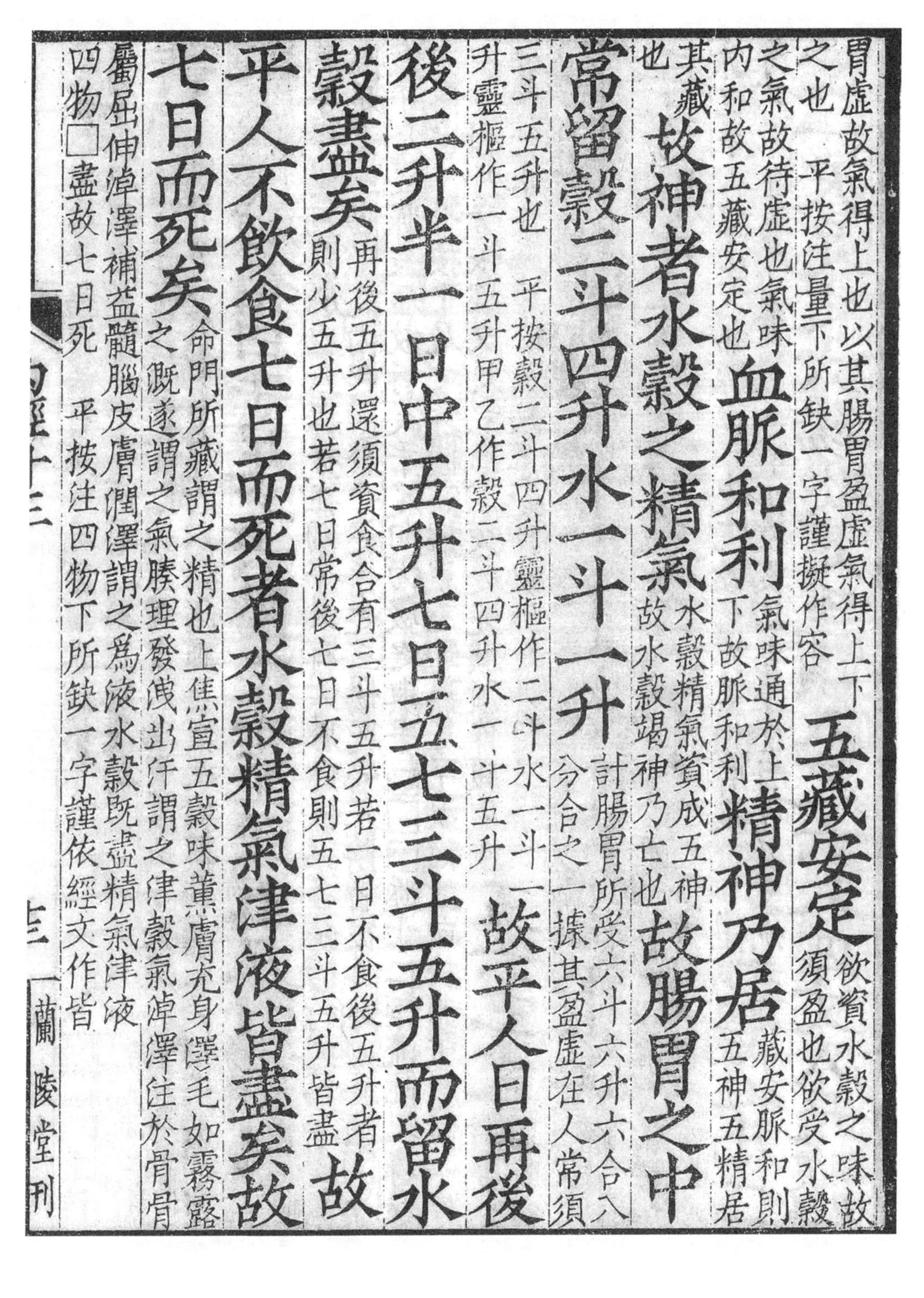

胃虛故氣得上也以其腸胃盈虛氣得上下之也　平按注量下所鈌一字謹擬作容　五藏安定　欲資水穀之味故須盈也欲受水穀之氣故待虛也氣味內和故五藏安定也　血脈和利　氣味通於上下故脈和利　精神乃居　藏安脈和則五神五精居其藏也　故神者水穀之精氣　水穀精氣資成五神故水穀竭神乃亡也　故腸胃之中常留穀二斗四升水一斗一升　計腸胃所受六斗六升六合八分合之一據其盈虛在人常須三斗五升也　平按穀二斗四升靈樞作二斗水一斗一升靈樞作一斗五升甲乙作穀二斗四升水一斗五升　故平人日再後後二升半一日中五升七日五七三斗五升而留水穀盡矣　再後五升還須資食合有三斗五升若一日不食後五升者則少五升也若七日常後七日不食則五七三斗五升皆盡　故平人不飲食七日而死者水穀精氣津液皆盡矣故七日而死矣　命門所藏謂之精也上焦宣五穀味薰膚充身澤毛如霧露之溉遂謂之氣腠理發泄出汗謂之津穀氣淖澤注於骨骨屬屈伸淖澤補益髓腦皮膚潤澤謂之爲液水穀既盡精氣津液四物□盡故七日死　平按注四物下所鈌一字謹依經文作皆

脈度平按此篇自篇首至末見靈樞卷四第十七脈度篇又見甲乙經卷二第三脈度篇

黃帝問曰：願聞脈度。先言骨度及腸胃度大小長短於前，次當依□以論諸脈長短，故須問之也。平按：注依下原缺一字，謹擬作次。岐伯曰：手足之六陽，從手至頭，五尺，手陽明大腸脈也，手太陽小腸脈，手少陽三焦脈也。三脈分在兩手，故有六脈，餘倣此。各依營行次第，手之三陰、足之三陽皆從內起，向於手足；手之三陽、足之三陰皆從外起，向於頭。□此數手足之脈長短，故皆從手足向內數之，與手□□□脈十二經流注入身數亦同也。平按：手足之六陽，靈樞、甲乙均無足字，疑衍。注向於頭下原缺一字，左方剩月旁，依經文足之三陰從足走腹，擬作腹，袁刻作項，恐未安。與手下原缺三字，謹擬作足外起三字。五六三丈。計手六陽從指端至目，循骨度直行，得有五尺，不取循繞並下入缺盆屬腸胃者，循骨度為數，去其覆迴行者及與支別，故有三丈也。手之六陰，從手至胸中，三尺五寸，三六丈八尺，五六三尺，手太陰肺脈也，手少陰心脈也，手心主心包絡脈也。手之三陰，皆亦直循骨度，從手至胸三尺五寸，不取下入屬藏絡府之者，少陰從心系上係目系及支別者亦不取。凡二丈一尺。足之六陽，從足至頂，八尺，六八四丈八尺，足陽明胃

脈也足太陽膀胱脈也足少陽膽脈也計人骨度從地至頂七尺五寸所謂八尺者何以其足六陽脈從足指端當至踝五寸故有八尺也亦不取府藏及支別矣

足之六陰從足至胸中六尺五寸六六三丈六尺五六三尺□□□□□□足少陰腎脈也足厥陰肝脈也足六陰脈從足至胸中六尺五寸太陰少陰俱至舌下厥陰至頂及入藏府□□□□□數之也　平按注足少陰上原缺六字擬作足太陰脾脈也六字袁刻將太陰脾脈補在六陰二字之上陰下復脫脈字與原鈔不合又藏府下原缺五字謹依上下注作與支別亦不五字袁刻於此處既不闕文復脫數之也三字與原鈔不合

凡二丈九尺蹻脈蹻陰陽二蹻也起處終處

從足至目七尺五寸二七丈四尺二五一尺長短是同□□□□也按中人七尺五寸二蹻脈皆起跟中上□□□□七尺五寸若爲合數然二蹻至目內眥與足大陽合上行絡左右額角故得合數檢少陽筋即知也　平按注是同下原缺四字袁刻只空二格不合五寸下原鈔直接二蹻無缺文袁刻空七格不合跟中上三字下原鈔缺四字謹依陰陽蹻脈篇擬作至目內眥四字袁刻只空二格不合又額角額字袁刻誤作領故得合數得字誤作爲均依原本更正

凡一丈五尺

督脈任脈各四尺五寸二四八尺二五一尺□□□□□□□□上行

內經十三　廿四　蘭陵堂刊

至頭任脈唯至兩目之下督脈上行至目復上□□□□□□極骶行所其長與任脈不同若為皆有四尺五寸然任脈□□□□□外循腹上行而絡脊口者督脈取其起於下極之故□於脊脊上至風府者以充四尺五寸之數餘不入數　平按注上行至頭上原鈌入字謹依督脈篇擬作督脈起於少腹以下入字極骶上原鈌六字謹依督脈篇擬作顛別下項至下六字然任脈下原鈌五字謹擬作取其起胞中五字故下原鈌一字謹依督脈篇擬作侠

凡九尺凡都合十六丈二尺此氣之大經隧也經脈為裏支而横者為絡絡之别者為孫絡孫絡之盛而有血者疾誅之盛者徐瀉之虚者飲藥以補之

人之血脈上下縱者為經支而横者為緯□□足左右各有十二合二十四脈陰喬陽喬任脈□□□二十八脈在膚肉之裏皆上下行名曰經脈十五絡脈及□絡見於皮表横絡如緯名曰絡脈皆是血氣所□□□稱為隧也凡大小絡虚皆須飲藥補之不可去血去血虚虚不可不禁也　平按凡九尺三字原鈔作九字依靈樞甲乙及本經上文應作凡九尺三字為孫下靈樞無絡孫絡之四字寫上無徐字注為緯下原鈌二字擬作凡手二字袁刻空六格不合任脈下原鈌三字擬作督脈合三字袁刻空五格不合及下原鈌一字擬作别袁刻空四格不合所下原鈌三字擬作貫注故三字袁刻空五格不合

黄帝内經太素卷第十三 身度

黄陂蕭延昌校字

內經十三

黄帝内經太素

甲子冬

蕭延章題

黄帝内經太素卷第十四 診候一

通直郎守太子文學臣楊上善奉　敕撰注

黄陂蕭延平北承甫校正

平按此篇自形氣相得者生以上殘缺袁刻據素問三部九候論自黄帝問曰余聞九鍼於夫子至胸中多氣者死補入檢素問原文自上部天至下部人足太陰也一段詳本書篇末乃宋臣林億等所移玩素問新校正自明此篇若據素問篇首補入則上部天至下部人足太陰也一段未免重複兹據素問及甲乙經帝曰決死生奈何以下補入證以新校正云全元起本名此篇為決死生於義亦合自形義相得以下見素問卷六第二十三部九候論又見甲乙經卷四第三三部九候論

帝曰決死生奈何岐伯曰形盛脈細少氣不足以息者危形瘦脈大胸中多氣者死以上從素問及甲乙經三部九候論補入形氣相得者生形盛氣盛形瘦氣細者得生三也參伍不調者病謂其人形氣有時相得有時不相得參類

品伍不得調者其人有病四也以三部九候皆相失者死三部九候不得齊一各各不同相失故死五也平按素問甲乙無以字上下左右之脈相應參舂者病甚三部九候之脈動若引繩□□前後也今三部在頭爲上三部在足爲下左手三部爲左右手三部爲右脈之相應參動上下左右更起更息氣有來去如碓舂不得齊一又舂其脈上下參動也東恭反所以病甚六也平按素問甲乙參上有如字上下左右相失不可數者死上下左右脈動各無次第數動脈不可得者脈亂故死七也中部之候雖獨調與衆藏相失者死肺心胸中以爲中部診手太陰手陽明手少陰呼吸三脈調和與上下部諸藏之脈不相得者爲死八也平按衆袁刻作諸中部之候相減者死中部手大陰手陽明手少陰三脈動數一多一少不相同者爲死九也目内陷者死五藏之精皆在於目故五藏敗者爲目先陷爲死也以上十候決死生也黄帝曰何以知病之所在病之所在在於死生與決死生亦不易也但決有多端故復問也岐伯對曰察其九候獨小者病獨大者病獨疾者病獨遲者病獨熱者病獨寒者病

脈獨陷者病以次復有一十八候獨小大等即爲七也九候之脈上下左右均調若一故偏獨者爲病也　平按察下素問甲乙無其字以左手上去踝五寸而按之右手當踝而彈之其應過五寸已上需然者不病脈和調也人當內踝之上足大陰脈見上行至內踝上八寸交出厥陰之後其脈行胃氣於五藏故於踝上五寸以左手按之右手當踝彈之左手下需調動其人不病爲候八也需需動不盛也需而兗反　平按素問左手下有足字甲乙有於左足三字按之上素問無而字下有庶字右手下有足字需素問甲乙作蠕蠕又檢素問宋臣林億等引全元起注云內踝之上陰交之出通於膀胱係於腎腎爲命門是以取之以明吉凶今文少一而字多一庶字及足字王注以手足皆取爲解殊爲穿鑿當從全元起注舊本及甲乙經爲正其應疾中手渾渾然者病彈之左手之下渾渾動而不調者病其候九也中手徐徐者病其應上不能至五寸者彈之不應者死足大陰血氣微弱彈之徐徐者有病不至五寸不應其手者爲死十也　平按徐徐下素問甲乙有然字脫肉身不去者死去者行也脫肉羸瘦身弱不能行者爲死十一也　平按原鈔無不字據本注應有素問甲乙均作不去謹補入中部乍疎乍數

者死中部謂手太陰手陽明手少陰作有踈數爲死十二也其脈代而勾者病在絡脈中部之脈手太陰秋脈也手少陰夏脈也秋脈王時得於脾脈土來乘金名曰虛邪故爲病也夏脈王時得脾脈者土來乘火名曰實邪故爲病也夏脈其病皆在絡脈可刺去血爲病十三也　平按其脈代三字甲乙作代脈二字九候之相應也上下若一不得相失一候後則病二候後則病甚三候後則病危所謂後者應不俱也察其病藏以知死生之期九候上下動脈相應若一不得相失忽然入候相應俱動一候在後即有一失故病二候在後不與七候俱動即爲二失故病甚也三候在後不與六候俱動即爲三失故病危也三候在後爲病宜各察之是何藏之候候之即知所候之藏病有間甚死生之期三候在後爲病有三失爲十六也　平按素問甲乙病藏作府藏必先知經脈然後知病脈真藏脈見勝者死欲依九候察病定須先知十二經脈及諸絡脈行所在然後取於九候候諸病脈有真藏脈無胃氣之柔獨勝必當有死爲十七也　平按勝者死素問作者勝死甲乙作者邪勝死也五字注無胃氣無字袁刻誤作見足太陽氣絶者其足不可屈伸死必

戴眼足太陽脈從目絡頭至足故其脈絶脚不屈伸戴目而死爲十八也黃帝曰冬陰夏陽奈何九候之脈並沈細絶微爲陰也然極於冬分故曰冬陰九候之脈盛躁喘數故爲陽也極於夏分故曰夏陽請陳其理也岐伯對曰九候之脈皆沈細懸絶者爲陰主冬故以夜半死深按得之曰沈動猶引線曰細來如斷繩故曰懸絶九候之脈皆如此者陰氣勝陽氣外絶陰氣獨行有裏無表死之於冬陰極時也夜半死者陰極時也此一診也盛躁而喘數者爲陽主夏以日中死其氣洪大曰盛去來動疾曰躁因喘數而疾故曰喘數九候皆如此者皆陽氣勝陰氣內絶陽氣獨行有表無裏死之於夏陽極時也日中死者陽極時也此爲二診是故寒熱者以平旦死脾病寒熱死於平旦平旦木也木剋於土故脾病至平旦死此爲三診也　平按是故寒熱者以平旦死九字原鈔在注二診下均作小字混入注中應據素問甲乙作經方與本注三診之義合袁刻於九字中依素問甲乙加一病字作大字移刻與上經文以日中死相連復於二診下仍存此九字於注中既嫌重複亦失真相兹於注二診下將原鈔小字改書大字作經庶上注二診下注三診眉目朗然又寒熱下素問甲乙有病字寒熱上甲乙無是故二字熱中及熱病以日中死肺中熱傷寒熱病皆是陽病故死於日中陽極時也

此爲四診也　平按病下素問甲乙有者字注日中二字袁刻重極下脱時字風病者以日夕死風爲肝病酉爲金時金剋於木故日夕死此爲五診也　平按風病素問甲乙作病風病水者以夜半死水病陰病也夜半子時陰極死也此爲六診其脉乍疏乍數乍遲乍疾以日乘四季死脾者土也王於四季平和時脉在中宫静而不見有病見時乍疏乍數故以日乘四季時死也　平按素問疾下有者字無以字甲乙有者字形肉已脱九候雖調猶死土爲肉也肉爲身主故脉雖調肉脱故死此爲七診也　平按甲乙調下有者字七診雖見九候皆順者不死所言不死者風氣之病及經間之病似七診之病而非也故言不死若有七診之病其脉候亦敗者死矣必發噦噫雖有七診死徵九候之脉順四時者謂之不死言七診見脉順生者謂風及氣並經脉間有輕之病見徵似於七診非真七診所以脉順得生若有七診其脉復敗不可得生五藏先壞其人必發噦而死也　平按素問順作從經間素問甲乙作經月必審問其故所始所病與今之所方病候病

之要凡有四種一者望色而知謂之神也二者聽聲而知謂之明也三者尋問而知謂之工也四者切脈而知謂之巧也此問有三一問得病元始謂問四時何時而得飲食男女因何病等二問所病謂問寒熱痛熱痛癢諸苦等三問方病謂問今時病將作種種異也　平按其故所始所病素問甲乙作其所始病

而後切循其脈　先問病之所由然後切循其脈以取其審切謂切割以手按脈分割吉凶循謂以手切脈以心循歷脈動所由故曰切循其脈也　平按切上素問有各字注分割吉凶作分別

視其經絡浮沈　經謂十二經並八奇經絡謂十五大絡及諸孫絡切循之道視其經脈浮沈絡脈浮沈沈者為陰浮者為陽以知病之寒溫也

以上下逆順循之其脈疾者不病其脈遲者病脈不往來者死皮膚著者死　上謂上部下謂下部亦上謂咽之左右下謂手之左右寸口脈從藏起下向四支者名之為順脈從四支上向藏者稱之為逆切循上下順逆之脈疾行應數謂之不病上下有失遲不應數謂之病也手之三陰為往三陽為來足之三陽為往三陰為來皆不往來謂之死也人之氣和皮肉相離絕勁強相著者死也　平按順素問甲乙作從往下甲乙有不字

黃帝曰其可治者奈何　前帝所言多有死候故問有病可療者三也

岐伯對曰經病治其經孫絡病者治其孫絡　以下言有

可療病也邪在經者取其經邪在孫絡取孫絡也
平按素問治其孫絡作治其孫絡血甲乙無二孫字血病身有痛者
而治其經絡大經大絡共爲血病身體痛者經與大絡皆治之也 平按甲乙無血病二字袁刻病誤作痛眞病
者在奇邪奇邪之脈則繆刺之真正也當藏自受邪病不從傳來故曰正病奇邪謂是大經之
上奇大絡也宜行繆刺左右平取也 平按真病素問甲乙作其病留瘦不移節而刺留久也久瘦有病之人不可頓
刺可節量刺之 平按刺下素問甲乙有之字上實下虛者切順之索其經絡脈刺
出其血以通之上實下虛可循其經絡之脈血之盛者皆刺去其血通而平之 平按切上素問甲乙無者字切下有而字順
素問作從以通之素問作以見通之甲乙作以通其氣瞳子高者大陽不足戴眼者大
陽絶此決死生之要不可不察也大陽之脈爲目上綱故大陽脈足則目本視也其氣
不足急引其精故瞳子高也其脈若絶瞼精瘻下故戴目也此等皆是決生死之大要不可不察也手指及手外踝上
五寸指間留鍼前大陽不足及足太陽絶者足大陽脈也此療乃是手大陽脈者以手之大陽上下接於目之内眥故取手之

大陽療目高戴也取手小指端及手外踝上五寸小指之間也　平按留上素問無間字此節素問注謂錯簡文

上部天兩額之動脈也上部地兩頰之動脈也上部人耳前之動脈也上部之天兩額足少陽陽明二脈之動候頭角氣上部之地兩頰足陽明在大迎中動候口齒氣上部之人目後耳前手大陽手少陽足少陽三脈在和窌中動候耳目之氣也

中部天手大陰也中部地手陽明也中部人手少陰也中部之天手大陰脈動在中府天府俠白尺澤四處以候肺氣中部之地手陽明脈檢經無動處呂廣注八十一難云動在口邊以爲候者候大腸氣中部之人手少陰動在極泉少海二處以候心氣也

下部天足厥陰也下部地足少陰也下部人足大陰也下部之天足厥陰脈動在曲骨行間衝門三處以候肝氣下部之地足少陰脈動在大谿一處以候腎氣下部之人足大陰脈動在中府箕門五里陰廣衝門雲門六處以候脾氣十二經脈手心主無別心藏不入九候手大陽手少陽足大陽足少陽足陽明此五皆是五藏表經候藏知表故不入越於九候也　平按自上部天至下部人足太陰也素問新校正依甲乙經編次移前

四時脈形 平按此篇自篇首至末見素問卷六第十九玉機真藏論篇又見甲乙經卷四經脈第一上篇

黃帝問岐伯曰春脈者肝脈也東方木也萬物所以始生也故其氣來濡弱輭虛而滑端直以長故曰弦反此者病 凡人之身與天地陰陽四時之氣皆同故内身外物雖殊春氣俱發肝氣春王故春脈來比草木初出其若琴弦之調品者不大緩不大急不大虛不大實不濇不曲肝氣亦然濡潤柔弱輭小浮虛輕滑端直而尺部之上長至一寸故比之弦輭如遄反 平按素問甲乙濡弱作耎弱輭虛作輕虛注調品袁刻作調和 黃帝曰何如而反岐伯曰其氣來實而強此謂大過病在外其氣來不實而微此謂不及病在中 其春脈堅實勁直名爲來實而强此爲春脈少陽有餘邪在膽府少陽故曰在外一曰而弦疑非也其春脈厥陰脈來雖然不實而更微弱此爲不足邪在肝藏厥陰故曰在中也 黃帝曰春脈大過與不及其病皆何如岐伯曰大過則令人善

忘忽忽眩冒而癲疾春脈大過以邪在膽少陽少陽之脈循胸裏屬膽散之上肝貫心又抵角上頭故喜忘忽忽眩冒而癲也　平按喜忘素問甲乙作善忘新校正云按氣交變大論云木大過甚則忽忽善怒忘當作怒其不及則令人胸痛引背下則兩脇胠滿黃帝曰善哉肝虛則胸痛引背兩脇胠滿皆肝藏病也胠去居反腋下三寸以下脇也脇下至八間之外胠也　平按胸痛甲乙作胸滿注云一作痛注胸痛胸字袁刻誤作胃黃帝問岐伯曰夏脈如鉤何如而鉤岐伯對曰夏脈者心脈也南方火也萬物所以盛長也故其氣來盛去衰故曰鉤反此者病夏陽氣盛萬物不勝盛長遂復垂下故曰鉤也夏脈從內起上至於手不勝其盛迴而衰遲故比之鉤也黃帝曰何如而反岐伯曰其氣來盛去亦盛此謂大過病在外其氣來不盛去反盛此謂不及病在中來去俱盛大陽氣盛也邪在少陽大陽故曰在外也其來不盛陽氣有衰脈行衰遲去反盛者陰氣盛實病在心藏也故曰病在中　平按素問新校正云詳越人肝心肺腎四藏

脉俱以强實爲太過虚微爲不及與素問不同黃帝曰夏脉太過與不及其病皆何如岐伯曰大過則令人身熱而骨痛爲浸淫腎主骨水也今大陽大盛身熱乘腎以爲微邪故爲骨痛浸淫者滋長也　平按骨痛素問作膚痛其不及則令人煩心上見嗌唾下爲氣黃帝曰善哉陽虚陰盛故心煩也心脉入心中繫舌本故上見嗌唾嗌市[illegible]反謂嚼唾也氣謂廣腸洩氣也　平按素問嗌作欬氣下有洩字甲乙同黃帝問於岐伯曰秋脉如浮何如而浮岐伯對曰秋脉者肺脉也西方金也萬物所以收也故其氣來輕虚以浮其氣來急去皆散故曰浮反此者病秋時陽氣已衰陰氣未大其氣輕虚其來以急其去浮散故曰如浮也　平按素問甲乙收下有成字其氣來急去皆散作來急去散黃帝曰何如而反岐伯曰其氣來毛而中央堅兩傍虚此謂大過病在外其氣來毛而微此謂不

及病在中其脈來如以手按毛毛中央堅此爲陽盛病在大腸手陽明故曰在外如手按毛毛中央微肺氣衰微故曰在中也黄帝曰秋脈大過與不及其病皆何如岐伯曰大過則令人氣逆而背痛温温然府陽氣盛則氣逆連背痛温温然熱不甚也　平按素問甲乙氣逆作逆氣温温作慍慍其不及則令人喘呼而欬上氣見血下聞病音黄帝曰善哉肺氣不足喘呼欬而上氣唾而有血下聞胸中喘呼氣聲也　平按呼下素問有吸少氣三字甲乙有少氣二字黄帝問於岐伯曰冬脈如營何如而營岐伯對曰冬脈腎脈也萬物所以藏也故其氣來沈以摶故曰營反此者病營聚也謂萬物收藏歸根氣亦得深摶骨沈聚內營故曰如營也　平按萬物上應脫北方水也四字依前春夏秋三段經文均有東方木南方火西方金等句宜據素問甲乙補入沈以摶甲乙作沈以濡按素問新校正云摶當從甲乙經作濡以脈沈而濡濡古軟字乃冬脈之平調脈若沈而摶擊於手則冬脈之太過脈又引越人云冬脈石者北方水也萬物之所藏盛冬之時水凝如石故其脈來沈濡而滑故曰石也黄帝

曰何如而反岐伯曰其氣來如彈石者此謂大過病在外其脉如石以爲平也彈石謂令石脉上來彈手如石擊手如彈之以石謂腎大陽氣有餘病在膀胱大陽故曰在外也其氣去如毛者此謂不及病在中腎氣不足故其氣去按之如按於毛病在於腎故曰在中一曰如數也　平按如毛素問甲乙作如數　黃帝曰冬脉大過與不及其病皆何如岐伯曰大過則令人解㑊腹痛而少氣不欲言大過足大陽盛大陽之脉行頭背脚故氣盛身解㑊也解音懈㑊相傳音亦謂怠惰運動難也大陽既盛腎陰氣少氣少故不欲言也　平按腹痛素問甲乙作脊脉痛不及則令人心如懸病飢脊中痛少腹滿小便變黃帝曰善哉腎脉上入於心故腎虛心如懸狀如病於飢當脊中腎氣不足故痛也又小腹虛滿小便變色也　平按心如懸病飢素問甲乙作心懸如病飢飢下素問有䏚中清三字甲乙無脊中痛以下三句　黃帝曰四時之序逆順之變異矣然脾脉獨何主乎四時四藏氣候脉之逆順弦鈎浮營大過不及等變異多端巳聞之矣然四藏之脉

於四時而主未知脾脈獨主何時也　平按素問順作從　岐伯曰脾者土也孤藏以灌四傍者也孤尊獨也五行之中土獨爲尊以王四季脾爲土也其味甘淡爲酸苦辛鹹味液滋灌四傍之藏其脈在關中宮獨四時不見故不主時也　黃帝曰然則脾之善惡亦可得見乎岐伯曰善者不可見惡者可見善謂平和不病之脈也弦鉤浮營四脈見時皆爲脾胃之氣滋灌俱見故四藏脈常得和平然則脾脈以他爲善自更無善也故曰善者不可見也惡者病脈也脾受邪氣脈見關中診之得知故曰可見也　平按注惡者病脈也五字袁刻脫　黃帝曰惡者何如可見也岐伯曰其來如水流者此謂大過病在外其來如鳥之啄者此謂不及病在中當關指下有脈如水之流動即脾氣大過也此陽氣病在胃足陽明故曰在外其脈來時如鳥啄指此爲脾虛受病故曰在中一曰鳥距如鳥距隱人指也　平按素問甲乙在外下無其來二字啄均作喙　黃帝曰夫子之言脾之孤藏也中央土也以灌四傍其大過與不及其病皆何如岐伯曰

大過則令人四支不舉胃氣雖盛脾病不爲行氣四支故曰四支不舉也其不及則令人九竅不通名曰重强脾虛受病不得行氣於九竅故不通也不行氣於身故身重而强也巨兩反

黃帝懼然起再拜稽首懼敬起也道大於天故受道拜而稽首也平按懼素問作瞿注受道二字袁刻誤作再曰吾得脈之大要天下至數弦鈎浮營等脈大過不及之理名曰脈之大要至數至理也平按素問曰下有善字脈變揆度奇恒道在於一數神轉而不迴迴則不轉乃失其機至數之要迫近以微唯是血氣一脈隨四時而變故曰脈變方欲切脈以求謂之揆也以四時度之得其病變謂之度也有病不得以四時死者曰奇也得以四時死者曰恒也雖有此二種不同道在一數言一數者謂之神轉神轉謂是神動而營神而營者不可動曲而不動則失神藏機機微也故脈診至理近機微也　平按脈上素問有五色二字神轉上素問無數字注謂是是字袁刻作動著之玉版藏之於府每旦讀之名曰生機書而藏之日日讀之以爲攝生機要故曰生機也　平按素問於府作藏府生機作玉機

真藏脈形 平按此篇自篇首至末見素問卷六第十九玉機真藏論篇又見甲乙經卷八第一五藏傳病發寒熱篇

大骨枯槀大肉陷下胸中氣滿喘息不便其氣動形期六月死真藏見乃予之期日 骨爲身幹人之將死肉不附骨遂至大骨亦無潤澤故曰枯槀即骨先死也身之小肉皆脱乃至大肉亦陷即肉先死也肺氣虚少邪氣盈胸故喘息不安也喘息氣急肩膺皆動故曰動形也肺病次傳至肺再傷故六月死也此乃不至七傳者也有前病狀真藏未見期六月死真藏脈見即與死期不至六月也古本有作正藏當是秦皇名正故改爲真耳真正義同也 平按真藏下素問有脈字

大骨枯槀大肉陷下胸中氣滿喘息不便内痛引肩項期一月死真藏見乃予之期日 内痛謂是心内痛也心府手大陽脈從肩絡心故内痛引肩項也心不受痛受病不離一月故一月死真藏脈見即不至一月可即與死期也 平按真藏下甲乙有脈字

大骨枯槀大肉陷下胸中氣滿喘息不便内痛引肩項身熱脱肉破䐃真藏見十月之内死 此内痛即脾胃痛也手少陽脈偏應三焦脾胃即中

焦也上出缺盆上項故脾胃中痛引肩項也脾主身肉故脾胃病身熱脫肉破䐃者也䐃其湏反前之病狀真藏未見十月已上而死真藏脈見十月內死良以脾胃受於穀氣故至十月而死也　平按甲乙身熱作痛熱真藏下有脈字注湏袁刻誤作消已上袁刻作以上

大骨枯槀大肉陷下肩隨內消動作益衰真藏未見期一歲死見其真藏乃予之期日

腎府足大陽脈循肩髆內故腎病肩隨內藏消瘦也又兩肩垂下曰隨腎閒動氣五藏六府十二經脈之原故腎病動運皆衰也腎閒動氣強大故真藏脈未見者腎氣未是甚衰所以期至一年腎氣衰甚真藏即見故與之死日之期也　平按素問肩隨作肩髓未見作來見新校正云當作未字之誤期日袁刻作日期注動運袁刻作運動

大骨枯槀大肉陷下胸中氣滿肉痛中不便肩項身熱破䐃脫肉目匡陷真藏見目不見人立死其見人者至其所不勝之時則死

真藏脈見少陽脈絕兩目精壞目不見人原氣皆盡故即立死真脈雖見目猶見人得至土時而死也　平按肉痛素問甲乙作腹內痛注土時未詳素問王注謂不勝之時謂於庚辛之月以金剋木也

急虛身卒至五藏絶閉脈道不

通氣不往來辟於隨溺不可爲期四時虚邪名曰經虚八風從其虚之鄉來令人暴病卒死名急虚身辟於隨溺辟卑至反除也謂不得隨意溺也如此急虚之病亦有生者故不可與爲死期也　平按身下素問有中字甲乙身上有中字辟於隨溺素問作譬於墮溺甲乙作譬之墮溺其脈絶不來若人一息五六至其形肉不脱真藏雖不見猶死也中於急虚其脈絶而不來有來一息脈五六至不待肉脱及真藏見必當有死也　平按若下甲乙無人字新校正云按人一息脈五六至何得爲死必息字誤當作呼乃是平按一息五六至乃連上文脈絶不來而言以脈絶不來或來而一息五六至復絶不來此即經所謂不滿十動而一代者五藏無氣予之短期故真藏雖不見猶死真肝脈至中外急如循刀刃清清然如按琴弦色青白不澤毛折乃死清寒也如以衣帶盛繩引帶不引繩即外急也引繩不引帶即内急也繩帶俱引即内外急也今真肝脈見中外皆急如人以手循摩刀刃中外堅急令人洒淅寒也又如以手按琴弦急不調耎者此無胃氣即真肝脈也青爲肝色白爲肺色是肺乘肝也故青不澤也肺主於氣氣爲身本身之氣衰即皮毛不榮故毛折當死也　平按素問甲乙清清作責責注猶摩猶字恐係循字傳寫之誤真心脈至堅而搏如

循薏苡累累然其色赤黑不澤毛折乃死薏於極反苡義當苡即十珠也堅而揣者譬人以手循摩薏苡之珠累累然堅鈎無胃氣之柔即真心脈也赤爲心色黑爲腎色是腎乘心也故赤不澤也　平按揣素問作搏甲乙堅作緊揣作搏薏苡素問作薏苡甲乙作薏苡子真肺脈至大而虛如毛羽中人膚然其色赤白不澤毛折乃死其真肺脈如毛羽擲來中人皮膚大而浮虛者毛無胃氣即真肺脈也赤爲心色白爲肺色是心乘肺也故白不澤也　平按素問甲乙如下有以字膚下無然其二字真腎色至揣而絕如循彈石辟辟然其色黃黑不澤毛折乃死揣初委反動也其真腎脈至如石彈指辟打指者營無胃氣即真腎脈也黃爲脾色黑爲腎色是脾乘腎故黑不澤也　平按素問甲乙揣作搏循作指甲乙此段在真脾脈一段下注黃爲脾色袁刻爲作色真脾脈至弱而乍疏乍數然其色青黃不澤毛折乃死真脾脈至乍疏乍數也疏謂動稀也數謂連動此無胃氣即真脾脈也青爲肝色黃爲脾色是肝乘脾故黃不澤也　平按色上素問甲乙無然其二字諸真藏見者皆死不治藏脈獨見以無胃氣死故不療也　平按素問甲乙藏下有脈字又按素

問此節下新校正引楊注甚詳

四時診脈 平按此篇自篇首至名曰逆四時見素問卷六第十九玉機真藏論篇又見甲乙經卷四經脈第一下篇自黃帝問於岐伯曰脈其四時至持脈之大法也見素問卷五第十七脈要精微論篇甲乙同上又自是故陰盛則夢涉大水至肺氣甚則夢哀見甲乙卷六第八正邪襲內生夢大論自春得秋脈至末見素問卷七第二十三宣明五氣篇又見甲乙卷四經脈第一中篇

凡治病察其形氣色澤脈之盛衰病之新故乃治之無後其時形之肥瘦氣之大小色之澤夭脈之盛衰病之新故凡療病者以此五診診病使當爲合其時不當爲後其時也形氣相得謂之可治形瘦氣大形肥氣小爲不相得形肥氣大形瘦氣小爲相得也脈色澤以浮謂之易已其病人五色浮輕潤澤其病易已平按素問無脈字脈順四時謂之可治四時王脈皆有胃氣無他來剋故曰順時平按順素問作從脈弱以滑是有胃氣命曰易治趣之以時四時之脈皆柔弱滑者謂之胃氣依此療病稱曰合時也平按趣之以時素問作取之以時甲乙作治之趨

之無後其時 形氣相失謂之難治色夭不澤謂之難已脈實以堅謂之益甚脈逆四時謂之不治必察四難而明告之勿趣以時 此之四診趣之爲難可明告病人宜以變常設於療法不得依常趣之以時也　平按謂之不治素問作爲不可治無勿趣以時句甲乙無必察四難以下十二字 所謂逆四時者春得肺脈夏得腎脈秋得心脈冬得脾脈其至皆懸絕沈濇者命曰逆四時未有藏形 四時皆得勝來尅己之脈己脈懸絕沈濇失四時和脈雖未有病藏之形不可療也　平按命曰甲乙作名曰 春夏脈沈濇秋冬而脈浮大 此脈反四時也　平按素問甲乙春上有於字浮大下素問有名曰逆四時也六字 病熱脈清靜 熱病脈須熱而躁也今反寒而靜清寒也　平按素問甲乙無青字 洩而脈大 人之洩利脈須小細今爲洪大也 脱血而脈實病在中 人之脱血脈須虛弱今反强實病在中也 而脈實堅病在外 脱血脈實堅病在外也 而脈不實堅爲難治名曰逆

四時脫血而脈不實不堅難療也以上七診皆逆四時也　平按爲難治素問作皆難治又按素問新校正云按平人氣象論云病在中脈虛病在外脈濇堅與此相反此經誤彼論爲得自未有藏形春夏至此與平人氣象論相重注義備於彼　黃帝問於岐伯曰脈其四時動奈何知病所在奈何知病之所變奈何知病乍在內奈何知病乍在外奈何請問此六者可得聞乎六謂六問此中唯有五問當是脫一問也　平按素問請上無知字六作五據本篇下經文此六者持脈之大法應作六楊注云當是脫一問於義正合　岐伯對曰請言其與天轉運量下答中文當有六故爲六合也人身合天故請言人身與天合氣轉運之道也　平按與天轉運素問作與天轉運大也　夫萬物之外六合之內天地之變陰陽之應萬物各受一形自萬物一形之外從於六合苞裹之內皆是天地爲其父母變化而生故萬物皆與天地之氣應而合也　平按素問無夫字甲乙無夫萬物之外五字　彼春之暖爲夏之暑春夏者陰氣終始也春之三月陽氣之始氣和日暖夏之三月陽盛暑熱乃是春暖增長爲之也　平按注陰氣終始陰字當是陽字之誤　彼秋之忿爲

冬之怒秋冬者陰氣終始也秋之三月陰氣之始風高氣切故名爲急冬之三月陰氣嚴烈乃是秋涼增長爲之也　平按急素問甲乙作忿王注云忿一作急注氣切切字恐是勁字之誤四變之動脈與之上下暖暑急怒是天之運四氣變動人之經脈與彼四氣上下變動亦不異也春夏之脈人迎大於寸口故爲上也寸口小於人迎故爲下也秋冬之脈寸口大於人迎故爲上也人迎小於寸口故爲下也此乃盛衰爲上下也此答初問也　平按注秋冬之脈至故爲下也五句袁刻脱依原鈔補入以春應中規夏應中矩春三月時少陽之氣用萬物始生未正故曰應規也夏三月時太陽之氣用萬物長正故曰應矩也秋應中衡冬應中權秋三月時少陰之氣用萬物長極故曰應衡也冬三月時太陰之氣用萬物歸根故曰應權也　平按衡原鈔作衡注同謹依素問甲乙作衡是故冬至四十五日陽氣微上陰氣微下冬至以後陽氣漸長故曰微上陰氣漸降故曰微下也夏至四十五日陽氣微下陰氣微上夏至以後陰氣漸長故曰微上陽氣漸降故曰微下也陰陽有時與脈爲期期而相失知脈所分分之有期故知死時陰陽以有四時四時與脈爲期爲期在於四時相得失處即知四時

之脈分在四時之際脈分四時有期則死生之期可知此答第二病所在也　平按知脈所分知字原鈔作和謹依素問甲乙及本注作知

微妙在脈亦不可不察察之有紀從陰陽始欲知人之死生者無勝察之妙察脈綱紀必以陰陽爲本也　平按素問甲乙無亦字**始之有經從五行生**陰陽本始有十二經脈也十二月經脈從五行生也**生之有度四時爲數**五行生十二經脈各有法度脈從五行生木生二經足厥陰足少陽也火生四經手少陰手大陽手厥陰手少陽也土生二經足大陰足陽明也金生二經手大陰手陽明也水生二經足少陰足大陽也此爲五行生十二經脈法度者春有二經夏有四經季夏有二經秋有二經冬有二經故十二經脈以四時爲數也　平按素問數作宜新校正云按太素宜作數**循數勿失與天地如一得一之誠以知死生**於寸關尺三部之中循十二經之脈得其弦鉤浮營四時之氣而不失錯與天地氣宜然爲一如此則能了知死生之期也　平按循數素問作補寫誠作情自始之有經至以知死生甲乙無此八句**是故聲合五音色合五行脈合陰陽**人之音聲合於五音人之形色合於五行人之脈氣合於陰陽此答第三知病之所變也　平按注知病知字原鈔作之據上經文宜作知**是故陰盛則夢涉大**

水恐懼陽盛則夢大火燔灼陰陽俱盛則夢相殺毁傷上盛則夢飛揚平按素問甲乙無揚字下盛則夢墮墜平按素問甲乙無墜字甚飽則夢予甚飢則夢取肝氣甚則夢怒肺氣甚則夢哀平按甚素問甲乙作盛素問哀作哭甲乙作哭泣恐懼飛揚短蟲多則夢衆長蟲多則夢相擊破傷凡夢有三種人有吉凶先見於夢此爲徵夢也思想情深因之見夢此爲想夢也因其所病見之於夢此爲病夢也此十一種夢皆病夢也並因陰陽氣之盛衰内有飢飽肝肺氣盛長短蟲多以爲夢也此所以因傷致夢即以夢爲診也此爲夢診可爲四答問之脱也　平按甲乙無短長蟲多二句素問新校正云詳此二句亦不當出此應他經脱簡文也是故持脈有道虚靜爲保持脈之道虚心不念他事凝神靜慮以爲自保方可得知脈之浮沈氣之内外也　平按甲乙無是故二字保作寶春日浮如魚之游在皮夏日在膚沈沈乎萬物有餘春時陽氣初開脈從骨髓流入經中上至於皮如魚游水未能周散夏時陽氣榮盛脈從經溢入孫絡膚肉之中如水流溢沈沈盛長萬物亦然茂盛有餘此答第五病在外也　平按皮素

問甲乙作波

秋日下膚，蟄蟲將去；冬日在骨，蟄蟲固密，君子居室。秋日陽氣從膚漸伏於內，故曰下膚，蟄蟲趣暖入穴，故曰將去，是時陰氣從內出在皮膚腠理將開也。冬日陽氣內伏，蟄蟲閉户固密，君子去堂居室，人之脈氣行骨，故持脈者深按得之，此答第六病乍在內也。平按：固，素問、甲乙作周。故曰知內者按而紀之，知外者終而始之。秋冬脈氣爲陰在內，故按得綱紀；春夏脈氣爲陽在外，故趣得終始也。春夏之脈爲秋冬脈終，即爲陽之始也。此六者，持脈之大法也。以爲診脈大法。春得秋脈，夏得冬脈，秋得春脈，冬得夏脈，陰出之陽，陽病善怒不治，是謂五邪，皆同命死不治。春得秋脈，夏得冬脈，皆賊邪來乘也；秋得春脈，冬得夏脈，雖是微邪來乘，以秋冬得之，陰出之陽交爭者不療也。平按：素問夏得冬脈下有長夏得春脈五字，秋得春脈作秋得夏脈，冬得夏脈作冬得長夏脈，陰出上有名曰二字。甲乙同。又甲乙死不治上無命字。

人迎脈口診

平按：此篇自篇首至無勞用力也，見靈樞卷八第四十八禁服篇，又見甲乙經卷四經脈第一上篇；自雷公曰病之益甚至傷於食飲見靈樞卷八第四十九五色篇甲乙同上自一日一夜五十營至作數作疏也見靈樞卷二第五根結篇甲乙同上自黃帝曰氣口何以獨爲五藏主氣至治之無功矣見素問卷三第十一五藏別論篇又見甲乙卷二十二經脈絡脈支別第一下篇自凡刺之道至取之其經見靈樞卷二第九終始篇又見甲乙卷五第五鍼道終始篇自人迎一盛至命曰關格又見素問卷三第九六節藏象論篇自黃帝問於岐伯曰人病胃管至故胃管爲癰帝曰善見素問卷十三第四十六病能篇又見甲乙卷十一第八邪氣聚於下脘發内癰篇自安卧至末見靈樞卷十一第七十四論疾診尺篇又見甲乙卷十一第六五氣溢發消渴黃癉篇

雷公問於黃帝曰細子得之受業通九鍼六十篇旦暮勤服之近者編絶遠者簡垢然尚諷誦弗置未盡解於意矣南方來者九鍼之道有六十篇其簡之書遠年者編有斷絶其近年者簡生塵垢言其深妙學久日勤未能達其意也　平按遠者靈樞作久者二字近遠二字據注宜互易外揣言渾束爲一未知其所謂也揣初委反度也渾户昆反合也束總要也五藏六府吉凶善惡其氣在内循手大陰脈總合爲一見於寸口外部之中可以手按度量令人得知者未通其意也

夫大則無外小則無内大小無極高下無度束之奈何經脉之氣合天地之數與道通洞苞裹六合故大無外也氣貫毫微則小無内也然則無形不可以大小極不可以高下測欲以總爲一者殊不可知也　平按注與道通洞四字袁刻脱士之才力或有厚薄知慮褊淺不能博大深奥自强於學未若細子細子恐其散於後世絶於子孫也敢問約之奈何褊鞭緬反人之所學未若細子惟恐其至道絶於後代無及子孫敢問其要傳之不朽也細子者雷公自謙之辭也　平按若上靈樞無未字黄帝荅曰善乎哉問也此先師所禁坐私傳之也割臂歃血爲盟也子若欲得之何不齊乎平按歃原作歃恐傳寫之譌謹依靈樞作歃爲盟靈樞作之盟齊作齋下同雷公再拜而起曰請聞命矣於是乃齊宿三日而請曰敢問今日正陽細子願以受盟黄帝乃與俱入齊室割臂歃

血黃帝祝曰今日正陽歃血傳方敢背此言者必受其殃雷公再拜曰細子受之黃帝乃左握其手右授之書曰慎之慎之上古貸季傳至岐伯岐伯授之黃帝故貸季爲先師也非其人不可授道故須禁之坐私傳也方要道以盟誓授人吾爲子言之凡刺之理經脈爲始吾方愈病各爲其要聖人雜合行之以鍼爲輕小能愈大疾故先言之人之十二經脈奇經八脈十五絡脈經絡於身營衞陰陽氣之經墜生之夭壽莫不由之故爲始也　平按注墜字恐係隧字傳寫之誤營其所行知其度量刺之理者必須經營循十二經諸絡脈等所行之氣並知脈之長短度量也　平按注脈之長短脈字袁刻誤作肺內次五藏別其六府從於藏府流出經脈行身外故藏府稱內知內之道先次五藏內中之陰次別六府內中之陽也　平按注知內袁刻誤作知道審察衞氣爲百病母調其虛實乃止寫其血絡血絡盡而不殆次知衞氣爲陽行外受諸邪氣以爲百病次欲知經絡虛實實者乃止而寫之先寫大小血絡血邪盡已得無危殆也　平按虛實下靈樞重虛實二字血絡盡而不殆靈樞作血盡不殆矣雷公

曰此皆細子之所以通也未知其所約也黃帝曰夫約方者猶約囊也囊滿不約則輸洩方成弗約則神弗與俱約節量也方法也方以診氣氣囊以盛氣故得比之囊滿不爲節約必洩其氣診法成已不爲節約必洩神氣神氣去矣不與周運故曰不俱也雷公曰願爲下材者勿滿而約之黃帝曰未滿而知約之以爲工不可以天下師焉攝生之道材有上下診法成已節約合理得長生久視材德之上可爲天下之師診法未能善成故曰未滿而能節而行得爲國師是按脈而知病生所由稱之爲工材之不下也　平按靈樞天下上有爲字雷公曰願聞爲工爲工是持脈之道故問也黃帝曰寸口主中按此九卷素問肺藏手太陰脈動於兩手寸口中兩手尺中夫言口者通氣者也寸口通於手太陰氣故曰寸口氣行之處亦曰氣口寸口氣口更無異也中謂五藏藏爲陰也五藏之氣循手大陰脈見於寸口故寸口脈主於中也人迎主外結喉兩箱足陽明脈迎受五藏六府之氣以養於人故曰人迎下經曰人迎胃脈也又云任脈之側動脈足陽明名曰人迎明堂經曰頸之大動脈動應於手俠結喉以候五藏之氣人迎胃脈六府之長動在於外候之知內故

曰主外寸口居下在於兩手以爲陰也人迎在上居喉兩旁以爲陽也九卷終始篇曰平人者不病也不病者脉口人迎應四時也應四時者上下相應俱往俱來也脉口謂是手太陰脉行氣寸口故寸口脉口亦無異也既上下俱往俱來豈以二手爲上下也又九卷終始篇云人迎與太陰脉口俱盛四倍以上命曰關格即知手太陰無人迎也又素問第五卷云胃管癰診岐伯曰當得胃脉沈細胃沈細者氣逆氣逆者人迎甚盛盛則熱人迎者胃脉也逆盛則熱聚於胃口而不行故胃管爲癰此經所言人迎寸口之處數十有餘竟無左手寸口以爲人迎右手關上以爲寸口而舊來相承與人診脉縱有小知得之別注人多以此致信竟無依據不可行也

平按注兩胃管管字袁刻均誤作營

兩者相應俱往俱來若引繩小大齊等寸口人迎兩者上下陰陽雖異同爲一氣出則二脉俱往入則二脉俱來是二人共引一繩彼牽而去其繩並去此引而來其繩並來寸口人迎因呼吸牽脉往來其動是同故曰齊等也

春夏人迎微大秋冬寸口微大如此者名曰平人譬彼引繩之動大小齊等細尋其動非無小異故此牽此動之端爲大彼端微小彼動之端爲大此端微小脉亦如之上下雖一因呼吸而動以春夏之陽秋冬之陰故微有大小春夏陽氣盛實故脉順之微大爲平秋冬陰氣盛實故脉順之微大爲平平者和氣無病者也

平按注故微有大小袁刻脱微字

人迎大一倍於寸口病在少

陽人迎二倍病在大陽人迎三倍病在陽明春夏人迎大於寸口少半已去少陽即已有病其病猶微故未言之成倍方言以病成可名故曰病在少陽言一倍等按不病之人寸口人迎脉動大小一種春夏之時人迎之動微大寸口以爲平好人迎之脉漸大小半大半至於一倍即知少陽有病少陽盛氣未大故得過陰一倍名曰少陽之病致使人迎之脉一倍大於寸口少陽病氣漸盛過於陰氣二倍名曰大陽之病則人迎之脉二倍大於寸口大陽病氣漸盛過於陰氣三倍名曰陽明之病則人迎之脉三倍大於寸口也 平按靈樞病在少陽作病在足少陽一倍而躁在手少陽病在太陽作病在足太陽二倍而躁病在手太陽病在陽明作病在足陽明三倍而躁病在手陽明甲乙二倍作再倍盛則爲熱陽氣內盛爲熱故人迎脉盛也虛則爲寒陽氣內虛陰乘爲寒故人迎脉虛也緊則爲痛痺其氣動緊似急也此肌肉之閒有寒溫氣故爲痛痺也 平按注寒溫溫字依下注寒溼氣居恐係溼字傳寫之訛代則乍甚乍閒代止也脉絶不來故曰代也代者邪氣客於血絡之中隨飲食而變故病乍甚乍閒也盛則寫之人迎一盛者寫於少陽二盛寫於大陽三盛寫於陽明也虛則補之人迎虛者人迎小於寸口也小於寸口一倍補於少陽二倍補於大陽三倍補於陽明也緊痛則取之分肉分肉之閒寒濕氣居代則取血絡且

飲藥邪在血絡致令脈代可刺去邪血飲湯實之陷下則灸之謂其諸脈血氣不滿陷下不見是中寒故須灸之不盛不虛以經取之名曰經刺不盛不虛正經自病也假令心痛中風得之肝來乘心從後而來名爲虛邪飲食勞倦脾來乘心從前來者名爲實邪傷寒得之肺來乘心從所不勝來者名曰微邪中溼得之腎來乘心從所勝來者名曰賊邪以上四病皆是他邪爲之須視心之虛實補寫他經傷暑得病起於自藏以爲正邪宜療自經故曰以經取之名曰經刺也人迎四倍者且大且數名曰外格死不治人迎三倍各病一陽至四倍其陽獨盛外拒於陰陰氣不行故曰格陽格拒也陽氣獨盛故大而且數以無陰氣獨盛必衰故死不療　平按靈樞名曰下有溢陽溢陽爲五字必審按其本末察其寒熱以驗其藏府之病必須審按人迎寸口内外本末察其脈中寒暑然後驗知藏府中之病也寸口大於人迎一倍病在厥陰寸口二倍病在少陰寸口三倍病在太陰秋冬寸口大於人迎少半已去厥陰即已有病其病猶微故未言之以病成可名故曰病在厥陰言一倍等按不病人寸口人迎脈動大小一種秋冬之時寸口之動微大人迎以爲平好寸口之脈至於一倍即知厥陰有病厥陰之氣衰少故

得過陽一倍，名曰厥陰之病，致使寸口之脈一倍大於人迎。陰氣雖少，得過陽氣二倍，名曰少陰之病，則寸口之脈二倍大於人迎。太陰最大，過於陽氣三倍，名曰太陰之病，則寸口之脈三倍大於人迎也。平按：靈樞病在厥陰作病在足厥陰，一倍而躁在手心主，病在少陰作在足少陰，二倍而躁在手少陰，病在太陰作病在足太陰，三倍而躁在手太陰。甲乙二倍作再倍，又甲乙無寸口三倍病在太陰八字。**盛則脹滿寒中食不化，**寸口陰氣大於人迎三倍，病在太陰，太陰之病自有虛實，是以寸口陰盛則腹中寒氣脹滿，有寒中食不化也。平按：寒中食不化，甲乙作寒則食不消化。**虛則熱中出糜少氣溺色變，**陰虛陽氣來乘腸胃，中熱故大便出強如黃糜，少陰氣虛故少氣溺色黃也。平按：注出強如黃糜，袁刻作出糜如黃疸。**緊則為痺，**風寒溼氣留於分肉腁為痺，故令寸口脈緊實也。**代則乍痛乍止，**寸口脈動而中止不還曰代，邪客分肉，致令衞氣之行乍行乍止，故令其痛乍有乍止也。平按：甲乙作代則乍寒乍熱，下熱上寒，注云太素作代則乍痛乍止。**盛則寫之，虛則補之，**下言療方，盛寫之法，惟人迎可知也。**緊則先刺而後灸之，**緊有痺痛，先以痛為輸，鍼刺已，然後於其刺處灸之。平按：注滎袁刻作營，刺處袁刻作刺後。**代則取血絡而洩之，**代則乍痛乍止，故刺去邪血之絡也。平按：而洩之，靈樞作而後調之，甲乙同，注云太素作泄注作痛衰刻誤作作病陷下則徒灸之陷下者脈血結於中中有着血血寒故宜灸徒空也諸脈陷下不見是脈中寒血結聚宜空灸之不假先刺也　平按徒灸甲乙作從灸注血結衰刻作血倍不假誤作不復不盛不虛以經取之准人迎可知也寸口四倍名曰內關內關者且大且數死不治陰氣三倍大於陽氣病在三陰至於四倍陰氣獨盛內皆閉塞陽不得入故爲內關關閉也寸口大而又數即陰氣將絕故死不療也　平按內關衰刻誤作內閉注同依原本更正必察其本末之寒溫以驗其藏府之病必察寸口人迎大小終始寒溫則知內外藏府之病也　平按之寒溫甲乙作察其寒熱通其榮輸乃可傳於大數大數曰盛則徒寫虛則徒補候知五藏六府病之所在先須鍼藥通其榮輸然後傳於灸刺大數謂空補寫之數也　平按甲乙大數曰盛作大曰盛虛上有小曰二字兩徒字均作從緊則灸刺且飲藥脈之緊者三療俱行緊謂動而中止小數中有還者曰結也陷下則徒灸之准前人迎　平按甲乙徒作從不盛不虛以經取之所謂

經治者飲藥亦曰灸刺不盛不虛經療之法亦三療俱行之　平按亦曰甲乙作亦用脈急則引引挽也寸口脈急可引以鍼導引令和也脈代以弱則欲安靜無勞用力也脈衰代絶至復微弱不欲煩動者宜安靜恬逸不得自勞也　平按靈樞代作大甲乙無以弱二字雷公曰病之益甚與其方衰何如問其切脈知病衰甚黃帝曰外內皆在焉外府內藏並有甚衰故曰皆在切其脈口滑小緊以沈者其病益甚在中脈口陰位也滑爲陽也小緊沈者皆爲陰也按於脈口得一陽三陰則陰乘陽故病益甚病在五藏故曰在中也人迎氣大緊以浮者其病益甚在外人迎陽位也緊爲陰也大浮陽也二陽一陰則陽乘陰故病益甚病在六府故曰在外也其脈口滑而浮者病日損滑浮皆陽在於陰位而得二陽其氣以和故病日日瘳損也　平按滑而浮靈樞作浮滑人迎沈而滑者病日損一陰一陽在於陽位其氣易和故病損其脈口滑以沈者其病日進在內一陰一陽在於陰位故病日漸進在五藏其人迎脈滑盛以

浮者其病日進在外滑盛浮等俱爲陽也又在陽位名曰太過病增在於六府也脈之浮沈及人迎寸口氣小大等者其病難已諸有候脈浮沈及人迎寸口中氣大小齊等者是陰陽不得相傾故病難已也平按注相傾袁刻作相顧病之在藏沈而大者易已小爲逆人迎寸口之中候之知病在於内五藏中其脈且沈且大是爲陰陽氣和雖病易已其脈沈而小者純陰故逆而難已也病之在府浮而大者病易已候之知病在外六府中其脈浮而且大得其時易已人迎盛緊者傷於寒人迎盛爲陽也緊則爲陰也謂冬因蟄寒氣入腠名曰傷寒春爲温病也平按盛緊靈樞作盛堅下同脈口盛緊者傷於食飲盛爲陰也脈口盛而緊者是因飢多食傷藏爲病也平按靈樞甲乙無飲字一日一夜五十營以營五藏之精不應數者名曰狂生所謂五十營者五藏皆受氣也營氣一日一夜周身五十營於身者也經營五藏精氣以奉生身若其不至五十營者五藏無精雖生不久故曰狂生持其脈口數其至也五十動而不一代

者五藏皆受氣矣脈口寸口亦曰氣口五十動者腎藏第一肝藏第二脾藏第三心藏第四肺藏第五五藏各爲十動故曰從脈十動以下次第至腎滿五十動即五藏皆受於氣也持脈數法先將不病人之脈口以取定數然後按於病人脈口勘知病人脈數多少謂從平旦陰氣未散陽氣未行按於脈口以取定數也四十動而一代者一藏無氣矣其脈得四十動已至四十一動已去有一代者即五十數少故第一腎藏無氣也三十動而一代者二藏無氣矣其脈得三十動已至三十一動已去有一代者即四十數少故第二肝藏無氣二十動而一代者三藏無氣矣其脈得二十動已至二十一動已去有一代者即三十數少故第三脾藏無氣十動而一代者四藏無氣矣其脈得十動已至十一動已去有一代者即二十數少故第四心藏無氣不滿十動而一代者五藏無氣矣其脈不滿十數有一代者即十數少故第五肺藏無氣予之短期肺主五藏之氣肺氣既無所以五藏氣皆不至故與之短期也　平按予甲乙作與下同袁刻誤作子要在終始所謂五十動而不一代者以爲常也五十動而不一代者盡是五藏終始常道之要也以

知五藏之期也予之短期者乍數乍疏也與短期者謂五藏脈乍疏乍數
不合五十之數故可與之死期也黃帝曰氣口何以獨爲五藏主氣謂九候各候五
藏之氣何因氣口獨主五藏六府十二經脈等氣也　平按素問甲乙主下無氣字岐伯曰胃者水穀之海
也六府之大也五味入口藏於胃以養五氣氣口亦
太陰也是以五藏六府之氣味皆出於胃變見於氣
口胃爲水穀之海六府之長出五味以養藏府血氣衞氣行手太陰脈至於氣口五藏六府善惡皆是衞氣所將而來會手太陰見於氣口故曰變見
也　平按素問甲乙大下有源字五氣作五藏氣故五藏氣入於鼻藏於心肺心肺
有病而鼻爲之不利也穀入於胃以養五藏上薰入鼻藏於心肺鼻中出入鼻爲肺官故心肺有病鼻氣不
利也故曰凡治病者必察其上下適其脈候觀其志意
與其病能乃拘於鬼神者不可與言至治療病之要必須上察人迎下診

寸口適於脉候又觀志意有無無志意者不可爲至及説療疾復觀其人病態能可療以否若人風寒暑濕爲病乃情繫鬼神斯亦不可與言也　平按素問察其上下作察其下三字脉下無候字病下無能字袁刻能誤作熊素問新校正云按太素作必察其上下適其脉候觀其志意與其病能與此正合又至治素問作至德

惡於鑱石者不可與言至巧治病不許治者病不必治也治之無功矣鑱仕監反鈹也其病非鍼石不爲而惡之者縱岐黄無所施其功其病可療而不許療者縱倉扁不可爲其功也　平按鑱原鈔作鏡據注應作鑱素問作鍼

凡刺之道畢於終始明知終始五藏爲紀陰陽定矣凡刺之道其要須窮陰陽氣之終始人之陰陽氣終始者必本五藏以爲綱紀以五藏藏神居身故爲陰陽氣之綱紀即陰陽定矣陰者主藏陽者主府陰氣主於五藏在內陽氣主於六府在外也陽受氣於四末陰受氣於五藏清陽實於四支濁陰者走於六府故陽受氣於四末也清陰起於五藏濁陽者營於四支故陰受氣於五藏也　平按甲乙末作肢

故寫者迎之補者隨之知迎知隨氣可令和和氣之方必通陰陽故補寫之道陰陽之氣實而來

者迎而寫之虛而去者隨而補之人能知此隨迎補寫之要則陰陽氣和有疾可愈也五藏爲陰六府爲陽傳之後代以血爲盟敬之者昌慢之者亡無道行私必得夭殃敬其傳方令守道去私也　平按靈樞後代作後世甲乙無傳之後代以下六句謹奉天道請言終始言其奉誠因請五藏終始之紀也終始者經脈爲紀持其脈口人迎以知陰陽有餘不足平與不平天道畢矣五藏終始紀者謂經脈也欲知經脈爲終始者可持脈口人迎動脈則知十二經脈終始陰陽之氣有餘不足也所謂平人者不病不病者脈口人迎應四時也春夏人迎微大寸口秋冬寸口微大人迎即應四時也　平按注兩微字原作後依前經文應作微上下相應而俱往俱來也人迎在結喉兩傍故爲上也寸口在兩手關上故爲下也上下雖別皆因呼吸而動故俱往來也往謂陽出來謂陰入也往來雖別異同時而動故曰俱也　平按靈樞甲乙來上無俱字六經之脈不結動也陰陽之脈俱往來者即三陰三陽經脈動而不結本末之寒溫相守司

也春夏是陽用事時溫人迎爲本也秋冬是陰用事時寒脉口爲本也其二脉不來相乘復共保守其位故曰相守司也　平按靈樞溫下有之字甲乙作本末相遇無之字形肉血氣必相稱也是謂平人形謂骨肉色狀者也肉謂肌膚及血氣□者也衰勞減等□□好即爲相稱也如前五種皆爲善者爲平人　平按注血氣下原缺一字上半作四衰勞勞字原校作縈少氣者脉口人迎俱少而不稱尺寸也如是則陰陽俱不足脉口寸口也寸部有九分之動尺部有一寸之動今秋冬寸口反小於人迎即寸口不稱尺寸也春夏人迎反小於寸口即人迎不稱尺寸也如此勘檢則知藏府陰陽二氣俱少也　平按注勘袁刻誤作甚補陽則陰竭寫陰則陽脫如是者可將以甘藥不愈可飲以至齊夫陽實陰虛可寫陽補陰陰實陽虛可寫陰補陽今陰陽俱虛補陽其陰益以竭寫陰之虛陽無所依故陽脫所以不可得於鍼石可以甘善湯液將扶補之若不已可至於齊也　平按靈樞甲乙無愈字齊作劑注甘善袁刻作甘藥如此者弗灸不已因而寫之則五藏氣壞矣如此二皆是虛可以湯液補者日漸方愈故曰不久不已若不如此即用鍼寫必壞五藏之氣也爲不灸於義不順灸當爲久也人迎一盛

病在足少陽一盛而躁在手少陽病在足少陽足少陽病大於足厥陰一倍故人迎盛於寸口一倍一盛而躁病在於手少陽經也人迎二盛病在足太陽二盛而躁在手大陽躁手道反擾也陽氣漸大在足大陽足大陽病大於足少陰二倍故人迎盛於寸口二倍也人迎三盛病在足陽明三盛而躁在手陽明陽氣更盛在足陽明足陽明病大於足大陰三倍故人迎盛於寸口三倍也　平按注足大陰陰字原鈔作陽據上注擬作陰人迎四盛且大且數者名曰溢陽溢陽爲外格人迎盛至四倍大而動數陽氣盈溢在外格拒陰氣不得出外故曰外格也　平按素問作四盛以上爲格陽脈口一盛病在足厥陰一盛而躁在手心主足厥陰盛病大於足少陽一倍故脈口盛於人迎一倍也脈口二盛病在足少陰二盛而躁在手少陰足少陰盛病大於足大陽二倍故脈口盛於人迎二倍也脈口三盛病在足大陰三盛而躁在手少陰足太陰盛病大於足陽明三倍故脈口盛於人迎三倍也　平按手少陰靈樞甲乙

均作手太陰依經文亦應作太當條傳寫之誤脈口四盛且大且數者命曰溢陰爲內關內關不通死不治陰氣四盛於陽脈口大而且數陰氣盈溢在內關閉陽氣不得復入名曰內關不可療也人迎與大陰脈口俱盛四倍以上者命曰關格關格者與之短期脈口寸口也陽盛四倍格而不關陰盛四倍關而不格皆與死期脈口人迎俱四倍已上稱曰關格死之將近故與短期此云人迎與太陰脈口即知手大陰脈無人迎也　平按關字袁刻均誤作開人迎一盛寫足少陽而補足厥陰人迎一倍大於脈口即知少陽一倍大於厥陰故寫足少陽補足厥陰餘皆准此也二寫一補其補寫法陽盛陰虛二寫於陽一補於陰陰盛陽虛一寫於陰二補於陽然則陽盛得二寫陽虛得二補陰盛得一寫陰虛得一補療陽得多療陰得少何也陰氣遲緩故補寫在漸陽氣疾急故補寫在頓倍於療陽也餘放此也　平按注放此放字原作故謹擬作放袁刻作倣日一取之一取一度補寫也足大陽盛足少陰虛足少陰盛足大陽虛此二經者氣血最少故二日一補寫也足少陽盛足厥陰虛足厥陰盛足少陽虛此二經者血氣次多故日一補寫也足陽明盛足太陰虛足太陰盛足陽明虛此二經者血氣最富故日二補寫以爲例准厥陰血氣最少少陰次多太陰最多此中少陰二日一取厥陰一

日一取太陰一日二取或經錯耳必切而驗之必須切診人迎脈口以取驗也躁取之上人迎躁而上行皆在手脈故曰取上取者取於此經所發穴也　平按躁靈樞甲乙作疏下同氣和乃止寫實補虛令陰陽氣和乃止亦爲例也

人迎二盛寫足大陽而補足少陰二寫一補二日一取之必切而驗之躁取之上氣和乃止人迎三盛寫足陽明而補足大陰二寫一補日二取之必切而驗之躁取之上氣和乃止脈口一盛寫足厥陰而補足少陽二補一寫日一取之必切而驗之躁取之上氣和乃止脈口二盛寫足少陰而補足大陽二補一寫二日一取之必切而驗之躁取之上氣和乃止脈口三盛寫足大陰而補足陽明二補一寫日二取之必

切而驗之躁取之上氣和乃止所以日二取之者大陰主胃大富於穀氣故日二取釋此二經多取所由也　平按太陰主胃靈樞作陽明主胃甲乙穀下無氣字人迎脈口俱盛三倍以上命曰陰陽俱溢如是者不開則血脈閉塞氣無所行流淫於中五藏內傷如此者因而灸之則變易而爲他疾矣人迎脈口俱三倍已上未至四倍陰陽俱有溺溢當爾之時必須以鍼開寫通之若不開者氣無所行淫溢反流內傷五藏不可灸也　平按三倍以上甲乙作四倍以上注靈樞作三倍注當爾爾字袁刻作診凡刺之道氣調而止補陰寫陽夫寫陰爲易補陰爲難補陽爲易寫陽爲難刺法補陰寫陽二氣和者即可停止也　平按注寫陰陰字袁刻誤作陽音氣並章耳目聰明反此陰陽和者言音清朗吐納和暢故曰並章七竅開通所以耳目聰明反此爲逆故血氣不行也　平按音氣並章靈樞作音氣益彰甲乙作音聲益彰靈樞甲乙無身中二字注爲逆袁刻作者逆者血氣不行身中所謂氣至而有效者

鍼入膚肉轉而待氣氣至行補寫而得驗者謂有効也　平按効甲乙作效

寫則益虛虛者脈大如其故而不堅也堅如其故者適雖言快病未去也

以其有實所以須寫寫者益虛損實其實損者其脈大如故而脈中不堅即爲損實也若寫已脈大如故脈中仍堅者去鍼適雖以損稱快病未除也　平按快靈樞作故

補則益實實者脈大如其故而益堅也大如其故而不堅者適雖言快病未去也

以其有虛所以須補補者補虛益實者也其得實者脈大如故而脈中堅即爲得實若補已脈大如故脈不中堅去鍼適雖快病未愈也

故補則實寫則虛痛雖不隨鍼病必衰去

故補則補虛令實寫則寫實令虛補寫未盡其工去鍼適雖言差病未除也若補寫窮理其痛雖不隨鍼去病必衰去也　平按鍼下甲乙有減字

必先通十二經脈之所生病而後可得傳於終始矣

十二經病所由通之者知諸邪氣得之初始亦知爲病所差之終是以可得傳於終始貽諸後代也　平按經下甲乙無脈字傳上無得字

故陰陽不相移虛實不相傾取之其經

是故學者須知陰陽

虛實不相傾移者可取十二經脈行補寫也　平按傾袁刻誤作頃注同黃帝問於岐伯曰人病胃管癰者診當何如岐伯曰診此者當得胃脈其脈當沈細沈細者氣逆逆者人迎甚盛盛則熱人迎者胃脈也逆而盛則熱聚於胃口而不行故胃管爲癰黃帝曰善胃管癰者胃口有熱胃管生癰也得胃脈者寸口脈也寸口者脈之大會手大陰之動也故五藏六府十二經脈之所終始也平人手之寸口之中胃脈合浮與大也今於寸口之中診得沈細之脈即知胃有傷寒逆氣故寸口之脈沈細上之人迎洪盛者也盛則胃管熱也上人迎者在喉兩邊是足陽明胃脈者也胃氣逆者則手之寸口沈細喉邊人迎盛大故知熱聚胃口不行爲癰紆恭反臃也　平按胃管素問甲乙作胃脘沈細甲乙作沈濇新校正云太素作澀細安卧小便黃赤脈小而濇者不嗜食安卧小便黃赤脈小濇[illegible]病故不嗜食也　平按濇靈樞作澀人病其寸口之脈與人迎之脈大小及其浮沈等者病難已也寸口即脈口也人病寸口之脈秋浮冬沈人迎之脈春小夏大縱病易已

四時大小浮沈皆同即四時脈亂故難
已也　平按靈樞大小作小大等三字

黄帝内經太素卷第十四　診候一　黄陂蕭貞昌校字

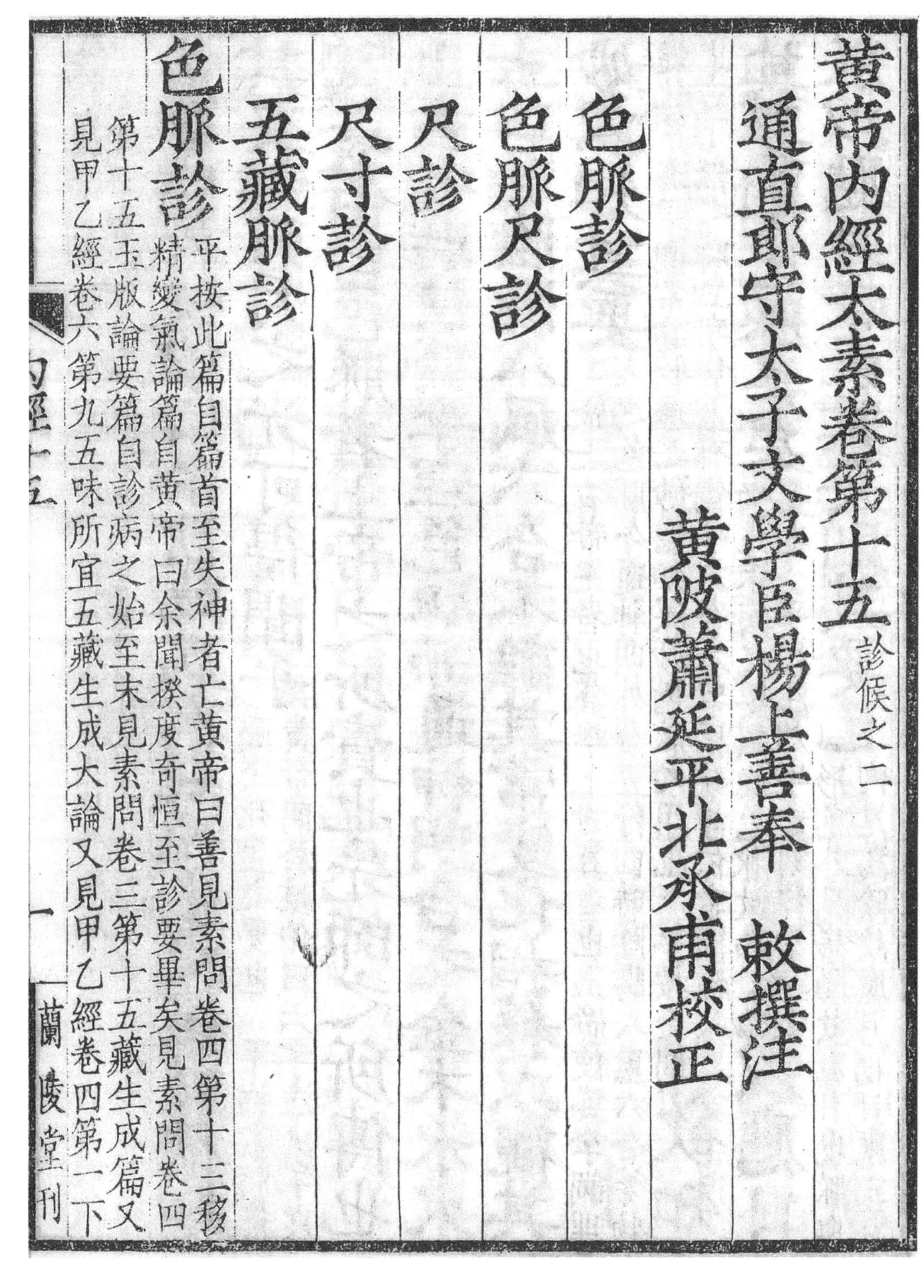

黃帝內經太素卷第十五 診候之二

通直郎守太子文學臣楊上善奉 敕撰注

黃陂蕭延平北承甫校正

色脈診

色脈尺診

尺診

尺寸診

五藏脈診

色脈診 平按此篇自篇首至失神者亡黃帝曰善見素問卷四第十三移精變氣論篇自黃帝曰余聞揆度奇恒至診要畢矣見素問卷四第十五玉版論要篇自診病之始至末見素問卷三第十五藏生成篇又見甲乙經卷六第九五味所宜五藏生成大論又見甲乙經卷四第一下

內經十五 一 蘭陵堂刊

篇

黃帝問於岐伯曰余欲臨病人觀死生決嫌疑欲知其要如日月之光可得聞乎聞决死生之要也　平按素問無黃帝問於岐伯曰六字注决字袁刻誤作次岐伯曰色脈者上帝之所貴也先師之所傳也上古之時使貸季理色脈而通神明合之金木水火土四時陰陽八風六合不離其常變化相移以觀其妙以知其要上帝上古帝王者也貸季上古真者也上帝使貸季調理人之色脈令通神明外合五行四時陰陽八風六合等物變化常道深觀常道物理之妙能知深妙色脈之用也　平按素問上古下無之時二字貸上有僦字六合六字原缺謹依素問補入欲知其要則色脈是矣安生未病之要無加色脈故爲要也　平按注加字袁刻作如色以應日脈以應月帝求其要則其要巳形色外見爲陽故應日也脈血内見爲陰故應月也日應三百

六十日也月應十二月也故知色脉以爲要也　平按素問帝求作常求要已作要也夫色脉之變化以應四時之勝此上帝之所貴以合於神明也所以遠死而近生也四時和氣爲勝上代帝王貴爲帝道用合神明以寶於生所以遠死長生久視也　平按素問色下無脉字之勝作之脉上道以長命曰聖王上帝理色脉通神明合於常道長生久視者稱曰聖王也　平按上道素問作生道中古之治病病至而治之湯液十日以去八風五痺之病未病之病至已方服湯液以其病微故十日病除也　平按素問病字不重十日不已治以草荄草荄之枝本末爲眇標本已得邪氣乃服荄古來反草根莖也眇亡紹反藥草根莖療病之要也服湯液十日不已可服藥草根莖枝葉丸散醪醴又得病本藥末故邪氣皆伏也　平按素問上荄字作蘇爲眇作爲助暮代之治病也則不然治不本四時不知日月不審逆順病形已成乃欲微鍼治其外湯液治其內前云上古中古黃帝之時即以

爲暮代下黃帝曰上古中古當今之時即其信也療病者療已病之病也暮代療病與古不同凡有五別一則不知根尋四時之療二則不知色脈法於日月之異三則不審病之逆順四則不知病成未成五則不知所行療方故欲以微鍼湯液去其已成之病也　平按素問暮代作暮世逆順作逆從

粗工凶凶以爲可攻舊病未已新病復起凶許容反惡勇也以微鍼小液攻已成之病更加他病不工而勇於事故曰凶也　平按凶下原缺一字應據素問仍作凶袁刻不重舊病素問作故病

黃帝曰願聞要道岐伯曰治之要極無失脈色用之不惑治之大則逆順倒行標本不得亡神失國去故就新乃得真人言失知色脈不知損益也　平按逆順倒行素問作逆從到行

黃帝曰余聞其要於夫子夫子言不離脈色脈色此余之所知也平按脈色二字素問作色脈不重

岐伯曰治之極於一黃帝曰何謂一岐伯曰一者因得之黃帝曰奈何岐伯曰閉戶塞牖繫之病者數問其

情以順其意得神者昌失神者亡黄帝曰善一得神也得神謂問病得其意也得其意者加之鍼藥去死得生故曰昌也　平按素問順作從黄帝曰余聞揆度奇恒所指不同用之奈何岐伯曰揆度者度病之淺深也奇恒者言奇恒病切求其病得其處知其淺深故曰揆度也奇者有病不得以四時死故曰奇也恒者有病以四時死不失其常故曰恒也　平按言奇恒病素問作言奇病也請言道之至數五色脈變揆度奇恒道在於一神轉不迴迴則不轉乃失其機數理也請言道其至理其至理者五色五脈之變揆度奇恒之機道在其一謂之神轉神轉者神清鑒動之謂也若鑒而不動則不通物變故失機　平按請素問新校正云全元起本作謂迴素問作回至數之要迫近以微著之玉版命曰合生機神動物之理者近於萬物機微之妙故書玉版命曰合於養生之機也　平按生機素問作玉機注養生養字袁刻誤作義客色見上下左右各在其要人之五時正王色上相乘色見名曰客色客色見面上下左右各當正色所乘要處者有病也　平按客色素

問作容色新校正云全元起本容作客其色見淺者湯液主治十日已其見深者必齊主治二十一日已其見大深者醪酒主治百日已其色夭面兑不爲治五色各有二種一者生色赤如雞冠二者死色赤如衃血其赤色輕淺不如雞冠此有病也其病最輕故以湯液十日得已赤色復深不如雞冠其病次輕故以湯液二十一日方已赤色大深不如雞冠其病將重故以藥醪百日方差赤色如衃血其病必死面兑赤色皆不可瘳也兑尖小謂面瘦無肉也　平按色夭上素問無其字治上無爲字兑素問作脫夭袁刻作赤百日盡已然脈短氣絶死病温最甚死色大深者療經百日然脈短氣來絶者亦死病温脈短氣絶亦死也　平按素問已下無然字最作虛色見上下左右各在其要上爲逆下爲順女子右爲逆左爲順男子左爲逆右爲順要色見生病之處謂是色部上下左右也上者部上下者部下左者部左右者部右凡相剋之色見者見部上爲逆部下爲順見女子部右當要故爲逆也見女子部左非其要故爲順也見男子部左要處故爲逆也見男子部右非其要處故爲順也　平按順素問作從易重陽死重

陰死陰陽反他治在權衡相奪奇恒事也陰陽反他揆度事也陰盛反陽爲病陽盛反陰爲病還用陰陽權衡虛實補寫相奪此爲奇恒事也直知陰陽反他此爲揆度事也　平按素問揆度上無陰陽反他四字摶脈痺辟寒熱之交脈動之時二脈相摶附而動不能相去者此爲痺辟之病是寒熱之氣相交摶也　平按辟素問作躄脈孤爲消陰陽之脈各獨見爲孤如足少陽脈氣獨見無厥陰者病爲消癉也　平按注消癉袁刻作消癉虛爲洩爲奪血病洩利奪血者其脈虛也　平按虛爲洩素問作氣虛泄孤爲逆虛爲順陰陽各獨見其時盛者爲逆獨見虛者氣易和故爲順也行奇恒之法以太陰爲始行所不勝曰逆逆則死行所勝曰順順則活太陰肺手太陰脈主氣者也欲行補寫權衡相奪之法以太陰五行之氣以爲始也行五行氣於不勝被他乘剋故爲逆死也行於所勝能剋於他故爲順也假令肝病以金療之即行所不勝也以土療之即行所勝也　平按素問太陰下無爲字順作從八風四時之勝終而復始八風剋勝四時代勝平爲終始也逆行一過不復數診要畢矣八風四時順行所勝也若逆行一勝爲一

過也再過爲死故不數也假令肝病肺氣來乘爲一過再過即死也故不至於數也此爲診要理極故爲畢也　平按素問數上有可字注肺氣袁刻作肺脈

診病之始五決爲紀欲得其始先建其母所謂五決者五脈也診五藏之脈以知其病故爲其母母本也　平按素問得作知是以頭痛癲疾下虛上實過在少陰巨陽甚則入腎腎脈足少陰爲裏藏也膀胱脈足太陽爲表府也少陰在舌本以下太陽在頭故爲上也少陰虛太陽實故爲頭痛癲疾也此之二脈盛則入藏也　平按少陰上素問甲乙有足字巨陽甲乙作太陽注少陰虛陰字袁刻作陽徇蒙招尤目瞋耳聾下實上虛過在少陽厥陰甚則入肝徇蒙謂眩冒也招尤謂目招搖頭動戰尤也尤音宥過者少陽脈虛厥陰脈實也　平按瞋未詳素問作冥甲乙作瞑恐係瞑字傳寫之訛少陽上素問甲乙有足字又素問新校正云王注徇蒙言目暴疾而不明義未甚顯徇蒙者謂目瞼瞤動疾數而矇暗也腹滿䐜脹支鬲胠下厥上冒過在足太陰陽明脾藏胃府二經病也　平按支鬲胠甲乙作支滿胠脇素問作支鬲胠脇䐜袁刻作瞋欬嗽上氣厥在胸中過在手陽明

太陰肺藏大腸府二經病　平按厥甲乙作病注云素問作厥心煩頭痛病在鬲中過在手巨陽少陰手太陽上頭故頭痛也心藏小腸府二經病也後之三脈皆有入藏略而不言也　平按此一段甲乙作胸中痛支滿腰脊相引而痛過在手少陰太陽注引素問與本書同夫脈之小大滑濇浮沉可以指別也寸口六脈之形指下得之故曰指別五藏之象可以類推皮肉筋脈骨等五藏外形故爲象也五脈爲五象之類推脈可以知也平按注五象袁刻作五藏上醫相音可以意識五色微診可以目察能合脈色可以萬全耳聽五音目察五色以合於脈用此三種候人病者所爲皆當故得萬全也　平按上醫素問作五藏赤脈之至也喘而堅診之有積氣在中時害於食名曰心痹心脈手少陰屬火色赤故曰赤脈赤脈夏脈夏脈如鉤其氣來盛去衰以爲平好今動如人喘又堅故有積氣在胸中滿悶妨食名曰心痹積者陰氣聚者陽氣積者五藏所生聚者六府所成積者其始有常處聚者發無根本無所留止也平按診之素問甲乙作診曰得之外疾思慮而心虛故邪從之得之急疾思慮外事

勞傷心虛邪氣因襲不從內傳以爲痹也　平按注心虛心字原缺謹依經文作心

白脈之至也喘而浮上虛下實驚有積氣在胸中喘而虛名曰肺痹寒熱

肺脈手太陰屬金也色白故曰白脈白脈秋脈秋脈如浮其氣來輕虛以浮來急去散以爲平好今雖得浮然動如人喘即知肺氣并心心實故驚肺虛故有積氣在於胸中出氣多噓名曰肺痹亦以肺虛故病寒熱也　平按驚有有字甲乙作爲

得之醉而使內

以因酒醉力意入房喘呼傷肺之所致也

黃脈之至也大而虛有積氣在腹中有厥氣名曰厥疝女子同法

脾脈足太陰屬土色黃故曰黃脈黃脈好者代而不見惡者見時脈大而虛即知積氣在於腹中腹中厥氣名曰厥疝男女同病　平按黃脈一段素問在青脈一段下注同病袁刻同誤作內

得之疾使四支汗出當風

脾主四支急促用力四支汗出受風所致

青脈之至也長而左右彈有積氣在心下支胠名曰肝痹

肝脈足厥陰屬木色青故曰青脈青脈春脈春脈如弦氣來濡弱輭虛而滑端直以長以爲平好今青脈至長而左右彈即知有積氣在心下支胠而妨名曰肝痹　平按甲乙左上有弦字注妨下袁刻有食字

得之寒

涇與疝同法腰痛足清頭痛得之因於塞涇足冷而上以成其病與疝病同足厥陰脈從足循少腹上頭故腰足頭痛　平按甲乙注云一本云頭脈緊黑脈之至也上堅而大有積氣在腹中與陰名曰腎痺腎脈足少陰屬水色黑故曰黑脈黑脈冬脈冬脈如營其氣來沈而搏以為平好今黑脈至上堅而大即知有積氣在腹中及陰中名曰腎痺　平按腹中素問作小腹甲乙作少腹得之沐浴清水而臥得之因以冷水沐髮及洗浴而臥也凡相五色之奇脈面黃目青面黃目赤面黃目白面黃目黑者皆不死相前五色異脈先相於面五色者見面得黃色目之四色見於面者以土為本故皆生　平按注以土為本袁刻土作上面青目赤肝病心乘名曰實邪面赤目白心病肺乘名曰微邪面青目黑肝病腎乘名曰虛邪面黑目白腎病肺乘亦曰虛邪面赤目青者心病肝乘名曰虛邪　平按素問無者字皆死此之五色皆為他尅不得其時不療皆死但色難知且依一義如此也　平按素問死字下有也字

色脈尺診平按此篇自篇首至末見靈樞卷一第四邪氣藏府病形篇又見甲乙卷四第二上篇

黃帝曰：邪之中人，其病形何如？岐伯答曰：虛邪之中身也，洫泝動形；正邪之中人也微，先見於色，不知于身，若有若無，若亡若存，有形無形，莫知其情。黃帝曰：善。（虛邪謂八虛邪風也，正邪謂四時風也。四時之風生養萬物，故爲正也。八虛之風從虛鄉來，傷損於物，故曰虛風。虛正二風性非穀氣，因腠理開輒入，故曰邪。風虛邪中人入腠理，如水逆流於洫，毛立動形，故爲人病。正邪中人微而難識，先見不覺於身，故輕而易去也。　平按：甲乙無黃帝曰至岐伯答曰十六字，洫泝靈樞、甲乙作洒淅，甲乙無若有若無四字。）黃帝問岐伯曰：余聞之，見其色知其病命曰明，按其脈知其病命曰神，問其病而知其處命曰工。余願聞之，見而知之，按而得之，問而極之，爲之奈何？（察色之明，按脈之神，審問之工，爲診之要，故並請之。　平按：甲乙無此一段及下岐伯答曰四字，問其病問字原鈔作聞，謹依靈樞及本注作問。）岐伯答曰：夫色脈與尺之相應也，如桴鼓影響

之相應也不得相失也桴伏留反擊鼓槌也答中色脈及尺以爲三種不言問也色謂面色脈謂寸口尺謂
尺中也五藏六府善惡之氣見於色部寸口尺中三候相應如槌鼓形影聲響不相失也如肝色面青寸口脈弦尺膚有異内外不相失也　平按尺之下甲
乙有皮膚二字此亦本末根葉之出候也故根死則葉枯矣此則
尺地以爲根莖色脈以爲枝葉故根死枝葉枯變　平按甲乙根上無故字注莖袁刻作基色脈形肉不得相失
也形肉即是尺之皮膚色脈尺膚三種不相失也故知一則爲工知二則爲神知
三則神且明矣故但知問極一者唯可爲工知問及脈二者爲神知問及脈並能察色稱曰神明也　平按注可原作有旁改
作可袁刻可有二字并列非是黃帝問曰願卒聞之岐伯答曰平按甲乙無色脈形肉至岐伯
答曰三十九字色青者其脈弦青爲肝色弦爲肝脈故青弦爲肝表也問色脈尺三種之異今但答色脈不言尺者以尺變同
脈故也色赤者其脈鉤赤爲心色鉤爲心脈赤鉤爲心表也色黃者其脈代黃爲脾色代爲
脾脈黃代爲脾表也色白者其脈毛白爲肺色毛爲肺脈白毛爲肺表也色黑者其脈石黑爲

腎色石爲腎脈黑石爲腎表也石一曰堅堅亦石也 見其色而不得其脈反得其相勝之脈則死矣 假令肝病得見青色其脈當弦反得毛脈是肺來乘肝被剋故死餘藏准此也 得其相生之脈則病已矣 假令肝病見青色雖不見弦而得石脈石爲腎脈是水生木是得相生之脈故病已也 黄帝問岐伯曰五藏之所生變化之病形何如岐伯答曰必先定其五色五脈之應其病乃可別也 欲知五藏所生變化之病先定面之五色寸口五脈即病可知矣 黄帝問曰色脈已定別之奈何岐伯答曰調其脈之緩急小大滑濇而病變定矣 雖得本藏之脈而一脈便有六變觀其六變則病形可知矣 平按小大甲乙作大小病變作病形注矣字袁刻脫 黄帝問曰調之奈何岐伯答曰脈急者尺之皮膚亦急 脈急者寸口脈急也尺之皮膚者從尺澤至關此爲尺分也尺分之中關後一寸動脈以爲診候尺脈之部也一寸以後至尺澤稱曰尺之皮膚尺皮膚下手太陰脈氣從藏來至指端從指端還入於藏故尺下皮膚與尺寸脈

六變同也皮膚者以手捫循尺皮膚急與寸口脈同脈緩者尺之皮膚亦緩寸口脈緩以手捫循尺皮膚緩

也脈小者尺之皮膚亦減而少氣寸口脈小尺之皮膚減而少氣也脈大

者尺之皮膚亦賁而起寸口脈大尺之皮膚賁起能大一曰亦大疑是人改從大　平按亦賁而起甲乙作

亦大脈滑者尺之皮膚亦滑按寸口脈滑即尺皮膚亦滑　平按脈滑上甲乙有脈沈者尺之皮膚亦沈九

字脈濇者尺之皮膚亦濇寸口脈來蹇濇尺之皮膚亦濇不滑也凡此六變

者有微有甚故善調尺者不待於寸口寸口與尺各有六變而六變各有微

甚可審取之前調寸口脈六變又調於尺中六變方可知病若能審調尺之皮膚六變即得知病不假診於寸口也　平按靈樞甲乙變上無六字寸下無口

字善調脈者不待于色善調寸口之脈知病亦不假察色而知也能參合而行之

者可以爲上工上工十全九行二者爲中工中工十

全七行一者爲下工下工十全六察色診脈調尺三法合行得病之妙故十全九名曰

上工但知尺寸二者十中全七故爲中工但明尺一法十中全六以爲下工也　平按甲乙上工中工下工不重全下均有其字

尺診 平按此篇自篇首至末見靈樞卷十一第七十四論疾診尺篇又見甲乙經卷四第二上篇惟編次小異

黄帝問於岐伯曰余欲無視色持脈獨調其尺以言其病從外知内爲之奈何 無視面之五色無持寸口之脈唯診尺脈及尺皮膚帝欲從外知内病生所由

岐伯答曰審其尺之緩急小大滑濇肉之堅脆而病形定矣 尺之緩急等謂尺脈及尺皮膚緩急小大滑濇六種別也肉堅脆者謂尺分中肉之堅脆也知此八者即内病可知也　平按注即内病即字袁刻誤作知

視人之目果上微癰如新卧起狀其頸脈動時欬按其手足上窅而不起者風水膚脹也 目果眼瞼也癰微腫起也頸脈足陽明人迎也動不以手按之見其動也窅焉蓼反深也不起者手足腫脈按之久而不起如按泥也此爲風水膚脹者　平按目果靈樞作目窠甲乙無自黄帝問至膚脹也一段

尺涇以淖澤者風也 尺分之中有潤故涇也淖澤光澤也此風之候也

平按尺下靈樞甲乙有膚字澀靈樞作滑甲乙作温注云一作滑以靈樞作其尺肉弱者解㑊安卧解㑊懈惰也尺肉耎弱者身體懈惰而欲安卧　平按㑊下甲乙有也字脫肉者寒熱不治骨寒熱病羸瘦脫肉不可療也　平按甲乙熱下有也字無不治二字注云一本下作不治尺膚滑澤脂者風也尺之膚滑而潤澤有脂者內有風也　平按靈樞滑下有而字甲乙無滑脂二字風下有痺字尺膚濇者風痺也尺膚濇者內寒故有風痺　平按甲乙無此句尺膚麤如枯魚之鱗者水泆飲也泆飲謂是甚渴暴飲水泆腸胃之外皮膚之中名曰泆飲尺分之膚麤如魚鱗者以為候也尺膚熱甚脈盛躁者病溼也尺分皮膚甚熱其一寸之內尺脈盛躁溼病候也　平按溼靈樞甲乙作温依下篇尺寸論云尺熱曰病温應作温袁刻亦作温其脈盛而滑者汗且出也一寸之內尺脈盛而滑者汗將出　平按靈樞汗作病尺膚寒甚脈小者洩少氣也尺膚冷尺脈小者其病洩利又少氣也　平按甚靈樞作其甲乙脈小作脈急注云一作小尺膚炬然先熱後寒者寒熱也按尺皮膚先熱後冷病寒熱也　平按炬然靈樞作炬然甲乙作燒炙人手四字注云一作炬然

尺膚先寒久持之而熱者亦寒熱候者也尺皮膚先冷久持乃熱亦是寒熱之病也　平按靈樞甲乙無候字肘所獨熱者腰以上熱當肘皮膚獨熱者即腰以上至頭熱也手所獨熱者腰以下熱肘前獨熱者膺前熱腕以前爲手也手之獨熱主腰以下熱從肘向手爲肘前獨熱者主胸前熱也　平按腰以下甲乙作腰巳上注云一作下肘後獨熱者背熱從肘向肩爲肘後肘後皮膚熱者主肩背熱也　平按背上靈樞甲乙有肩字臂中獨熱者腰腹熱從肘至腕中間爲臂當臂中央熱腰腹熱也肘後麤以下三四寸者腹中有蟲從肘後下向臂三四寸許皮膚麤起是腹中有蟲之候也　平按麤甲乙作廉靈樞甲乙寸下有熱字腹均作腸掌中熱者腸中熱掌中寒者腹中寒掌中冷熱主大腹小腹冷熱　平按腸靈樞甲乙作腹魚上白肉有青血脈者胃中有寒青脈主寒故胃中寒　平按魚上甲乙作魚際尺炬然熱人迎大者當奪血尺之皮膚炬然而熱喉邊人迎復大於常者奪血之候也　平按甲乙尺下有膚字炬靈樞甲乙作

炬

尺堅大脈小甚少氣悗有因加立死尺之皮膚堅而責大寸脈反少主於少氣而悗若更因加少氣悗者立當死也　平按甚下甲乙有則字靈樞無因字有因加甲乙作有加者注反少依經文應作反小

尺寸診平按此篇自篇首至末見素問卷五第十八平人氣象論篇又見甲乙經卷四第一惟編次小異

黃帝問岐伯曰平人何如對曰人一呼脈再動人一吸脈亦再動命曰平人平人者不病也醫不病故為病人平息以論法也平人病法先醫人自平一呼脈再動一吸脈再動是醫不病調和脈也然後數人之息一呼脈再動一吸脈再動即是彼人不病者也若彼人一呼脈一動一吸脈一動等名曰不及皆有病也故曰醫不病為病人平息者也　平按素問甲乙一吸上無人字命曰上有呼吸定息脈五動閏以太息十一字醫不病上素問有常以不病調病人七字甲乙有常以不病之人以調病人十字以論法也素問作以調之為法五字甲乙作以調之三字人一呼脈一動人一吸脈一動者曰少氣呼吸皆一動名曰不及故知少氣　平按一吸上素問甲乙無人字人一呼脈三動一吸脈三

動而躁及尺熱曰病溫尺不熱脈滑曰風濇曰痺脈之三動以是氣之有餘又加躁疾尺之皮膚復熱即陽氣盛故爲病溫病溫先夏至日前發也若後夏至日發者病暑也一呼三動而躁尺皮不熱脈滑曰風脈濇曰痺也　平按甲乙無一吸脈三動五字躁下素問甲乙無及字風上有病字素問濇上有脈字甲乙無濇曰痺三字人一呼脈四至曰死四至陽氣獨盛陰氣絕衰故死　平按四至素問作四動以上甲乙同脈絕不至曰死以手按脈一來即絕更復不來故死乍疏乍數曰死乍疏曰陰乍數曰陽陰陽動亂不次故曰死也平人之常氣稟於胃胃者平人之常氣也人無胃氣曰逆逆曰死和平之人五藏氣之常者其氣各各稟承胃氣一一之藏若無胃氣其脈獨見爲逆故致死　平按無胃氣上甲乙作人常稟氣於胃脈以胃氣爲本十二字春胃微弦曰平胃者人迎胃脈也五藏之脈弦鉤代浮石皆見於人迎胃脈之中胃脈即足陽明脈主於水穀爲五藏六府十二經脈之長所以五藏之脈欲見之時皆以胃氣將至人迎也胃氣之狀柔弱是也故人迎五脈見時但弦鉤代毛石各各自見無柔弱者即五藏各失胃氣故脈獨見獨見當死春脈胃多弦少曰微微曰平人弦多胃少曰肝病弦多胃少即肝少穀氣故曰肝病也

但弦無胃曰死肝無穀氣致令肝脉獨見故死也胃而有毛曰秋病春胃見時但得柔弱之氣竟無有弦然胃中有毛即是肝時有肺氣來乘以胃氣弦故至秋有病　平按注故至秋故字袁刻誤作欲毛甚曰金病春得毛脉甚於胃氣以金剋火故曰金病也　平按金素問甲乙作今注火字恐係木字傳寫之訛藏真散於肝肝藏筋之氣藏真者真弦脉也弦無胃氣曰散弦脉不能自散以其肝藏散無胃氣所以真藏散於肝也故肝藏神藏於魂也肝藏氣者藏筋氣也　平按素問甲乙筋下有膜字

夏胃微鉤曰平夏脉人迎胃多鉤少曰微鉤微鉤曰平也鉤多胃少曰心病心病食少穀氣少令脉至人迎鉤多胃少故知心病也　平按注令字袁刻作今但鉤無胃曰死心病害食心無穀氣致令鉤無胃氣故死胃而有石曰冬病心火也夏心王時遂得腎脉雖有胃氣唯得石冬時當病以水剋火石甚曰今病夏有胃氣雖得石脉至秋致病今夏得石脉甚少胃氣賊邪來剋故曰今病藏真痛於心心藏血脉之氣心無胃氣即心有痛病致令藏真脉見人迎故曰藏真痛於心也故心藏神藏於神氣也心藏氣藏血脉之氣也　平按痛素問甲乙作通

長夏胃微耎弱曰平胃少弱多曰脾

病耎而免反柔也長夏六月也脾行胃氣以灌四藏故四藏脈至於人迎皆有胃氣即四藏平和也若脾病不得爲胃行氣至於人迎即四藏之脈各無胃氣故四藏有病也問曰長夏是脾用事此言胃氣不言脾者何也答曰脾爲其君不可自見是以於長夏時得胃氣者即得脾氣故於長夏胃氣見時微有不足名曰平好若更胃少復虛弱者即是脾病致使胃氣少而虛弱也　平按胃少弱多素問作弱多胃少甲乙作耎弱注爲胃行氣衰刻作氣行若更胃少復虛弱者衰刻胃作至復作腹

但代無胃曰死人之一呼出心與肺脈有二動一吸入肝與腎脈有二動人呼吸已定息之時脾受氣於胃輸與四藏以爲呼吸故當定息脾受氣時其脈不動稱之曰代代息也當代之時胃氣當見若脈代時無胃氣則脾無穀氣所以致死也

耎弱有石曰冬病長夏脾胃見時中有腎脈是爲微邪來乘不已至秋當病也　平按注至秋秋字依經文應作冬

弱甚曰今病脾胃之脈虛弱其穀氣微少故即今病也　平按弱甲乙作耎注云素作弱

藏真傳於脾脾藏肌肉之氣脾藏真脈謂之唯代之無胃氣唯代之脈從脾傳來至於人迎也故脾藏藏神藏於意也脾藏藏氣藏肌肉氣也　平按傳素問甲乙作濡注之無胃氣之字衰刻作若

秋胃微毛曰平秋時人迎胃多毛少曰平人也

胃少毛多曰肺病穀氣少也　平按胃少毛多素問甲乙作毛多胃少

但毛無胃曰死真藏見脈

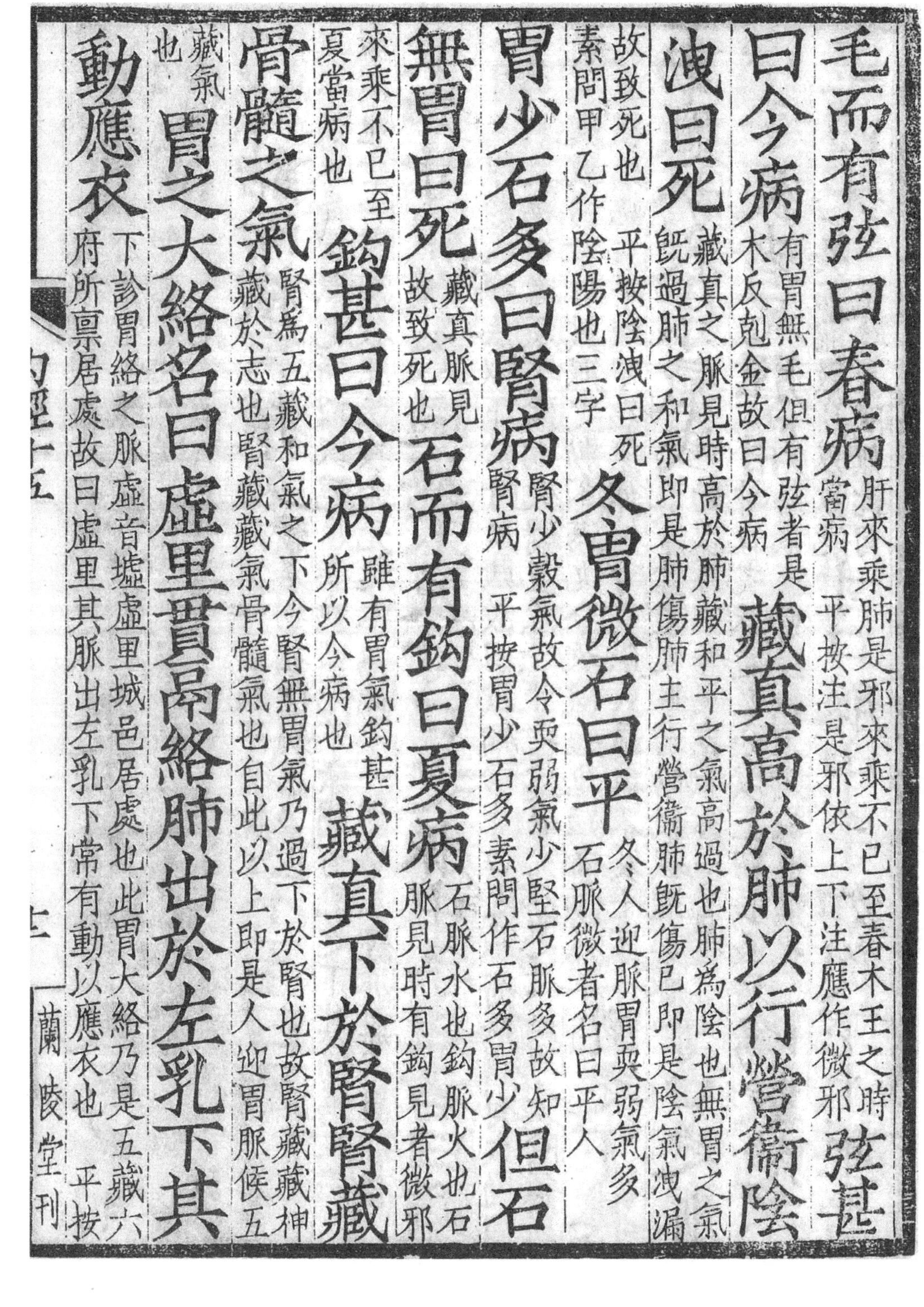

毛而有弦曰春病肝來乘肺是邪來乘不已至春木王之時當病　平按注是邪依上下注應作微邪弦甚曰今病有胃無毛但有弦者是木反剋金故曰今病藏真高於肺以行營衛陰洩曰死藏真之脉見時高於肺藏和平之氣高過也肺爲陰也無胃之氣既過肺之和氣即是肺傷肺主行營衛肺既傷已即是陰氣洩漏故致死也　平按陰洩曰死素問甲乙作陰陽也三字冬胃微石曰平冬人迎脉胃耎弱氣多石脉微者名曰平人胃少石多曰腎病腎少穀氣故令耎弱氣少堅石脉多故知腎病　平按胃少石多素問作石多胃少但石無胃曰死藏真脉見故致死也石而有鉤曰夏病石脉水也鉤脉火也石脉見時有鉤見者微邪來乘不已至夏當病也鉤甚曰今病雖有胃氣鉤甚所以今病也藏真下於腎腎藏骨髓之氣腎爲五藏和氣之下今腎無胃氣乃過下於腎也故腎藏藏神藏於志也腎藏藏氣骨髓氣也自此以上即是人迎胃脉候五藏氣也胃之大絡名曰虛里貫鬲絡肺出於左乳下其動應衣下診胃絡之脉虛音墟虛里城邑居處也此胃大絡乃是五藏六府所禀居處故曰虛里其脉出左乳下常有動以應衣也　平按

內經十五

蘭陵堂刊

應衣甲乙作應手注胃絡之脉脉字原缺右方左方有月字當是脉字袁刻作法脉宗氣盛喘數絕者則病在中宗尊也此之大絡一身之中血氣所尊故曰宗氣其脉動如人喘數而絕者病在藏中也　平按脉宗氣素問作脉宗氣也甲乙作脉之宗氣也結而横有積矣此脉結者腹中有積居也積陰病也絕不至曰死此虛里脉來已更不復來是胃氣絕所以致死　平按曰死下素問有乳之下其動應衣宗氣泄也十一字新校正云按全元起本無此十一字甲乙經亦無本書在後

欲知寸口脉太過與不及寸口之脉中手短者曰頭痛上來診人迎法以下診寸口法故曰欲知診寸口之脉有病唯有太過與不及也口者氣行處也從關至魚一寸之處有九分之位是手太陰氣所行之處故曰寸口其脉之動不滿九分故曰短也短者陽氣不足故頭痛也　平按甲乙無欲知寸口脉太過與不及十字乳之下其動應於衣宗氣泄乳下虛里之脉若陽氣盛溢其脉動以應衣是爲宗氣泄溢者也寸口之脉中手長者足脛痛寸口之脉過九分以上曰長長者陽氣有餘陰氣不足故脛痛也喘數絕不至曰死長而喘數所以致死　平按素問無此句寸口脉中手如從下上擊者

曰肩背痛脈從下向上擊人手如從下有物上擊人手是陽氣盛陽脈行於肩背故知肩背痛也　平按如從下上擊者素問作促上擊者甲乙作促上數者注云素問作擊又按從下下字袁刻作物寸口脈中手沈而緊者曰病在中沈緊者陰脈也病在於藏故沈緊也　平按素問無中手二字緊作堅寸口脈浮而盛者病在外浮盛陽也病在於府故浮盛也寸口脈沈而弱曰寒熱及疝瘕少腹痛沈陰氣盛也弱陽氣虛也陰盛陽虛故有寒熱疝瘕病少腹痛也寸口之脈沈而橫堅曰胠下有積腹中有橫積痛其脈沈橫而堅者陰盛故知胠下有積積陰病也橫指下脈橫也胠側箱即下穴處也又其陰病少腹中有橫積也　平按素問無堅字胠下素問甲乙作脇下甲乙沈作緊注云素問作沈而橫腹中上甲乙無有積二字注即下穴處也別本作腋下爽處也寸口脈盛滑堅者病曰甚在外寸口陽也滑亦陽也堅為陰也陽盛陰少故病曰甚在六府也　平按寸口下素問有脈沈而喘曰寒熱七字本書在後脈小實而堅者病曰甚在內小實為陰堅亦為陰故病曰甚在五藏也　平按素問無曰甚二字有胃氣而和者病曰無他

蘭陵堂刊

寸口之脈雖小實堅若有胃氣和之雖病不至於困也　平按素問無此條甲乙胃氣上有病甚二字　脈小弱以濇者謂之久病小弱以濇是陰陽虛弱故是久病　脈濇浮而大疾者謂之新病濇爲陰也浮大陽也其脈雖濇而浮流利即知新病　平按濇浮而大疾素問作滑浮而疾甲乙作浮滑而實大注云素問作浮而疾　脈滑曰風氣虛而行利即是風府之候也　平按素問脈滑上有脈急者曰疝瘕少腹痛九字本書在後注風府別本作風病　脈緩而滑曰熱中緩滑陽也指下如按緩繩而去來流利是熱中候者　脈濇曰痺濇陰也按之指下濇而不利是寒溼之氣聚爲痺也　脈盛而緊曰脹寸口脈盛緊實者是陰氣內積故爲脹也　脈順陰陽病易已人迎脈口大小順四時者雖病易愈也　平按順素問作從　脈逆陰陽脫者病難已人迎寸口大小不順四時旣逆陰陽故病難已也　平按素問無脫者二字　脈逆四時病難已春夏人迎小於寸口秋冬寸口小於人迎即知是脈反四時故病難已也　平按此條素問作脈得四時之順曰病無他脈反四時及不間藏曰難已甲乙同惟脈字作按寸口三字難已作死　脈急者曰疝瘕少腹痛按其脈如按弓弦是陰氣積故知疝瘕少腹痛也　寸口脈沈

而喘曰寒熱沈陰氣也脈動如人喘者是爲陽也即知寒熱也　平按素問此條在前有横積痛下臂多青脈曰脱血臂尺地也尺地絡脈青黑爲寒即知脱血以其陽虚陰盛乘陽故脈青尺脈緩濇者謂之解㑊安卧緩爲陽也濇爲陰以從關至尺取一寸以爲尺部尺部又陰以陰氣多懈惰安卧也　平按注以從關以字袁刻脱尺脈盛謂之脱血尺脈盛謂陰氣盛陽氣虚故脱血也　平按上安卧二字素問王注作屬下尺脈盛解釋尺濇脈滑謂之多汗尺之皮膚麤濇尺之脈滑是謂陽盛陰虚數故洩汗也尺寒脈細謂之後洩尺之皮膚冷尺脈沈細是爲内寒故後洩也脈尺麤常熱者謂之熱中脈之尺地皮膚麤又常熱是其熱中也肝見庚辛死心見壬癸死脾見甲乙死肺見丙丁死腎見戊己死是謂真藏見皆死真藏各見被剋之時故皆死也頸脈動疾喘欬曰水頸脈是胃脈人迎也人迎常動今有水病故動疾可見喘欬也有本爲腎脈動也目果微腫如卧起之狀曰水目果目上下瞼也瞼之微腫水之候　平按素問果作裹卧下有蠶

字

足脛腫曰水寒溼氣盛故足脛腫水之候也目黃者曰黃疸也三陽脈在目故黃疸熱病目爲黃也疸多但反 平按足脛二句素問在面腫曰風之下溺黃安臥者曰黃疸腎及膀胱中熱安臥一不勞者黃疸病候也 平按素問黃下有赤字已食如飢者胃疸也胃中熱消食故已食如飢胃疸病面腫曰風風陽也諸陽在面故風病面先腫也女子手少陰脈動甚者任子也手少陰脈心經脈也心脈主血女子懷子則月血外閉不通故手少陰脈內盛所以動也 平按素問任作姙注月血袁刻作經血脈有逆順四時未有藏形寸口人迎且逆且順即四時未有真藏脈形也春夏而脈瘦者秋冬浮大春夏人迎微大爲順今反瘦小爲逆秋冬人迎微小爲順今反浮大爲逆也 平按浮大下素問有命曰逆四時也六字風熱而脈盛脈盛者風熱之病也 平按盛素問作靜洩而脫血風熱之病虛故多脫洩血脫也脈實者病在中是陽虛陰實故病在五藏 平按素問脈實二字屬上文實下無者字脈虛者病在外陰虛陽實故病在六府也 平按素問脈虛二字屬上文虛下無者字脈濇堅皆難治命曰反四時者

也脈濇及堅二者但陰無陽故皆難療名曰反四時之脈也 平按素問新校正云自前未有藏形春夏至此五十三字與後玉機真藏論文相重本書見十四卷四時診脈篇人以水穀爲本故人絶水穀則死反四時之脈無水穀之氣者致死脈無胃氣亦死所謂無胃氣者但得真藏脈不得胃氣也所謂肝不弦腎不石也雖有水穀之氣以藏有病無胃氣者肝雖有弦以無胃氣不名乎弦也腎雖有石以無胃氣不名乎石故不免死也 平按肝不弦上素問有脈不得胃氣者六字太陽脈至鴻大以長以手按人迎脈鴻大以長者是太陽脈也即手足太陽小腸膀胱脈之狀也 平按鴻素問甲乙作洪注人迎脈別本作只脈少陽脈至乍疏乍數乍短乍長按之乍疏乍數乍短乍長者少陽脈也即手足少陽三焦及膽脈之狀 平按乍疏乍數素問甲乙作乍數乍疏陽明脈至浮大而短是謂三陽脈也按之浮大而短者陽明脈也即手足陽明胃及大腸之候也是謂三陽脈之形 平按素問甲乙無是謂三陽脈也六字新校正云詳無三陰脈應古文闕也按難經云太陰之至緊大而長少陰之至緊細而微厥陰之至沈短以敦

蘭陵堂刊

五藏脉診　平按此篇自肝脉弦至是謂五藏脉見素問卷七第二十三宣明五氣篇又見甲乙經卷四第一經脉上篇自平心脉來至腎死見素問卷五第十八平人氣象論篇甲乙同上自岐伯曰心脉揣堅而長至身寒有痺見素問卷五第十七脉要精微論篇又見甲乙經卷四第一中下篇自黄帝曰請問脉之緩急至調其甘藥見靈樞卷一第四邪氣藏府病形篇又見甲乙經卷四第二病形脉論下篇自肝滿腎滿至末見素問卷十三第四十八大奇論篇自肝滿腎滿至偏枯又見甲乙經卷十一第八自心脉滿大至末又見甲乙經卷四第一經脉下篇

肝脉弦心脉勾脾脉代肺脉毛腎脉石是謂五藏脉　肝心脾三脉素問九卷上下更無別名肺脉稱毛又名浮腎脉稱石又名營是五脉同異若隨事比類名乃衆多也　平按素問肝脉上有五脉應象四字五藏下有之字甲乙無是謂五藏脉五字

心平　平按素問平心脉上有夫字甲乙無平字曰心平作曰平也　心脉來累累如連珠如循琅玕曰平心脉夏脉也夏日萬物榮華故其脉來累累如連珠以手按之如循琅玕之珠以爲平和之脉也而稱勾者曲也珠連高下不如弦直故曰勾夏以胃氣爲本　胃爲五藏資糧故五時之脉皆以胃氣爲本也

病心脉來喘喘連屬其中微曲曰心病　病心脉來動如人喘息連屬然指下

微覺曲行是謂心之病脈者也　平按甲乙無夏以胃氣爲本病心脈來十字喘喘作累累曰心病作曰病下同 死心脈來前曲後居如操帶勾曰心死 心脈來時按之指下覺初曲後直如操捉帶勾前曲後直曰心死脈居直也　平按甲乙無死心脈來四字前曲作前鈎曰心死作曰死下同 平肺脈來厭厭聶聶如落榆莢 厭伊葉反聶尼輒反厭厭聶聶如人以手按已落榆莢得之指下者曰肺平脈也 曰肺平秋以胃氣爲本 平按甲乙平肺脈來作肺脈來落榆莢作循榆葉曰肺平作曰平無秋以胃氣爲本六字 病肺脈來不下不上如循雞羽曰肺病 按於毛脈如人以手摩循雞翅之羽得於心者以爲肺之病脈也　平按甲乙無病肺脈來四字不下不上素問作不上不下甲乙同 死肺脈來如物之浮如風之吹毛曰肺死 脈之動也如芥葉之浮於水若輕毛而逐風移如斯得者曰死脈者也夫五色有形目見爲易五聲無形耳知爲難五脈之動非耳目所辨斯最微妙唯可取動指下以譬喻之亦得在於神不可以事推之也　平按甲乙無死肺脈來四字素問吹上無之字甲乙同注以譬喻之亦得在於神之亦二字原鈔作亦知二字平按亦知恐係之亦二字顛倒謹擬作之亦之字屬上句讀 平肝脈來濡弱招招如揭長

竿曰肝平春以胃氣爲本揭奇哲反高舉也肝之弦脈獨如琴瑟調和之弦不緩不急又如人高舉竹竿之梢招招勁而且耎此爲平也　平按甲乙肝脈上無平字素問濡作耎竿下有末梢二字甲乙同無春以胃氣爲本六字病肝脈來盈實而滑如循長竿曰肝病盈滿實也肝氣實滑如循長竿少於胃氣故肝有病也　平按甲乙無病肝脈來四字死肝脈來急而益勁如新張弦曰肝死肝真藏脈來勁急猶如新張琴瑟之弦無有濡弱是無胃氣故爲死候也　平按甲乙無死肝脈來四字素問弦上有弓字甲乙同平脾脈來和柔相離如雞踐地曰脾平長夏以胃氣爲本按脾脈和柔胃氣也相離中間空者代也如雞行踐地跡中間空也中間代者善不見也　平按甲乙脾脈上無平字曰下無脾字無長夏以胃氣爲本七字脈下袁刻脫來字病脾脈來實而盈數如雞舉足曰脾病實而盈數如雞之舉足爪聚中間不空聚而惡見比之無代故是脾病也　平按甲乙無病脾脈來四字曰下無脾字死脾脈來堅兌如鳥之喙如鳥之距如水之流如屋之漏曰脾死按脾脈來堅尖聚兌而不相離

上觸人指如鳥喙如水流動如屋漏之滴人指脾脈死候也　平按甲乙無死脾脈來四字堅兌素問作銳堅鳥之喙素問甲乙鳥作烏千金作雞如屋之漏素問甲乙在如水之流上**平腎脈來喘喘累累如句按之而堅曰腎平冬以胃氣為本**句平也手下堅實而平此為石脈之形故為平也有本為揣揣果果之也　平按甲乙腎脈上無平字如句素問作如鈎甲乙同曰下甲乙無腎字無冬以胃氣為本六字**病腎脈來如引葛按之而益堅曰腎病**腎之病脈按之如按引葛逐指而下也益堅始終堅者是謂腎平初耎後堅故是腎病也　平按甲乙無病腎脈三字曰下無腎字**死腎脈來發如奪索辟辟如彈石曰腎死**腎之石脈來指下如索一頭繫之彼頭控之索奪而去如以彈石彈指辟辟之狀是腎之死脈候也　平按甲乙無死腎脈來四字曰下無腎字發字袁刻脫**岐伯曰心脈揣堅而長當病舌卷不能言**揣動也長謂寸口脈長一寸也此為心脈盛動堅心脈上至舌下故盛動堅舌卷不能言　平按素問甲乙無岐伯曰三字揣素問作摶下同甲乙無當字**其耎而散者當消渴自已**動而堅者病舌卷耎而散者病消渴以有胃氣故自已由手少陰貫腎絡肺繫舌本故也　平按甲乙當作病素問消渴作消

璟新校正云甲乙璟作渴肺脈揣堅而長當病唾血肺脈浮短今動堅長知血絡盛傷故唾血也　平按甲乙無當字其耎而散者當病灌汗至令不復散發以肺氣虛故脈耎散也虛故腠理相逐汗出如灌至令不復也　平按甲乙無當字素問至令作至今肝脈揣堅而長色不青當病墜若搏因血在脇下令人善喘肝脈耎而弦今動堅而長其色又不相應者是人當有墜傷墜傷損血在脇下又令喜喘故也　平按甲乙無當字素問甲乙善喘作喘逆若耎而散者其色澤當病溢飲溢飲者渴暴多飲而易入肌皮腸胃之外易音亦若脈耎散色又光澤者當因大渴暴飲水溢腸胃之外易入肌皮之中名曰溢飲之病也　平按若耎而散其色澤素問甲乙作其耎而散色澤者甲乙暴渴作渴渴易作溢胃脈揣堅而長其色赤當病折髀胃脈耎弱今動堅長又他色來尅當病折髀以足陽明脈行髀故也　平按甲乙無當字其耎而散者當病食痺膭痛胃虛不消水穀故食積胃中爲痺而痛又脈行膝故病膝膭痛膭膝端骨也　平按素問無膭痛二字甲乙無當字膭痛作痛髀脾脈揣堅

而長其色黄當病少氣脾脈耎弱今動堅長雖得本色以其陽虛故病少氣　平按甲乙無當字注陽虛袁刻作陽盛其耎而散色不澤者當病足䯒腫若水狀足太陰脈循䯒故脾虛色不澤者䯒腫若水之狀也　平按甲乙無當字腎脈揣堅而長其色黄而赤當病折腰腎脈沉石今動堅長黄色賊邪及赤色微邪來剋故病腰痛以足少陰脈營腰故也　平按素問赤下有者字甲乙有者字無當字其耎而散者當病少血至今不復陰盛太陽氣虛故少血得之在久至今不復也　平按甲乙無當字今作令以下素問有帝曰論得心脈至以其勝治之愈也百六十七字新校正云此一段全元起本在湯液篇據此則本書無此一段與全元起本同

黄帝問於岐伯曰故病五藏發動因傷色各何以知其久暴至之病乎其病發於五藏有傷其候五色何以知其久病新暴之別　平按素問黄帝問於岐伯曰作帝曰下有有字傷下有脈字甲乙無此一段岐伯對曰悉乎哉問也故其脈小色不奪者新病也邪始入於五脈故脈小未甚傷於血氣故部內五色不奪是知新病　平按素問故作徵下同甲乙無岐伯至

故其十一字故其脈不奪其色奪者久病也脈爲其本色爲標也本受邪氣已方受與標故脈本不奪色甚奪者知是久病　平按甲乙無故字及二其字故其脈與五色俱奪者此久病也內之五脈外之五色二俱奪者知病已成在久　平按甲乙無故其二字久上無此字故其脈與五色俱不奪者新病也人之有病五脈五色二俱不奪者其病未行血氣故知新病也　平按甲乙無故其二字故肝與腎脈並至其色蒼赤當病擊傷不見血見血而溼若水中也弦石俱至而色見青赤其人當病被擊內傷其傷見色故青赤也若被擊出血血溼若居水中者此爲候也　平按素問甲乙肝上無故字見血而溼作已見血溼尺內兩旁則季脅也從關至尺澤爲尺也季脅之部當在尺中央兩傍不在尺外兩傍季脅有病當見此處尺外以候腎尺中兩傍之外以候兩腎之有病當見此部也尺裏以候腹中自尺內兩中間總候腹中跗上以候胸中跗當爲膚古通用字故爲跗耳當尺裏以上皮膚以候胸中之病　平按素問作附上左外以候肝內以候鬲右外以候胃內以候脾上附上右外以候肺內以候胸中左外以候心內以候膻中甲乙同前候

前後候後 當此尺裏跗前以候胸腹之前跗後以候背後 平按素問甲乙作前以候前後以候後 跗上鬲上也 當尺裏跗上皮膚以候膈上也一曰竟上疑錯 鬲下者腹中事也 當尺裏膚上以下以爲鬲下之分即腹中事 平按附上鬲上也鬲下者腹中事也素問作上竟上者胸喉中事也下竟下者少腹腰股膝脛足中事也甲乙同惟脛下無足字 麤發者陰不足陽大有餘爲熱中跗之下也 尺之皮膚文理麤發者是陰衰陽盛熱氣薰膚致使皮膚麤起故爲熱中 平按素問麤發作麤大陽下無大字熱中下無跗之下三字甲乙同 來疾去徐者上實下虛爲厥巔疾 來疾陽盛故上實也去徐陰虛故下虛也上實下虛所以發巔疾也 來徐去疾上虛下實爲惡風 上虛受風故惡風也 有俱沈細數者少陰厥 沈細皆陰故沈細數少陰厥逆 平按素問甲乙有上有故中惡風者陽氣受也九字俱上有脈字 沈細數散者寒熱也 沈細陰也散爲陽故病寒熱也 浮而散者爲眴仆 眴玄遍反目摇 諸浮而躁者皆在陽則爲熱其右躁者在左手 浮躁皆陽故在陽則爲熱也諸陽絡脈左者絡右右者絡左故其右躁而病本

内經二五　七

蘭陵堂刊

在左手也　平按而躁素問作不躁甲乙作而不躁右躁素問甲乙作有躁手上均無左字諸細而沈者皆在陰則爲骨痛細之與沈皆是陰脉主於骨痛其有靜者在足其脉沈細仍靜者在足骨痛也數動一代者病在陽之脉溏洩及便膿血三動已去稱數數動一代息者陽脉虛也故數動一息即是陰實陽虛故溏洩便膿血也　平按素問脉下無溏字有也字甲乙有也字無溏洩及便膿血六字注三動袁刻作三陽諸過者切之濇者陽氣有餘也陽氣有餘稱過陽過之脉應浮而滑更濇者以其陽氣太盛故極反成濇　平按甲乙無諸過者切之五字濇上有其字滑者陰氣有餘也陰脉沈濇今反滑者以陰過極反成滑也陽氣有餘爲身熱无汗陽盛有餘極反爲陰外閉腠理故汗不出其身熱也陰氣有餘爲多汗身寒陰氣有餘極反爲陽外開腠理故汗多出其身寒也　平按身寒下素問有陰陽有餘則無汗而寒九字推而外之內而不外有心腹積推而內之外而不內者有熱五藏爲內陰也六府爲外陽也用鍼者欲寫陰補陽即推而外也而內實難寫即內而不外故知心腹病積也欲寫陽補陰即推而內之也而外實難寫即外

而不内故知外有熱　平按有熱素問作身有熱也甲乙作中有熱也推而上之上而不下腰足清推而下之下而不上者頭項痛上爲頭項下爲腰足推下向上氣不能下故知腰足冷也推上向下氣不能上故知頭項痛也　平按素問清作清甲乙同上而不下甲乙作下而不上下而不上作上而不下按之至骨脈氣少者腰脊痛而身寒有痺脈之沈細按之至骨少得其氣即知有寒腰脊爲痛身寒痺也　平按素問身下無寒字甲乙同

黄帝曰請問脈之緩急小大滑濇之病形何如請問五藏之脈各有六變以候病形岐伯曰臣請言五藏之變病也心脈急甚者爲瘛心脈鈎脈緩大滑等三變爲熱陽也急小濇等三變爲寒陰也夏時診得心脈如新張弦急甚者寒也筋脈急痛以爲瘛也下言急者皆如弦急非急疾也　平按變病靈樞作病變甲乙無臣請言五藏之變病也九字瘛下靈樞甲乙有瘲字微急爲心痛引背食不下其心脈來如弦微急即脈微弦急心微寒故心痛引背心輸而痛胸下寒咽中不下食也緩甚爲狂笑心脈緩甚者緩爲陽也緩甚熱甚也熱甚在心故發狂多笑微緩爲伏梁在心

下上下時唾血心脈微緩即知心下熱聚以爲伏梁之病大如人臂從齊上至於心伏在心下下至於齊如彼橋梁故曰伏梁其氣上下行來衝心有傷故時唾血　平按時上靈樞有行字甲乙有行有二字

大甚爲喉吤心脈至氣甚氣上衝於喉咽故使喉中吤吤而鳴也吤古介反

微大爲心痺引背善淚出心脈微盛發風經之氣衝心爲痺痛痛後引背輸及引目系故喜淚出也　平按甲乙淚下無出字

小甚爲善噦小爲陰也小甚心之氣血皆少心氣寒也心氣寒甚則胃咽氣有聚散故爲噦也噦於月反

微小爲消癉小而不盛曰微小者陰也心氣內熱而有寒來擊遂內熱更甚發爲消癉癉熱也內熱消瘦故曰消癉癉音丹

滑甚爲善渴滑陽也陽氣內盛則中熱喜渴也

微滑爲心疝引齊少腹鳴陽氣盛內有微熱衝心之陰遂發爲心疝痛引少腹腸鳴者也

濇甚爲瘖濇陰也濇者血多氣少心主於舌心脈血盛上衝於舌故瘖不能言也

微濇爲血溢維厥耳鳴顛疾微濇血微盛也血微盛者溢於鼻口而出故曰血溢維厥血盛陽維脈厥也陽維上衝則上實下虛故爲耳鳴癲疾

肺脈急爲癲疾肺脈毛脈有弦急是爲冷氣上衝陽瞋發熱在上上實下虛故爲癲疾　平按急下靈樞甲乙有甚字

微急爲肺寒熱怠惰欬

唾血引腰背胸若鼻宿肉不通肺以惡寒弦急即是有寒乘肺肺陽與寒交戰則二俱作病爲肺寒熱也肺病不行於氣身體怠惰肺得寒故發欬欬甚傷中故唾血欬復引腰及背輸而痛肺病出氣壅塞因即鼻中生於宿肉也　平按宿靈樞甲乙作息緩甚爲多汗緩爲陽也肺得熱氣外開腠理故爲多汗微緩爲痿漏風頭以下汗出不可止肺脈行於兩手肺得於熱故手痿緩又肺脈不上於頭故肺之熱開腠自頭以下漏風汗不止也　平按漏風靈樞作瘻偏風甲乙同止上無可字大甚爲脛腫肺氣甚故曰肺大甚也肺脈手太陰與足太陰相通足太陰行脛故肺氣熱甚上實下虛故爲脛腫也微大爲肺痺引胸背起惡日肺氣微大又得秋時寒氣故發爲痺痛前引胸後引背輸以是陰病故引胸背起不用見日光也惡焉故反　平按靈樞甲乙日下有光字小甚爲洩肺之氣血小甚即是氣寒即是胃氣甚不消水穀故洩利矣微小爲消癉腸肺之氣血微小也虛寒傷肺反爲熱病消肌肉也滑甚爲息賁上氣滑甚陽氣盛也陽盛擊陰爲積左右箱近膈猶如覆盃令人上氣喘息故曰息賁賁膈也音奔微滑爲上下出血陽氣微盛則內傷絡脈絡脈傷則上下出血陽絡傷則上衄血陰絡傷則下洩血也濇甚爲歐血氣爲

陽也血爲陰也濇爲陽也今得濇脈即知血盛衝於肺府陽絡陽絡傷便歐血也　平按歐靈樞甲乙作嘔　微濇爲鼠瘻在頸支腋之間下不勝其上其能喜酸　微濇血微盛也血微盛者循肺府手陽明脈上頸爲瘻又循肺手太陰脈下支腋之間爲瘻其脈下虛不勝上實金實遂欲剋木爲味故喜酸也酸木味也　平按其能喜酸靈樞作其應善痠矣甲乙作甚能善酸　肝脈急甚爲惡言　診得弦脈急者是寒氣來乘於肝魂神煩亂故惡出言語也　平按靈樞甚下有者字甲乙注云惡言一作忘言　微急爲肥氣在脇下若覆杯　肝脈微急是肝受寒氣積在左脅之下狀若覆杯名曰肥氣　緩甚爲喜歐　緩甚者肝熱氣衝咽故喜歐也　平按喜歐靈樞甲乙作善嘔　微緩爲水瘕痺也　陽氣微熱肝氣壅塞飲溢爲水或結爲瘕或聚爲痺　大甚爲內癰善歐衄　大甚氣盛熱氣結爲內癰也肝氣上逆故喜歐喜衄　微大爲肝痺陰縮欬引少腹　微大少陽微盛擊肝乃爲陰病肝痺者也陰寒故筋縮又發肝欬循厥陰下引少腹痛　平按陰縮陰字原鈔脫謹據靈樞甲乙補入袁刻作筋縮據注應作筋縮　小甚爲多飲　肝脈小甚是爲氣血皆少故渴而多飲也　微小爲消癉　微小氣血俱少有寒氣衝肝氣遂發熱爲癉消肌肉

滑甚爲㿉疝滑甚少陽氣盛也少陽氣盛則肝虛不足發爲㿉疝丈夫小腹中爲塊下衝陰痛　平按㿉靈樞作㿗甲乙作癩微滑爲遺溺陽氣微盛陰虛不禁故爲遺寒也　平按注寒依經文應作溺濇甚爲溢飲肝脈濇者肝氣血多寒也肝血多而寒不得洩溢入腸胃皮膚之外故爲溢飲也微濇爲瘛攣筋微濇血多而寒即厥陰筋寒故瘛急而攣也　平按靈樞筋下有痺字甲乙瘛作瘈瘲脾脈急甚爲瘛瘲診得代脈急甚多寒爲病手足引牽來去故曰瘛瘲也　平按甲乙瘛作瘈微急爲鬲中食飲入而還出後沃沫微急者微寒也脾氣微寒即脾胃中冷故食入還歐出大便沃冷沫也鬲中當咽冷不受食也　平按鬲靈樞作膈注即袁刻作則緩甚爲痿厥緩甚者脾中壹熱也脾中主營四支脾氣熱不營故曰四支痿弱厥逆冷也微緩爲風痿四支不用心慧然若無病微緩脾中微熱也脾中有熱受風營其四支今其痿弱不用風不入心故心慧然明了安若無病　平按支靈樞甲乙作肢大甚爲擊仆脾脈大甚是脾氣盛血裹當是被擊或是倒仆有傷故發此候微大爲疝氣腹裏大膿血在腸胃之外脾氣微大即知陰氣內盛爲疝大腹裹膿血在腸胃之外也小甚

為寒熱脾脈小甚氣血皆少是病諸寒熱病也微小為消癉微小氣血俱少故多内熱熱消肌肉也滑甚為㿗癃滑甚者陽氣盛熱也陰氣虛弱發為㿗癃癃淋也音隆　平按㿗癃靈樞甲乙作㿉癃微滑為蟲毒蛕蝎腹熱微滑陽氣微盛有熱也蛕胡灰反腹中長蟲也蝎胡竭反謂腹中蟲如桑蠹也陽盛有熱腹内生此二蟲為病絞作腹中　平按注桑蠹袁刻作長蠹濇甚為腸㿗㿗徒迴反脈濇氣少血多而寒故冷氣衝下廣腸脱出名曰腸㿗亦婦人帶下病也　平按㿗靈樞作潰甲乙作㿉注云一作潰微濇為内潰多下膿血微濇是血多聚於腹中潰壊而下膿血也腎脈急甚為骨癲疾診得石脈急甚者是謂寒氣乘腎陽氣走骨而上上實下虛故骨癲也　平按甲乙骨下有痿字微急為沉厥足不收不得前後微急者腎冷發沉厥之病足腳沉重逆冷不收膀胱大腸壅閉大小便亦不通　平按靈樞沉厥下有奔豚二字甲乙奔豚二字在沉厥上緩甚為折脊陽氣盛熱陰氣虛弱腎受寒氣致令腰脊痛如折微緩為洞洞者食不化下嗌還出腎脈從腎而上貫肝膈循喉嚨故腎有熱氣則下津液不通上衝喉嗌通洞不禁其食入腹還出　平按二洞字下甲乙均有泄字大甚為陰痿

大甚多氣少血太陽氣盛少陰血少精血少故陰痿不起也　平按注精字袁刻誤作積起下脫也字微大爲石水起齊以下至少腹垂垂然上至胃管死不治太陽氣盛血少津液不得下通結而爲水在少腹之中垂垂少腹垂也其水若至胃脘盛極故死也　平按靈樞少腹作小腹垂垂作腄腄管作脘甲乙少腹作小腹小甚爲洞洩腎氣小甚是血氣皆少也腎之血氣皆少則上下俱冷故食入口還出故曰洞洩微小爲消癉血氣俱少是謂陰虛陽盛熱爲消癉滑甚爲癃頹滑甚太陽熱甚少陽虛而受寒故爲癃頹也　平按靈樞頹作㿉甲乙作癰癩微滑爲骨痿坐不能起起目毋所見微滑太陽微盛熱入骨髓發爲骨痿骨弱坐不能起也太陽自目内背而起上衝於目故目無見也　平按靈樞甲乙目上有則字甲乙所見下有視黑丸三字濇甚爲大癰濇甚多血少氣不宣故聚爲大癰微濇爲不月沈痔微濇者血微盛也血多氣少不通故女月經不得以時下也又其氣少血聚復爲廣腸内痔也沈内也黄帝曰病之六變者刺之奈何習前五脈各有六變補寫之道　平按甲乙曰上無黄帝二字病之六變作病亦有甚變岐伯曰諸急者多寒脉之弦急由於多寒有甚

有微即五藏急合有十種故曰諸急自餘諸變皆放此也緩者多熱由其當藏多熱致脈遲緩大者多氣少血由其當藏氣多血少致令脈有洪大小者血氣皆少由其當藏血氣皆少故令脈衰小也滑者陽氣盛微有熱由其當藏陽盛熱微故令脈有滑疾也濇者多血少氣微有寒由其當藏血多氣少微寒故令脈濇是故刺急者深內而久留之寒則氣深來遲故深內而久留也刺緩者淺內而疾發鍼以其熱熱退氣淺行疾故淺內疾發　平按以其熱靈樞甲乙作以去其熱刺大者微寫其氣毋出其血大者氣多故須微寫以其少血故不出血刺滑者疾發鍼而淺內之以寫其陽氣而去其熱以其氣盛而微熱故淺內鍼仍疾發之　平按甲乙寫作瀉刺濇者必中其脈隨其逆順而久留之必先捫而循之以發鍼疾按其痏毋令其血出以和其脈脈濇即多血也以其多血故先須以手捫循然後刺之中其脈血隨其逆冷者久而留鍼以其氣少恐其洩氣故發鍼已疾按其痏痏干軌反謂瘡

瘕之也　平按揗靈樞甲乙作按以發鍼以作巳甲乙其血出作出血脈上有諸字注逆冷依經文應作逆順**諸小者陰陽形氣俱不足勿取以鍼調其甘藥**諸脈小者五藏之陰六府之陽及骨肉形並其氣海之氣四者皆悉虛少若引陰補陽是則陰竭引陽補陰即使陽盡陰陽既竭形氣又微用鍼必死宜以甘味之藥調其脾氣脾胃氣和即四藏可生也　平按小上甲乙無諸字調其甘藥靈樞作而調以甘藥也甲乙作而調之以甘藥**肝滿腎滿肺滿皆實皆為腫**此三藏之滿實皆為癰腫　平按皆為腫素問甲乙作即為腫**肺之癰喘兩胠滿**肺以主氣故肺生癰有喘也肺脈上膈近脇故肺癰脇滿也　平按素問癰作雍脇作胠甲乙作脛注云素問作胠**肝癰兩胠滿臥則驚不得小便**兩胠謂在側箱兩肋下空處肝府足少陽脈行在脇下故肝癰兩胠滿也足少陽別脈上肝貫心故熱盛為癰因即心驚也肝脈環陰故肝病熱甚不得小便有本作小和字誤　平按癰素問作雍甲乙胠作脇下二字**腎癰胠下至少腹滿脛有大小髀胻大跛易偏枯**督脈上至十四椎屬於帶脈行兩胠故從兩胠至少腹滿以少陰脈虛受病行於兩腳故脛大小髀胻大跛左右二腳更病故為易也又為偏枯病也胻稱膝胻股胻髀胻謂胻通膝上下也　平按癰素問作雍胠作腳甲乙胻作脛無大字

心脈滿大癇瘛筋攣心脈滿實仍大是則多氣熱盛故發小兒癇病以其少血陰氣不足故寒而筋攣也　平按甲乙瘛作痓下同肝脈小急癇瘛筋攣小則陰陽二氣不足急即爲寒是爲虚寒熱乘爲癇及寒爲筋攣肝脈驚暴有所驚駭脈不至若瘖不治自已肝至有驚氣者是因驚魂失瘖不言或脈不至皆不療自已也　平按驚暴素問作騖暴甲乙作瞀暴腎脈小急肝脈小急心脈不鼓皆爲瘕腎肝二脈小急及心脈不鼓皆内虚寒氣故爲瘕也　平按素問甲乙不鼓上有小急二字腎脈大急沈肝脈大急沈皆爲疝腎肝二脈大爲多氣少血急沈皆寒是爲寒氣内盛故爲疝病也　平按腎脈大急沈上素問有腎肝并沈爲石水并浮爲風水并虚爲死并小弦欲驚二十一字新校正云詳腎肝并沈至下小弦欲驚全元起本在厥論中王氏移於此本書見卷二十六經脈厥篇據此則本書與全元起本同心脈揣滑急爲心疝揣動也滑陽氣盛而微熱急爲多寒心氣寒寒盛而微熱寒勝故結爲心疝也　平按揣素問作搏下同肺脈沈揣爲肺疝肺脈應虚浮今更沈寒多故爲肺疝也　平按肺疝下素問有三陽急爲瘕三陰急爲疝二陰急爲癇厥二陽急爲驚二十一字新校正云詳三陽急爲瘕至爲驚全元起本在厥

論王氏移於此本書見卷二十六寒熱相移篇脾脈外鼓沈爲腸辟久自已脾脈向外鼓外鼓仍沈沈寒爲利胃氣強盛故久自已也平按辟素問甲乙作澼下同肝脈小緩爲腸辟易治肝脈氣血雖少胃氣強盛故療易差也腎脈小揣沈爲腸辟下血溫身熱者死腎脈氣血俱少仍冷利下血者胃氣虛冷故死下血溫身熱皆胃氣散去也平按素問血字重甲乙溫作溼注素問作溫心肝辟亦下血二藏同病者可治其身熱者死熱見七日死心肝二氣共爲腸辟下血是母子相扶故可療也身熱以胃氣散去遠至七日死平按可治下素問甲乙有其脈小沈濇爲腸澼八字熱見甲乙作熱甚注云素問作熱見胃脈沈鼓濇胃外鼓大心脈小堅急皆鬲偏枯男子發左女子發右不瘖舌轉可治三十日起其順者瘖三歲起年不滿二十者三歲死胃脈足陽明陽也胃脈反更沈細鼓動而濇濇寒也其脈向外而鼓其氣傷多如此診得足陽明脈沈鼓而寒向外鼓而氣多又得心脈血氣俱少堅實而寒然則胃之與心二者同病名鬲偏枯男子發於左箱女子發於

右箱若瘖不能言舌不轉者死若能言轉舌者療之三十日能行雖瘖舌轉順者三年得差若年不至二十得前病者三年而死也　平按甲乙轉下有者字順素問甲乙作從 **脈至而揣血衄身有熱者死** 脈至而動又陽虛衄血身體應冷而衄血身熱虛爲逆故死也　平按血衄甲乙作衄血素問熱上無有字 **脈來懸勾浮爲脈鼓** 夏秋二脈並至以爲脈鼓　平按脈鼓素問作常脈甲乙作浮者爲熱 **脈至如喘名曰氣厥者不知與人言** 氣厥不知言也　平按氣厥者素問甲乙作暴厥暴厥者 **脈至如數使人暴驚三四日自已** 卒驚不療三四日自已也　平按如數甲乙作而數 **脈至浮合浮合如數一息十至以上是與經氣予不足微見九十日死** 浮合之脈經氣不足微而見九十日即死也　平按素問甲乙是下無與字足下有也字 **脈至如火新燃是心精之予奪也草乾死** 心脈如鉤今如火新燃是心脈急疾火精奪故至草乾水時被剋而死　平按新燃素問作新然甲乙作新然素問甲乙死上有而字 **脈至如散采肝氣予虛也木葉落死** 肝脈如弦今散如五采變見不定是爲肝

木氣之虛損至木葉落金時被剋而死有本爲蕀棘散葉也　平按散采素問作散葉甲乙作蕀棘　脈至省容省容者脈寒如鼓也是腎氣予不足也懸去棗華死腎脈如石今如省容寒而鼓動是爲腎之水氣有傷故至棗華土時被剋而死也　平按省容素問甲乙作如省客脈寒素問作脈塞　脈至如丸泥胃精予不足也榆莢落而死莢兼牒反如豆莢等草實胃脈耎弱今反如丸泥乾堅之丸即是胃土氣之有損故至榆莢木時而死也　脈至如橫格是膽氣予不足也禾熟而死膽脈如弦今如橫格之木即是木之膽氣有損故至禾熟秋金時被剋而死也　脈至如弦縷胞精予不足也病善言下霜而死不言可治心胞脈至如鉤今如弦之縷線散而不聚是爲心胞火府有損故至霜雪水時被剋而死不好言者心氣未盡故可療也　脈至如交莢交莢者左右傍至也微見三十日而死莢兼牒反如豆莢等草實也脈至如相交左右傍至是次轉故微見三十日死也　平按莢素問作漆甲乙作棘注次轉二字疑有誤　脈至如泉浮鼓胞中太陽氣予

不足也少氣味韮華死足太陽是腎之府脈今如泉之浮鼓而動即膀胱胞氣水之不足故至韮莢華土時被劾而死一曰韮英也　平按泉上素問有涌字甲乙有湧字胞中素問甲乙作肌中韮華死素問作韮英而死甲乙作韮花生而死脈至如委土之狀按之不得肌氣予不足五色先見黑白累發死脾脈代如雞足踐地中間代絶今按止如委土之狀無有脾胃耎弱之氣又先累見黑白之色是肺腎來乘故死也　平按委土素問作頽土不得甲乙作不足累發素問作壘發脈至如懸離懸離者浮揣切之益大十二輸之予不足也水凝而死亟浮實切之益大此是懸離之狀懸離脈見即五藏六府十二經輸氣皆不足十二經輸皆屬太陽故至水凍冬時而死亟急也病至水凝而死亟居力反　平按懸離素問作懸雍甲乙作懸癰新校正一、按全元起本懸癰作懸離元起注云懸離者言脈與肉不相得也水凝甲乙作水凍素問無亟字甲乙同脈至如偃刀偃刀者浮小急按之堅急大五藏菀熟寒熱獨并於腎也如此其人不得坐立春而死浮之小急按之堅急大者此是偃刀之狀也浮手取之即小為氣血俱少按之堅實急大多氣少血即知五藏宛熟寒熱之氣唯并於腎至春實邪來乘致死　平按素問浮下有之字急大作大急宛熟作菀熟甲乙作寒熱注云素作菀熟

脈至如丸滑不直手按之不得也膽氣予不足也棗葉生而死直當也脈如彈丸按之不可當於指下此是滑不直膽氣病脈狀也至於孟夏棗葉生實邪來乘而死　平按膽原鈔作膽注同疑是膽字之誤素問甲乙作大腸查大腸爲肺之府屬金膽爲肝府屬木本注云至於孟夏棗葉生實邪來乘而死按五十難曰邪從前來者爲實邪滑氏本義云我生者相氣方實也居吾之前而來爲邪故曰實邪孟夏火旺之時爲木所生乃木之實邪應從膽爲是再按上注并於腎至春實邪來乘致死腎爲水藏水來生木爲腎之實邪其義正同

脈至如華者令人善恐不欲坐臥行立常聽小腸予不足也季秋而死脈之浮散故如華也心府小腸虛小故多恐坐臥不安心虛耳中如有物聲故恒聽至於季秋爲肺氣來乘遂致於死也　平按如華甲乙作如春

黄帝内經太素卷第十五 診候之二 黄陂陳孝啓校字